IL ÉTAIT MINUIT CINQ
À BHOPAL

DOMINIQUE LAPIERRE
JAVIER MORO

IL ÉTAIT MINUIT CINQ À BHOPAL

Récit

ROBERT LAFFONT

© Éditions Robert Laffont, S.A., Paris, 2001
ISBN 2-221-09131-0

Aux héros de l'Orya basti,
de Chola et de Jai Prakash nagar.

Lettre aux lecteurs

Un jour, j'ai rencontré un grand Indien d'une quarantaine d'années, le front ceint d'un foulard rouge, les cheveux noués en tresse dans le cou. Son sourire éclatant et la chaleur de son regard m'ont immédiatement fait comprendre que cet homme était un authentique apôtre au service des plus déshérités. Ayant appris que le deuxième bateau-dispensaire *Cité de la joie* venait d'être lancé dans le delta du Gange pour secourir les populations de cinquante-quatre îles totalement privées de toute aide médicale, il voulait solliciter mon aide.

Depuis plus de dix ans, Satinath « Sathyu » Sarangi, c'est son nom, anime une organisation non gouvernementale, apolitique et non confessionnelle, qui soigne avec acharnement les victimes les plus démunies de la plus grande catastrophe industrielle de l'histoire, celle qui, dans la nuit du 2 au 3 décembre 1984, à cause d'une fuite massive de gaz toxique, fit entre seize et trente mille morts et quelque cinq cent mille blessés dans la ville de Bhopal, en Inde.

J'avais un vague souvenir de cette tragédie, mais, en cinquante-deux ans de pérégrinations à travers cet immense pays, je n'avais jamais fait escale dans la magnifique capitale du Madhya Pradesh.

9

Sathyu venait me demander de financer la création et l'équipement d'une clinique gynécologique afin de pouvoir soigner des femmes sans ressources souffrant, seize ans après l'accident, de terribles séquelles.

Je suis allé à Bhopal. Ce que j'y ai découvert a été sans doute l'un des plus grands chocs de mon existence. Grâce au soutien de mes droits d'auteur et à la générosité des lecteurs de *La Cité de la joie* et de *Mille Soleils*, nous avons pu ouvrir cette clinique. Elle reçoit, soigne et guérit aujourd'hui des centaines de femmes que tous les hôpitaux de la ville avaient abandonnées à leur sort.

Mais, surtout, cette expérience m'a mis sur le chemin de l'un des sujets les plus bouleversants de toute ma carrière de journaliste et d'écrivain. Pourquoi et comment un événement aussi tragique a-t-il pu se produire ? Qui ont été ses promoteurs, ses acteurs, ses victimes, et finalement ses bénéficiaires ?

J'ai demandé à l'écrivain espagnol Javier Moro, auteur d'un superbe livre sur le drame tibétain, de venir me rejoindre à Bhopal. Notre enquête a duré trois ans. Ce livre en est le fruit.

Dominique Lapierre

L'homme et sa sécurité doivent constituer la première préoccupation de toute aventure technologique.

N'oubliez jamais cela quand vous vous plongez dans vos croquis et vos équations.

Albert Einstein

LA VILLE DE BHOPAL

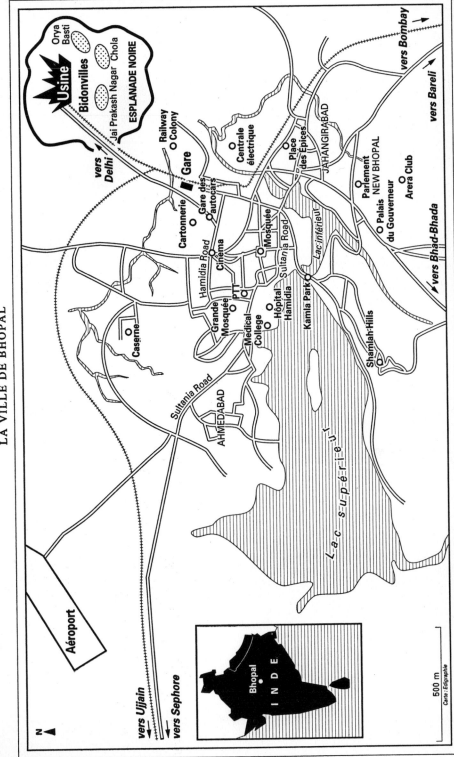

Orya Basti

Jai Prakash Nagar Chola

ESPLANADE NOIRE

Usine

Bidonvilles

vers Delhi

Railway Colony

Gare

vers Bombay

vers Bareli

Centrale électrique

Place des Épices

JAHANGIRABAD

Parlement
NEW BHOPAL

Arera Club

Gare des autocars

Cartonnerie

Palais du Gouverneur

vers Bhad-Bhada

Hamidia Road

Cinéma

PTT

Mosquée

Sultania Road

Lac intérieur

Caserne

Grande Mosquée

Hôpital Hamidia

Medical College

Kamla Park

Shamlah-Hills

Sultania Road

AHMEDABAD

Lac supérieur

Aéroport

vers Ujjain

vers Sephore

N

Bhopal

I N D E

500 m

Carta : Edigraphie

Première partie

Une nouvelle étoile
dans le ciel de l'Inde

1

Des pétards qui tuent, des veaux qui meurent, des insectes qui assassinent

Mudilapa. L'un des quinze cent mille villages de l'Inde et sans doute l'un des plus pauvres de ce pays vaste comme un continent. Situé au pied des collines sauvages de l'Orissa, il comptait une soixantaine de familles appartenant à la communauté des adivasis, ces descendants des tribus aborigènes qui peuplaient l'Inde il y a plus de trois mille ans et que les Arya venus du Nord avaient repoussés vers les zones montagneuses moins fertiles.

Bien qu'officiellement « protégés » par les autorités, les adivasis restaient largement à l'écart des programmes de développement qui tentaient de transformer la condition paysanne en Inde. Privés de terres, les habitants de la région devaient louer leurs bras pour faire vivre leurs familles. Couper la canne à sucre, descendre dans les mines de bauxite, casser les cailloux le long des routes, aucune tâche ne rebutait ces laissés-pour-compte de la plus grande démocratie du monde.

— Adieu ma femme, adieu les enfants, adieu père, adieu mère, adieu le perroquet. Que le dieu veille sur vous en mon absence !

Chaque début d'été, alors qu'une chaleur d'enfer écrasait le village d'une chape de plomb, un petit homme sec et musclé, très noir de peau, saluait les siens avant de s'éloigner, son baluchon sur la tête. Ratna Nadar, trente-deux ans, partait pour un voyage pénible : trois jours de marche pour atteindre une palmeraie au bord du golfe du Bengale. La puissance de ses bras et de ses jarrets lui avait valu d'être engagé par un *tharagar*, un recruteur de main-d'œuvre itinérant. Le travail dans une palmeraie exige une agilité et une force athlétiques peu communes. Il faut grimper à mains nues, sans harnais, jusqu'à la cime de pal-miers-dattiers aussi hauts que des maisons de cinq étages, pour faire une entaille à l'aisselle des palmes et recueillir le miel que sécrète le cœur de l'arbre. Ces ascensions acrobatiques valaient à Ratna Nadar et à ses compagnons le surnom d'« hommes-singes ». Chaque soir, le régisseur de l'exploitation venait prendre livraison de leur pré-cieuse récolte qu'il portait à un confiseur de Bhubanesh-war.

Ratna Nadar n'avait jamais pu savourer le délicieux nec-tar. Mais les quatre cents roupies de son travail saisonnier gagnées au péril de sa vie lui permettaient de nourrir les sept membres de sa famille pendant plusieurs semaines. Dès qu'elle pressentait son retour, son épouse allumait un bâtonnet d'encens devant l'image de Jagannath qui déco-rait un coin de la hutte et remerciait ainsi le « seigneur de l'univers », l'une des formes du dieu hindou Vishnou adoptée par ces adivasis. Sheela était une frêle femme, vive, toujours souriante. Sa natte dans le dos, ses yeux en forme d'amande, ses pommettes roses la faisaient ressem-bler à une poupée chinoise. Rien de surprenant à cela : ses aïeux appartenaient à une tribu aborigène originaire de l'Assam, tout au nord du pays.

Les Nadar avaient trois enfants. L'aînée, Padmini, âgée de huit ans, était une fillette délicate aux longs cheveux noirs liés en une double tresse. Elle avait hérité les beaux yeux bridés de Sheela et le profil volontaire de son père. Le petit anneau en or qui, selon la tradition, ornait une aile de son nez soulignait l'éclat de son visage. Levée à l'aube, couchée tard le soir, Padmini secondait sa mère dans toutes les tâches ménagères. Elle s'était occupée de ses jeunes frères, Ashu, sept ans, et Gopal, six ans, deux petits diables hirsutes plus prompts à tuer des lézards à la fronde qu'à aller chercher l'eau à la mare du village. Au foyer des Nadar vivaient aussi les parents de Ratna, son père Prodip, dont le visage buriné était barré d'une fine moustache grise, et sa mère Shunda, déjà toute ridée et voûtée.

Comme des dizaines de millions d'enfants indiens, Padmini et ses frères n'avaient jamais eu la chance d'approcher le tableau noir d'une école. Pour tout enseignement, on leur avait appris à survivre dans le monde extrême où les dieux les avaient fait naître. Et, comme les autres habitants de Mudilapa, Ratna Nadar et les siens vivaient à l'affût de la moindre occasion de gagner quelques roupies. L'une de ces opportunités revenait d'année en année au début de la saison sèche lors de la cueillette des différentes feuilles qui servent à la confection des *bidi*, les fines cigarettes indiennes au bout conique.

Pendant six semaines, Sheela, ses enfants et leurs grands-parents partaient chaque matin à l'aube avec la plupart des villageois vers la forêt de Kantaroli. Le spectacle de ces gens qui envahissaient les sous-bois telle une nuée d'insectes était fascinant. Avec une précision d'automates, ils détachaient une feuille, la déposaient dans une musette de toile et répétaient inlassablement le même geste. Toutes les heures, les cueilleurs s'arrêtaient pour confectionner des bouquets de cinquante feuilles. En se pressant, ils parvenaient en général à en composer quatre-vingts dans la journée. Chaque bouquet était payé trente paisas (pas tout à fait l'équivalent de cinq de nos centimes), le prix de deux aubergines.

Les premiers jours, tant que la cueillette avait lieu à l'orée de la forêt, la jeune Padmini arrivait souvent à faire une centaine de bouquets. Ses frères Ashu et Gopal n'avaient pas son agilité pour cueillir les feuilles d'un seul pincement. Leur récolte s'en ressentait. Mais à eux six, enfants, mère et grands-parents, ils rapportaient chaque soir près de cent roupies. Une fortune pour cette famille habituée à survivre un mois entier avec beaucoup moins.

*

Un jour, le bruit courut à Mudilapa et dans les villages alentour qu'une fabrique de cigarettes et d'allumettes venait d'être implantée dans la région et qu'on embauchait des enfants. Sur les cent milliards d'allumettes produites chaque année en Inde, beaucoup étaient encore façonnées à la main, principalement par des enfants dont les petits doigts faisaient merveille. Il en allait de même pour le roulage des bidis.

L'ouverture de cette fabrique suscita l'émoi des habitants de Mudilapa. Tout fut bon pour séduire le tharagar chargé de recruter la main-d'œuvre. Des mères se précipitèrent chez le *mohajan*, l'usurier du village, et mirent en gage leurs derniers bijoux. Certains vendirent leur unique chèvre. Les conditions de travail proposées étaient pourtant extrêmement dures.

— Mon camion passera à quatre heures chaque matin, annonça le tharagar aux parents des enfants qu'il avait choisis. Et gare à ceux qui ne seront pas dehors à l'attendre.

— Et quand nos enfants seront-ils de retour ? s'inquiéta le père de Padmini, exprimant le sentiment des autres parents.

— Pas avant la nuit, répondit sèchement le tharagar.

Sheela vit passer une expression de peur sur le visage de sa fille. Elle chercha aussitôt à la rassurer.

— Padmini, songe au sort de ta camarade Banita.

Sheela faisait allusion à la petite voisine que ses parents venaient de vendre à un aveugle afin de pouvoir nourrir leurs autres enfants. La transaction n'était pas inhabituelle. Parfois, c'était à des rabatteurs proxénètes que des parents trop candides confiaient leurs filles, croyant les destiner à un emploi de servante ou d'ouvrière.

Il faisait encore nuit quand la trompe du camion retentit le lendemain matin. Padmini, Ashu et Gopal étaient déjà dehors, à le guetter, blottis l'un contre l'autre. Ils avaient froid. Leur mère s'était levée avant eux pour leur préparer un repas à emporter : une poignée de riz assaisonné d'un peu de *dal*[1] avec deux *chapati*[2] pour chacun, et un piment partagé en trois, le tout enveloppé dans une feuille de bananier.

Le camion s'arrêta devant un hangar couvert de tuiles, avec un mur en terre sèche à l'arrière et des piliers soutenant le toit à l'avant. Le jour n'était pas encore levé et des lampes à pétrole éclairaient à peine le vaste bâtiment. Le contremaître était un homme imposant et autoritaire, vêtu d'une chemise sans col et d'un pagne blanc. « Dans l'obscurité, j'avais l'impression que ses yeux brillaient comme les braises de notre *chula*[3] », racontera Padmini.

— Asseyez-vous tous le long du mur ! ordonna-t-il.

Puis il compta les enfants et les répartit en deux groupes, l'un pour les cigarettes, l'autre pour les allumettes. Padmini fut séparée de ses frères et envoyée rejoindre le groupe des bidis.

— Au travail ! commanda l'homme au pagne blanc en tapant dans ses mains.

Ses aides apportèrent alors des plateaux chargés de feuilles comme celles que Padmini avait cueillies dans la forêt. Le plus âgé s'accroupit en face des enfants pour leur montrer comment il fallait rouler chaque feuille en lui donnant la forme d'un petit entonnoir, la remplir d'une pincée de tabac haché, et la ligaturer avec un fil rouge. Padmini n'eut aucun mal à l'imiter. En un rien de

---

1. Purée de lentilles, principale source de protéines végétales.
2. Galette de blé.
3. Petit fourneau artisanal.

temps, elle avait confectionné un paquet de bidis. « La seule chose que je n'aimais pas, c'était l'odeur piquante des feuilles, confiera-t-elle. Pour arriver au bout du tas placé devant chacun de nous, il valait mieux penser à l'argent que nous allions rapporter à la maison. »

D'autres employés déposèrent des monceaux de fins bâtonnets devant les enfants assignés à la fabrication des allumettes.

— Vous les enfilez un à un sur les dents de ce support métallique, leur expliqua le contremaître. Dès qu'il est plein, vous le retournez et vous plongez le bout des bâtonnets dans cette gamelle.

Le récipient contenait du soufre en fusion. Une fois les pointes trempées et ressorties, le soufre se solidifiait sur-le-champ.

Le plus jeune frère de Padmini considéra avec appréhension le liquide fumant.

— On va se brûler les doigts ! s'inquiéta-t-il, assez fort pour que le contremaître l'entende.

— Petit crétin ! rétorqua ce dernier. Je t'ai dit de plonger seulement le bout des brins de bois, pas tout le support. T'as donc jamais vu une allumette ?

Gopal hocha la tête. Mais l'objet de sa crainte était dérisoire comparé au réel danger que représentaient les vapeurs toxiques émanant du récipient. Certains enfants ne tarderaient pas à ressentir des brûlures aux poumons et aux yeux. Beaucoup perdraient connaissance. Le contremaître et ses aides devraient les ranimer à coups de gifles et de seaux d'eau. Ceux qui s'évanouissaient à nouveau étaient impitoyablement chassés de la fabrique.

« Quelque temps après notre arrivée, un deuxième hangar fut construit pour abriter un atelier de fabrication de pétards, racontera Padmini. Mon frère Ashu y fut affecté avec une vingtaine d'autres garçons. Je ne le voyais plus qu'une fois par jour, quand je lui apportais sa part de nourriture préparée par notre mère. Le contremaître annonçait la pause pour le repas d'un coup de cloche. Malheur à celui d'entre nous qui n'avait pas regagné sa place au second signal ! Le chef lui tapait dessus avec une baguette qu'il agitait sans cesse pour nous faire peur et nous pousser à aller toujours plus vite. En dehors de cette brève coupure, nous travaillions sans interruption depuis notre arrivée jusqu'à la nuit, lorsque le camion nous ramenait à la maison. Mes frères et moi étions si fatigués que nous nous jetions sans manger sur le *charpoy*[1] et nous endormions aussitôt. »

Quelques semaines après l'ouverture de l'atelier des pétards, une tragédie frappa la fabrique. Padmini vit tout à coup une énorme flamme illuminer le hangar où travaillait son frère Ashu. Une explosion arracha le toit et le mur. Des garçons sortirent du nuage de fumée en hurlant. Ils étaient couverts de sang. Leur peau pendait en lambeaux. Le contremaître et ses aides essayaient d'éteindre le feu avec des seaux d'eau. Affolée, Padmini se précipita vers le brasier en criant le nom de son frère mais personne ne lui répondit. Elle courait en tous sens et trébucha. En tombant, elle vit un corps par terre. C'était son frère. Il n'avait plus de bras. « Ses yeux étaient ouverts comme s'ils me regardaient, mais ils ne bougeaient pas, dira-t-elle. Ashu était mort. Autour de lui, il y avait d'autres petits corps déchiquetés. Je me suis relevée et suis allée prendre la main de mon autre frère qui s'était réfugié dans un coin du hangar des allumettes. Je me suis assise près de lui, l'ai serré dans mes bras et nous avons pleuré en silence. »

*

Un mois après ce drame, un fonctionnaire en uniforme appartenant aux services vétérinaires de l'Orissa fit son

---

1. Littéralement : « quatre pieds ». Lit de cordes fait de sangles tendues sur un cadre de bois que supportent quatre pieds.

apparition à Mudilapa à bord d'une jeep équipée d'un gyrophare et d'une sirène. Il était le premier représentant du gouvernement à se montrer dans le village. Il appela les habitants à l'aide d'un haut-parleur et toute la population vint se rassembler autour de sa jeep.

— Je suis venu vous annoncer une grande nouvelle, déclara-t-il en caressant le micro de ses doigts couverts de bagues. Conformément à sa politique d'aide aux paysans les plus défavorisés de notre pays, Indira Gandhi, notre Premier ministre, a décidé de vous faire un cadeau. – Il considéra avec amusement l'étonnement qui se lisait sur les visages de l'assistance. Levant la main au hasard vers l'un d'eux, il demanda : — Est-ce que tu as une idée, toi, de ce que notre mère à tous veut vous offrir ?

Un voisin du père de Padmini hésita :

— Elle veut peut-être nous donner un puits, se hasarda-t-il timidement.

Déjà, l'homme en uniforme s'était tourné vers quelqu'un d'autre.

— Et toi ?

— Elle va nous faire une vraie route.

— Et toi ?

— Elle veut nous apporter l'électricité.

— Et toi ?...

En moins d'une minute, l'envoyé du gouvernement put mesurer l'état de pauvreté et d'abandon du village. Mais l'objet de sa visite ne concernait aucun de ces pressants besoins. Ménageant le suspense par un long silence, il reprit enfin d'une voix paternelle :

— Mes amis, je suis venu vous informer que notre bien-aimée Indira a décidé d'offrir une vache à chaque famille de Mudilapa.

— Une vache ? répétèrent plusieurs voix stupéfaites.

— Avec quoi allons-nous la nourrir ? s'inquiéta quelqu'un.

— Ne vous faites aucun souci pour ça, enchaîna le visiteur, Indira Gandhi a pensé à tout. Chaque famille va recevoir une parcelle de terre sur laquelle vous ferez pousser le fourrage nécessaire pour nourrir votre bête. Et le gouvernement vous paiera pour ce travail.

C'était trop beau.

— Les dieux ont rendu visite à notre village, s'émerveilla la mère de Padmini, toujours prête à remercier le Ciel pour le moindre bienfait. Il faut tout de suite faire une *puja*[1].

L'envoyé du gouvernement poursuivait son discours. Il parlait avec l'emphase d'un politicien venu distribuer des cadeaux avant une élection.

— Ne partez pas, mes amis, je n'ai pas terminé ! J'ai une nouvelle encore plus importante à vous annoncer. Le gouvernement a pris des dispositions pour que chacune de vos vaches puisse donner un veau grâce à la semence recueillie sur des taureaux importés de Grande-Bretagne spécialement sélectionnés. Leur sperme vous sera régulièrement apporté de Bombay et de Poona par des vétérinaires du gouvernement qui procéderont eux-mêmes aux inséminations. Ce programme doit permettre la création dans votre région d'une race nouvelle capable de produire huit fois plus de lait que le bétail local. Mais attention, pour arriver à un tel résultat, vous devez vous engager à ne jamais mener vos vaches à un taureau d'ici.

La stupéfaction qui marquait les visages fit place à une ovation de joie.

— Nous n'avons jamais reçu la visite d'un bienfaiteur comme vous, déclara Ratna Nadar, sûr de traduire la reconnaissance de tous.

Le jour de l'arrivée du troupeau, les femmes exhumèrent du coffre familial leur sari de mariage et leurs voiles de fête comme pour les célébrations de Diwali[2] et

---

1. Cérémonie d'offrande devant l'autel d'un dieu.
2. Diwali, la fête des lumières, célébrée dans une explosion de feux d'artifice et de pétards, est la fête la plus gaie du calendrier hindou.

de Dassahra [1]. Elles dansèrent et chantèrent toute la nuit autour des animaux qui poussaient un concert de meuglements. Les Nadar donnèrent à leur vache le nom de Lakshmi, la déesse de la Richesse et de la Prospérité, que les adivasis vénèrent avec autant de ferveur que les hindous.

Ainsi que l'avait annoncé l'envoyé du gouvernement, des vétérinaires arrivèrent peu de temps après à Mudilapa. Ils apportaient de grosses seringues pour procéder aux inséminations du sperme britannique. Dix lunes plus tard, un veau vint au monde dans la cour de chacune des huttes du village. Mais la joie des habitants ne dura qu'une seule nuit. Aucun des jeunes veaux ne put se mettre debout pour téter sa mère. Ils pleuraient comme des nouveau-nés affamés. Sheela essaya de faire boire un peu de lait au sien dans une coque de noix de coco. Les veaux moururent tous les uns après les autres. C'était un désastre.

— Je vais conduire Lakshmi à un taureau de chez nous, annonça un matin Ratna Nadar à sa famille.

Son voisin prit la même décision.

— C'est parce que leurs pères ne sont pas d'ici que nos veaux sont morts, affirma-t-il.

Cette tentative se révéla infructueuse. Les agents du gouvernement avaient pris leurs précautions. Pour empêcher les paysans de faire féconder leurs vaches par un taureau d'une race locale, ils les avaient tous fait castrer.

*

Les habitants de Mudilapa se reprirent à espérer quand ils virent sortir de terre les jeunes pousses du fourrage qu'ils avaient semé pour leurs vaches sur le quart d'hectare attribué par le gouvernement. Au moins pourraient-

---

1. Dassahra, dixième jour des fêtes de Durga célébrant la victoire de la déesse sur le démon-buffle symbole d'ignorance.

ils nourrir leurs bêtes. Chaque matin, Ratna Nadar emmenait sa famille jusqu'au champ pour surveiller la bonne santé de la future récolte. Un jour, ils remarquèrent que l'herbe avait brusquement changé de couleur. Elle était devenue grise. Ce ne pouvait être à cause d'un manque d'eau car le sol était encore mouillé par les dernières pluies. En examinant attentivement les tiges, Ratna découvrit que des pucerons noirs dévoraient l'écorce et suçaient la sève. Les autres paysans firent la même constatation. Une calamité s'était abattue sur Mudilapa. Jagannath était-il fâché ? Les Nadar et leurs voisins allèrent demander au prêtre du village d'offrir une puja au grand dieu afin que leurs champs retrouvent la santé, faute de quoi le bétail mourrait de faim. Le vieil homme au crâne rasé traça un cercle autour de quelques pousses et se mit à danser en psalmodiant des formules rituelles. Puis il les aspergea de *ghee*, le beurre cinq fois clarifié, et les enflamma une à une.

Mais Jagannath resta sourd. Dévoré par les pucerons, le fourrage des Nadar mourut en quelques jours. On était en septembre et il ne serait pas possible d'ensemencer à nouveau avant le printemps suivant. Bientôt, leur vache n'eut plus que la peau sur les os. Les marchands de bestiaux de la région eurent vent de la catastrophe. Tels des vautours, ils vinrent rafler à vil prix les animaux encore vivants. Les Nadar durent se résigner à laisser partir Lakshmi pour cinquante roupies.

Cette vente leur permit de tenir encore quelques semaines. Quand la vieille Shunda, la grand-mère qui conservait enveloppées dans un mouchoir les économies de la famille, eut sorti ses dernières pièces, Ratna réunit les siens.

— Je vais aller chez le mohajan, déclara-t-il. Je lui donnerai le champ en gage pour qu'il nous prête de quoi vivre jusqu'aux prochaines semailles. Cette fois, nous sèmerons du blé et des lentilles. Et nous chercherons un moyen d'empêcher les maudites bestioles de dévorer notre récolte.

— Ratna, père de mes enfants, coupa timidement Sheela, je te l'ai caché pour ne pas te tourmenter, mais il faut que tu saches que nous n'avons plus de champ. Un jour que tu étais parti travailler à la palmeraie, les gens du gouvernement sont venus reprendre toutes les parcelles qu'ils trouvèrent sans cultures. J'ai eu beau expliquer que des insectes avaient mangé nos plantations, ils ont refusé de l'admettre. « Vous êtes des bons à rien ! » a crié leur chef en déchirant les papiers qu'ils nous avaient donnés quand ils avaient apporté les vaches.

Cette révélation plongea la famille dans la consternation. Personne n'eut la force de dire un mot. Cette fois, les Nadar semblaient avoir atteint les limites de leur capacité de résistance. Une voix d'enfant jaillit alors dans la hutte surchauffée.

— Je vais retourner rouler des bidis, déclara Padmini.

*

Cette offre courageuse se révéla inutile. Quelques jours plus tard, un tharagar inconnu passa à Mudilapa. Il était envoyé par les chemins de fer du Madhya Pradesh pour recruter de la main-d'œuvre destinée aux travaux de doublement des voies conduisant à la gare de Bhopal, la capitale de l'État.

— Tu pourras gagner jusqu'à trente roupies par jour, annonça-t-il à Ratna Nadar après avoir attentivement examiné de son œil averti la musculature du grimpeur de palmiers-dattiers.

— Et ma famille ? s'inquiéta ce dernier.

Le tharagar haussa les épaules.

— Tu l'emmènes avec toi ! Ce n'est pas la place qui manque à Bhopal ! – Il compta les occupants de la hutte. — Tiens, voilà six billets de train pour Bhopal, dit-il en sortant de son *longhi*[1] six petits carrés de papier rose. Il y a deux ou trois jours de voyage. Et voici, en plus, cinquante roupies d'acompte sur ta première paie.

L'accord avait été conclu en moins de cinq minutes. Le geste de cet acheteur de bras n'avait rien de généreux. Les adivasis constituaient une réserve traditionnelle de main-d'œuvre aussi peu exigeante que corvéable.

*

L'exode de la famille Nadar ne posa guère de problème. À part quelques ustensiles et quelques outils, un peu de linge et Mangal, l'intarissable perroquet au plumage vert et jaune, elle ne possédait aucun bien. Les orages de la prochaine mousson se chargeraient de détruire la hutte, à moins qu'une famille de passage n'en ait pris possession.

Un matin, alors que les premiers rayons de Surya, le dieu-soleil, rougeoyaient l'horizon, les Nadar se mirent en route, Ratna et son père Prodip en tête. Chacun portait un baluchon sur la tête. La petite caravane, à laquelle s'étaient jointes d'autres familles de Mudilapa, laissa derrière elle un nuage de poussière. Le jeune Gopal, qui portait la cage du perroquet, trépignait de joie à la perspective de l'aventure. Padmini, elle, ne pouvait retenir ses larmes. Avant que le chemin n'oblique vers le nord, elle tourna la tête pour jeter un dernier regard en arrière et dire adieu à la hutte de son enfance.

---

1. Long pagne de coton noué à la taille.

2

L'holocauste planétaire
des milliards d'insectes ravageurs

Le malheur des paysans indiens de Mudilapa n'était qu'un infime épisode dans une tragédie qui frappait l'ensemble de la planète. Les pucerons noirs qui avaient chassé les Nadar de leur terre appartenaient aux huit cent cinquante mille espèces d'insectes qui, depuis l'aube de l'humanité, dérobent à l'homme la moitié de ses ressources alimentaires. Les noms donnés à beaucoup d'entre eux ne permettent pas d'imaginer la nature et l'ampleur des désastres dont ils sont responsables. Comment soupçonner, en effet, que ces petites bêtes si joliment baptisées « écailles fileuses des pommiers », « chenilles processionnaires des pins », « cicadelles dorées des vignes », « mouches mineuses du blé », « tordeuses orientales du pêcher », « noctuelles de la lentille », ou encore « tenthrèdes de la rave », puissent se révéler de si nuisibles malfaiteurs ? La variété de leurs armes, l'extrême diversité de leurs apparences, la flamboyance de leurs carapaces font de ces parasites le plus fabuleux des bestiaires. L'éclatant chatoiement de certains papillons destructeurs de fruits évoque de précieuses parures, à l'inverse de la robe velue des répugnantes chenilles qui dévastent les champs de coton. Chaque espèce a sa façon propre de vivre au détriment de ses proies. Il y a des insectes suceurs tels les pucerons indiens de Mudilapa, tandis que d'autres sont broyeurs, dévoreurs, lécheurs, ravageurs, pilleurs, piqueurs, pupivores, phytophages, xylophages. Certains de ces parasites broient les végétaux avec leurs mandibules, d'autres les sucent avec une longue trompe, d'autres les lèchent avant de les aspirer à l'aide d'une gaine encerclant leur langue, d'autres encore les piquent à coups de poignard puis pompent leur sève. Certains rongent les feuilles, les découpent en créneaux, les décapent ou les percent de petits trous. D'autres envahissent les vaisseaux, se répandent entre les nervures des feuilles. D'épais feuillages se trouvent ainsi brusquement criblés de points blanchâtres qui abritent des armadas d'assaillants gros comme des têtes d'épingles. Des plantes saines, vigoureuses, se voient soudain couvertes de pustules pulvérulentes brunâtres qui entraînent leur flétrissement irréversible. D'autres insectes encore anéantissent des végétaux en y creusant des galeries qui remontent jusqu'à la base des feuillles.

Les cuisses musclées de ballerine des altises du lin leur permettent de sauter d'une tige à l'autre comme des acrobates de cirque, alors que les cassides de la betterave se traînent sur les feuilles avec des airs patauds de tortue. Les taupins tueurs de céréales sont filiformes, les tipules dévastatrices de légumes ressemblent à de gros moustiques gavés du sang de leurs victimes. Les papillons saccageurs de lentilles aux doubles ailes miroitantes d'écailles, les thrips poilus assassins des oliviers, les acariens écarlates, terreur des vergers – tous font partie d'une jungle de l'infiniment petit, grouillante et menaçante.

En raison de leur capacité d'adaptation illimitée, on rencontre ces insectes dans tous les milieux et sous toutes les latitudes, aussi bien dans les sables brûlants des déserts africains que sous les glaces de la banquise arctique. Certains sont responsables de quelques-unes des plus grandes catastrophes de l'humanité, comme l'invasion des sauterelles de l'Égypte antique, celle des pucerons du phylloxéra qui ont anéanti le vignoble français à la fin du siècle dernier, ou celle encore des doryphores qui affamèrent le peuple irlandais en détruisant sa principale ressource alimentaire, la pomme de terre.

Toutes ces petites bêtes agissent sans trêve et n'épargnent aucune culture. Dans les champs de blé, d'orge, d'avoine et de seigle, le même asticot peut passer d'épi en épi. Collets percés et racines rongées par la boulimie de millions de larves, d'immenses surfaces céréalières se trouvent foudroyées sans avoir pu produire un seul grain. Le riz, qui représente plus de soixante pour cent des graines alimentaires de la population mondiale, est une cible privilégiée pour ces pillards. Blaniules mouchetées à corps cylindriques, scutigérelles roses, taupins mordeurs, tipules grisâtres dépourvues de pattes, chenilles de noctuelles, larves de hannetons, cicadelles, mille-pattes, nématodes – plus d'une centaine d'espèces s'attaquent partout dans le monde à cette seule graminée. L'invertébré le plus dévastateur est un papillon nommé pyrale, littéralement « insecte vivant dans le feu », dont les longues chenilles grisâtres forent des tunnels dans les épis jusqu'à provoquer leur chute. Non moins ravageuses sont de vicieuses petites créatures armées d'un stylet suceur, qu'une épaisse carapace protège de leurs prédateurs. Quant aux charançons, ils ont sans doute dévoré plus de riz, de blé, de pommes de terre que les hommes n'ont pu en consommer depuis les débuts de l'agriculture.

Cela fait des millénaires que l'homme mène une guerre sans merci et parfois désespérée contre les auteurs de ces ravages. Les textes de la Chine ancienne, de la Rome antique, de l'Europe du Moyen Âge fourmillent des récits parfois abracadabrants de leurs combats. À défaut de connaître des parades scientifiquement efficaces, nos lointains aïeux recouraient à de douteuses pratiques magiques ou religieuses. Les paysans népalais plantaient dans les rizières des pancartes interdisant aux insectes d'y pénétrer

« sous peine de poursuites judiciaires » ! Moins naïfs mais tout aussi utopistes, les paysans romains faisaient tourner des femmes enceintes autour de leurs arbres fruitiers. L'Europe chrétienne du Moyen Âge organisait processions et neuvaines contre le cochylis et la pyrale du blé et de la vigne. Les agriculteurs du Venezuela frappaient leurs épis de maïs à coups de ceinture dans l'espoir que ce traitement de choc renforcerait leur résistance aux parasites. Tandis que les cultivateurs du Siam parsemaient leurs champs de coquilles d'œuf piquées sur des bâtons, ceux de Malaisie attachaient des crapauds morts à des tiges de bambou pour faire fuir les mouches blanches des rizières. Considérant que les attaques des insectes étaient forcément la conséquence du péché dans une création divine parfaite, les populations de l'an mille n'hésitaient pas à les traîner en justice. À Lausanne, en 1120, des chenilles furent excommuniées. Cinq siècles plus tard, un tribunal d'Auvergne condamnait d'autres chenilles à aller « terminer leur misérable vie » dans un lieu qu'il leur avait expressément désigné. Jusqu'en 1830, on fit des procès aux insectes.

Par chance, d'autres ripostes plus réalistes avaient été tentées. En inondant leurs champs à certaines époques de l'année, des paysans du sud de l'Inde avaient réussi à noyer par millions des insectes destructeurs. Au Kenya et au Mexique, la simple idée d'insérer des carrés de maïs comme appâts à l'intérieur d'autres cultures avait permis de préserver les plantations de légumes et de sorgho. Ailleurs, le recours aux insectes prédateurs d'autres espèces avait fait gagner de belles batailles. Des textes du IIIe siècle rapportent que des cultivateurs chinois truffaient leurs citronniers de fourmis dévoreuses de vanesses, ces papillons aux riches couleurs qui semaient la terreur dans leurs vergers. Quinze siècles plus tard, la Californie sauva ses plantations d'agrumes des ravages de la mouche australienne grâce aux mandibules d'un scarabée tueur.

À la fin du XIXe siècle, l'utilisation de matières d'origine végétale comme la nicotine ou la fleur de pyrèthre, puis de substances minérales telles que l'arsenic et le sulfate de cuivre, fournit aux paysans de nouvelles armes qu'ils baptiseraient bientôt du nom magique d'insecticides, puis de pesticides. En découvrant, en 1868, que des pulvérisations du colorant à base d'arsenic « vert de Paris » avaient un certain effet sur les parasites du coton, les États-Unis se lancèrent dans la commercialisation effrénée des poisons naturels. En 1910, le chiffre d'affaires de la nouvelle industrie américaine des pesticides dépassait déjà vingt millions de dollars. Au « vert de Paris » s'ajoutèrent des fabrications à base d'arseniate de plomb. La Première Guerre mondiale fit exploser cette activité dans d'autres directions. Les importations de « vert de Paris » étant compromises par les sous-marins allemands, et l'effort de guerre accaparant l'arsenic pour la fabrication des munitions, des fusées éclairantes et des gaz de combat, les fabricants d'insecticides firent appel à l'industrie chimique.

Trop contents de trouver un débouché pour les produits dérivés du pétrole, les chimistes s'empressèrent de relever le défi. D'importantes sociétés d'Europe et d'Amérique investirent d'énormes budgets dans la recherche de molécules de synthèse actives sur les insectes nuisibles. L'entre-deux-guerres vit ainsi naître une collection de familles chimiques offrant chacune de nouvelles propriétés exterminatrices de parasites. On crut avoir touché au but à la veille de la Seconde Guerre mondiale lorsque le chimiste suisse Herman Mueller, qui cherchait à mettre au point un insecticide de contact efficace, découvrit une molécule lui paraissant correspondre à ses espérances. Elle portait le nom barbare de dichloro-diphényl-trichloréthane. Le savant helvète lui donna heureusement une appellation abrégée plus commode. Le monde des insectes allait trembler : le DDT était né. Cette spectaculaire découverte valut à son auteur le prix Nobel de physiologie et de médecine. Car le DDT allait permettre l'extermination massive, sur les théâtres d'opérations militaires, des moustiques porteurs du paludisme, sauvant ainsi la vie de centaines de milliers de soldats. Avec la fin de la guerre, cet insecticide organique trouva les applications civiles pour lesquelles il avait été inventé. Des études sur le terrain démontrèrent qu'il détruisait rapidement une gamme très étendue d'insectes phytophages, ce qui permit un accroissement immédiat des rendements agricoles. Des expériences menées dans les États de New York et du Wisconsin révélèrent que la production des champs de pommes de terre traités au DDT augmentait de soixante pour cent. L'euphorie provoquée par de si beaux résultats retomba quand on s'aperçut que le DDT contaminait dangereusement les sols, les mammifères, les oiseaux, les poissons, et même les hommes à travers leur alimentation. Il fut bientôt déclaré hors la loi dans la plupart des pays occidentaux. Tant en Europe qu'aux États-Unis, une législation vit alors le jour, qui obligeait les fabricants de pesticides à respecter des normes de protection et de sécurité de plus en plus draconiennes. Pressés par une agriculture impatiente, ils orientèrent leurs recherches vers des produits conciliant la destruction des insectes avec une toxicité tolérable pour l'homme et son environnement. Une formidable aventure commençait.

3

Un quartier nommé Orya basti

Après cinquante-neuf heures passés dans l'entassement pittoresque d'un train indien, les exilés de Mudilapa arrivèrent enfin à Bhopal, le terme de leur voyage. Dans les mois qui avaient suivi l'indépendance de l'Inde, la prestigieuse cité était devenue la capitale de l'État du Madhya Pradesh, un territoire presque aussi vaste que la France situé au cœur géographique du pays. Padmini Nadar et sa famille n'avaient cessé de s'extasier devant la beauté des paysages traversés, particulièrement dans les dernières heures du parcours. N'était-ce pas dans les profondes et mystérieuses forêts où passait le train que s'étaient réfugiés le dieu Rama et les frères Pandava de la mythologie hindoue, et que Rudyard Kipling avait planté le décor du *Livre de la jungle* ? Et n'y avait-il pas toujours des tigres et des éléphants dans cette jungle ? Quelques kilomètres avant leur destination, la voie ferrée avait longé les célèbres grottes de Bhimbekta tapissées de peintures rupestres exécutées par des aborigènes de la préhistoire.

La gare où débarquèrent les immigrants de l'Orissa était l'un de ces caravansérails grouillant de bruits, d'agitation et d'odeurs qui caractérisent les grandes escales ferroviaires de l'Inde. Elle datait du siècle précédent. Les fêtes les plus colorées du folklore des adivasis n'auraient pu donner à Padmini ni aux siens une idée des réjouissances dont cette gare avait été le théâtre le jour de son inauguration, le 18 novembre 1884. L'idée de relier la vieille cité princière au réseau du chemin de fer était venue à l'esprit d'un administrateur anglais après qu'une terrible sécheresse eut fait mourir de faim des dizaines de milliers d'habitants, privés de secours faute de moyens de communication. L'Histoire ne retiendrait sans doute pas le nom du flamboyant Henry Daly, pourtant à l'origine du bien le plus précieux qu'une ville indienne pût alors recevoir de ses colonisateurs. Tout un aréopage d'excellences britanniques parées d'uniformes chamarrés et de décorations, l'ensemble des dignitaires locaux en costumes d'apparat, avaient accouru à l'invitation de la bégum, petite femme enfouie sous les plis de son *burqa*[1] qui régnait sur le sultanat de Bhopal. Les festivités avaient duré trois jours et trois nuits. La population s'était massée le long des rails pavoisés d'arcs de triomphe aux couleurs rouge, blanc et bleu de l'Empire britannique pour acclamer le premier convoi de sept wagons décorés d'oriflammes. Sur le quai s'alignaient une double haie de lanciers à cheval, des compagnies de cipayes enturbannés et les musiciens de la rutilante fanfare royale. Il n'y avait, hélas ! à l'époque ni radio ni télévision pour immortaliser les discours échangés entre le représentant de la reine Victoria, « impératrice de ses peuples de l'au-delà les mers », et la souveraine de ce confetti de l'Empire britannique des Indes. « J'adresse un millier de remerciements au Dieu tout-puissant qui a permis à Bhopal de jouir de l'insigne protection de Sa Majesté l'impératrice pour qu'étincelle sur notre terre l'éclat de la science de l'Occident », avait déclaré la bégum Shah Jahan. Dans sa réponse, l'envoyé de Londres avait exalté les bienfaits politiques et commerciaux que l'avènement du chemin de fer allait apporter, non seulement au petit royaume de

----

1. Long vêtement des femmes musulmanes dissimulant entièrement le corps et le visage.

Bhopal mais à toute l'Inde centrale. Puis il avait levé son verre pour un toast solennel au succès de ce bienfait moderne que la souveraine éclairée avait financé de ses deniers. Un feu d'artifice couronna l'événement. Ce jour-là, une parcelle de l'Inde ancestrale avait épousé le progrès.

*

Les Nadar restèrent un bon moment sans oser faire un pas tant le spectacle à la descente du wagon les étourdit. Le quai était encombré de paysans sans terre venus ici comme eux chercher du travail et ils se trouvèrent prisonniers d'une mer de gens qui allaient et venaient en tous sens. Des coolies trottinaient avec des montagnes de valises et de paquets sur la tête, des colporteurs proposaient toutes les marchandises imaginables. Jamais ils n'avaient vu tant de richesses : des pyramides d'oranges, de sandales, de peignes, de ciseaux, de cadenas, de lunettes, de sacs ; des piles de châles, de saris, de *dhoti* [1] ; des journaux, de la nourriture et des boissons de toutes sortes. Padmini et les siens étaient abasourdis, ahuris, perdus. Autour d'eux, beaucoup de voyageurs paraissaient tout aussi désorientés. Seul le perroquet Mangal semblait à son aise. Il ne cessait de chanter sa joie en trilles qui faisaient rire les enfants.

— Papa, qu'allons-nous faire maintenant ? s'inquiéta la fillette, visiblement désemparée.

— Où allons-nous dormir ce soir ? renchérit son frère Gopal qui tenait la cage du perroquet à bout de bras au-dessus de sa tête pour que ses parents puissent le voir s'il était séparé d'eux.

— Il faut chercher un policier, conseilla le vieux Prodip qui, pas plus que son fils, n'avait pu déchiffrer la

---

1. Pièce d'étoffe drapée autour des hanches et entre les jambes.

feuille d'embauche laissée par le tharagar des chemins de fer.

À l'extérieur de la gare, un agent coiffé d'un casque blanc essayait de canaliser le flot chaotique de la circulation. Ratna se fraya un chemin jusqu'à lui.

— Nous arrivons de l'Orissa, lui glissa-t-il timidement, savez-vous s'il y a des gens de chez nous qui habitent par ici ?

Le policier fit signe qu'il n'avait pas compris la question. Ce n'était pas étonnant. Tant de personnes parlant des langues différentes débarquaient à Bhopal.

Soudain, Padmini repéra un marchand de *samosas*[1] au bout de la place. Avec ce sixième sens qu'ont les Indiens pour identifier les origines et la caste d'un inconnu, la fillette était sûre d'avoir découvert un compatriote. Elle ne s'était pas trompée.

— Rassurez-vous, mes amis, déclara le commerçant, il existe un quartier uniquement habité par des gens qui viennent de notre province. Il s'appelle l'Orya basti[2] parce que ses habitants sont tous, comme vous et comme moi, originaires de l'Orissa et parlent l'orya, notre langue. – Il leva le bras en direction du minaret d'une mosquée qui faisait face à la gare. — Vous contournez cette mosquée, expliqua-t-il, et vous marchez droit devant vous. Arrivés à la voie de chemin de fer, vous prenez à droite. Vous verrez plein de huttes et de baraques. C'est l'Orya basti.

Ratna Nadar se prosterna jusqu'à terre pour remercier ce bienfaiteur en touchant ses pieds de la main droite qu'il posa ensuite sur sa tête. Padmini se précipita vers la cage du perroquet. « Nous sommes sauvés ! » cria-t-elle à l'oiseau qui s'empressa de répéter l'exclamation d'un caquet triomphal.

---

1. Beignets en forme de triangle fourrés de légumes ou de viande hachée.
2. *Basti,* quartier pauvre construit de bric et de broc.

Dès qu'il vit approcher la petite caravane, l'homme empoigna sa canne et se porta à sa rencontre. C'était un solide gaillard d'une cinquantaine d'années, avec une tignasse frisée et des rouflaquettes qui rejoignaient les pointes tombantes de sa moustache.

— Bienvenue, les amis ! lança-t-il d'une voix douce qui tranchait avec son air imposant. Je parie que c'est un toit que vous venez chercher ici !

— Un toit, ce serait beaucoup espérer, balbutia Ratna Nadar comme pour s'excuser, mais peut-être un endroit pour y camper avec ma famille.

— Je m'appelle Belram Mukkadam, annonça l'inconnu en joignant les mains devant sa poitrine pour saluer le petit groupe. Je dirige le comité d'entraide des quartiers de l'Esplanade noire. – Il leva le bras en direction du collier de baraques et de huttes qui bordaient un vaste espace nu le long de la voie ferrée. — Je vais vous indiquer où vous pourrez vous installer et construire une hutte.

Bien qu'il ne fût pas un adivasi, Mukkadam parlait la langue des natifs de l'Orissa. Il avait été le tout premier, trente ans plus tôt, à occuper le terrain vague qui jouxtait, au nord de la ville, l'immense champ de manœuvres des Victoria Lancers, le régiment de cavalerie des nababs de Bhopal. La hutte qu'il avait bâtie avec l'aide de sa femme Tulsabai et de leur fils Pratap avait été la première des centaines qui, aujourd'hui, s'étalaient en trois quartiers de logements de fortune où vivaient plusieurs milliers d'immigrants arrivés de différentes régions de l'Inde. Outre l'Orya basti, il y avait le Chola basti et le Jai Prakash basti. Chola signifie « pois chiches » et c'est en plantant cette légumineuse au bord de leurs campements que les premiers habitants du Chola basti avaient survécu à la famine. Quant à Jai Prakash, c'est le prénom d'un célèbre disciple du Mahatma Gandhi qui avait pris la défense des pauvres du pays.

Sa qualité de doyen des trois bastis valait à Belram Muk-kadam une prérogative que n'avaient jamais contestée les différents parrains de la mafia locale qui contrôlaient les activités des quartiers pauvres où n'intervenait aucune autorité municipale. C'était lui qui attribuait à chaque nouvel arrivant l'emplacement sur lequel il pouvait s'installer.

Entraînant la famille Nadar le long d'une allée qui bordait la voie ferrée, il désigna un espace libre au-delà d'une rangée de huttes.

— Voici votre bout de terrain, dit-il en traçant dans la terre noire un carré de trois mètres de côté avec sa canne en bois de tamarinier. Le comité d'entraide va vous apporter des matériaux, un charpoy et quelques ustensiles.

Ratna Nadar se prosterna encore une fois jusqu'à terre pour remercier ce nouveau bienfaiteur. Puis il se tourna vers sa famille.

— La colère du grand dieu est finie, déclara-t-il. Notre *chakra*[1] s'est remise à tourner.

*

L'Orya basti où venaient d'échouer le paysan de Mudilapa et sa famille était le plus pauvre des trois quartiers de misère installés le long du champ de manœuvres. Dans le labyrinthe de ses ruelles, un bruit se détachait de tous les autres, celui des quintes de toux. Ici, la tuberculose faisait des ravages.

Il n'y avait ni électricité, ni fontaine d'eau potable, ni égouts, ni le plus rudimentaire dispensaire. Il n'y avait même quasiment pas de commerce, à l'exception d'un marchand de légumes ambulant et de deux petites *tea-stalls* : le thé au lait très sucré, vendu dans des coupelles de terre cuite à usage unique, fournissait une part impor-

---

1. La roue du destin.

tante des ressources énergétiques de beaucoup d'habitants. En dehors de quatre vaches squelettiques et de plusieurs chiens galeux, les seuls animaux qu'on y voyait étaient des chèvres. Leur lait procurait de précieuses protéines animales à leurs propriétaires qui n'hésitaient pas à les emmailloter de guenilles en hiver pour qu'elles n'attrapent pas froid.

Malgré la misère, l'Orya basti n'était pas un bidonville comme les autres. D'abord, il avait réussi à garder un aspect rural qui contrastait avec l'enchevêtrement des taudis de planches et de tôles des autres quartiers. Ici, toutes les habitations étaient des huttes de bambous et de terre battue. Ces *katcha houses*[1] étaient décorées de dessins géométriques à la pâte de riz, pour attirer la prospérité comme dans les villages de l'Orissa. Cela donnait à cet entassement concentrationnaire un charme campagnard inattendu. Ensuite, parce que les anciens paysans qui s'y étaient réfugiés n'étaient pas des marginaux. Dans leur exil, ils avaient reconstitué tant bien que mal la vie de leur village. Ils avaient ainsi construit un petit temple de bambous et de boue séchée pour abriter une image du dieu Jagannath. À côté, ils avaient planté un *tulsi* sacré, une espèce de basilic arbustif dont l'une des particularités était de repousser les reptiles, en particulier les cobras aux morsures mortelles. Les femmes du quartier vouaient une vénération particulière au tulsi et nombre d'entre elles venaient lui faire des offrandes pour être guéries de leur stérilité. Ici, comme ailleurs en Inde, les croyances s'exprimaient dans une succession ininterrompue de fêtes rituelles. La première dent d'un enfant, la première coupe de ses cheveux; les premières règles d'une jeune fille, les fiançailles, les mariages, les deuils; Diwali, la fête des lumières, l'Id des musulmans et même Noël, tous les événements de l'existence, toutes les fêtes profanes et reli-

---

1. *Katcha* = cru; *katcha house* = maison en terre crue.

gieuses faisaient l'objet de célébrations. En dépit de leur manque d'instruction et malgré leur dénuement matériel, les adivasis de l'Orya basti étaient parvenus à rester viscéralement reliés à tous les rites, à toutes les expressions de la vie sociale et religieuse qui constituent la trame si riche et variée de leur pays.

4

Un milliardaire visionnaire
au secours de la nourriture des hommes

Le forfait commis par les infâmes pucerons des champs de Mudilapa ne resterait pas impuni. Dans le monde entier, des armées de savants et de chercheurs travaillaient avec acharnement à la destruction de ces monstres miniatures. L'un des principaux temples de la croisade contre les insectes qui ravageaient les récoltes des hommes était un centre de recherche agronomique installé à Yonkers, une banlieue résidentielle de New York au bord de l'Hudson. Il s'appelait le Boyce Thompson Institute.

L'homme qui avait fondé cette institution était un milliardaire habité par le désir messianique de mettre sa richesse au service d'une grande cause humanitaire. William Boyce Thompson (1869-1930) avait édifié une gigantesque fortune en exploitant des mines de cuivre dans les montagnes du Montana. En octobre 1917, la Croix-Rouge américaine l'avait fait colonel et l'avait placé à la tête d'une mission d'assistance humanitaire en Russie, alors en pleine révolution. Le généreux industriel avait troqué nœud papillon et haut-de-forme pour une tenue militaire, et ajouté un million de dollars aux subsides accordés par le gouvernement américain aux victimes de la famine qui accablait le pays. Il était revenu de ce voyage en enfer convaincu que la paix du monde dépendrait d'une distribution équitable de la nourriture sur cette terre. Une conviction fortifiée par une foi ardente dans la science, qui l'avait conduit à concevoir un spectaculaire projet philanthropique. Puisque l'accroissement de la démographie allait multiplier les besoins alimentaires, il fallait d'urgence comprendre « pourquoi et comment poussent les plantes, pourquoi elles végètent ou prospèrent, comment leurs maladies peuvent être endiguées, comment leur développement peut être stimulé par un meilleur contrôle des éléments qui contribuent à leur existence ». L'étude des plantes, affirmait le généreux mécène, pouvait apporter une contribution décisive au bien-être des hommes.

De cette certitude était né, en 1924, le Boyce Thompson Institute for Plant Research, un centre de recherche agronomique ultramoderne édifié sur plusieurs hectares à moins d'une heure du centre de New York. Doté par son fondateur d'un capital de dix millions de dollars – une somme considérable pour l'époque –, l'Institut abritait des laboratoires de chimie et de biologie, des serres d'expérimentation, des vivariums d'insectes.

C'est sur le front de la lutte contre les espèces phytophages que les chercheurs du Boyce Thompson Institute remportèrent leurs premières victoires les plus significatives, qu'il s'agisse de l'éradication des coléoptères assassins des pins de Californie ou de l'invention de subtiles substances odorantes capables d'attirer les petites bêtes nuisibles dans des pièges mortels.

Au début des années 50, l'*Aphis fabæ*, un puceron aussi dévastateur que celui qui anéantirait quelques années plus tard les champs de fourrage de Mudilapa, faisait des ravages dans les plantations des États-Unis, ainsi que dans les cultures du Mexique, d'Amérique centrale, et de plusieurs pays d'Amérique du Sud. On le signalait aussi en Malaisie, au Japon et dans le sud de l'Europe. Il s'attaquait aux pommes de terre comme aux céréales, aux betteraves, aux arbres fruitiers et aux cultures légumières, fourra-

46

gères et ornementales. Ce minuscule prédateur est muni d'une sorte de bec dans lequel coulissent deux stylets très fins qui lui permettent de sucer la sève des plantes. Comme le constatera si douloureusement le paysan indien Ratna Nadar, des plantes subitement privées de leur substance vitale dépérissent et succombent en quelques jours. Avant d'entraîner la mort, ce puceron à peine plus gros qu'une tête d'épingle injecte à ses victimes une salive toxique qui provoque une hideuse déformation des tiges et des feuilles. Pour parachever son forfait, l'insecte rejette par l'anus un miellat sucré qui attire les fourmis. Celles-ci déposent sur les feuilles une sorte de suie qui asphyxie toute végétation.

Ce parasite n'était pas alors l'unique cauchemar des paysans d'Amérique et d'Asie. L'araignée rouge de la vigne, la noctuelle des cultures vivrières, la pyrale rouillée du riz ainsi que d'autres espèces dévastatrices concouraient, en ce milieu de siècle, à priver l'humanité d'une grande part de ses ressources agricoles. Seule l'industrie chimique était capable d'inventer les moyens d'éradiquer ce fléau. Conscientes de l'enjeu, de nombreuses firmes se mobilisèrent. L'une d'elles était américaine. Elle se nommait Union Carbide.

*

Née au début du siècle d'un mariage entre quatre sociétés fabriquant des piles électriques et des arcs lumineux pour l'éclairage à l'acétylène des rues et des phares des premières automobiles, « la Carbide » – comme l'appelait affectueusement son personnel – avait dû sa première heure de gloire à la guerre de 1914 - 1918. C'était l'hélium sorti de ses alambics qui avait permis aux ballons captifs de s'élever dans le ciel de France pour repérer les batteries d'artillerie allemandes ; c'était un blindage de son invention à base de fer et de zirconium qui avait arrêté les obus du Kaiser sur les premiers chars alliés ; c'étaient ses pastilles de charbon actif qui, dans les masques à gaz, avaient protégé les poumons de milliers de fantassins des tranchées de la Somme et de la Champagne. Vingt-cinq ans plus tard, un autre conflit mondial avait mobilisé la Carbide au service de l'Amérique. De sa collaboration avec les savants du *Manhattan Project* était née la première bombe atomique.

L'absorption de dizaines d'entreprises avait, en moins d'une génération, propulsé cette société dans le peloton de tête des multinationales. En cette seconde moitié du siècle, elle allait figurer parmi les plus beaux fleurons de la puissance industrielle américaine, comptant cent trente filiales dans une quarantaine de pays, quelque cinq cents sites de production et cent vingt mille employés. En 1976, elle annoncerait un chiffre d'affaires de six milliards et demi de dollars. D'innombrables produits sortaient de ses laboratoires, de ses usines, de ses puits et de ses mines. La Carbide était le grand pourvoyeur des gaz industriels utilisés par l'industrie pétrochimique – tels l'azote, l'oxygène, le gaz carbonique, le méthane, l'éthylène, le propane... – ainsi que des substances chimiques comme l'ammoniaque et l'urée destinées, entre autres, à la fabrication d'engrais. Elle produisait en outre des spécialités métallurgiques sophistiquées à base d'alliages de cobalt, de chrome, de tungstène, utilisées pour des équipements à haute résistance comme les turbines d'avion. Enfin, elle fabriquait toute une gamme de produits de grande consommation en matières plastiques. Huit ménagères américaines sur dix faisaient leur marché avec des sacs en plastique estampillés du losange bleu et blanc d'Union Carbide. Ce logo apparaissait également sur des millions de bouteilles en plastique, ainsi que sur des emballages de produits alimentaires, des pellicules photographiques, et bien d'autres articles usuels. Les conversations téléphoniques intercontinentales de la moitié des habitants de la planète transitaient par des câbles sous-marins que protégeaient des gaines *made by* Carbide. Le liquide antigel d'une voiture sur deux, soixante pour cent des piles électriques et des bâtons de silicone utilisés par la chirurgie esthétique, le caoutchouc d'un pneumatique sur cinq, la plupart des bombes aérosols contre les moustiques et les mouches, et même les diamants synthétiques sortaient des usines de ce géant dont les actions étaient l'une des valeurs les plus sûres de Wall Street.

De son impressionnant gratte-ciel d'aluminium et de verre haut de cinquante-deux étages au 270 de Park Avenue, en plein cœur de Manhattan, la Carbide régentait les habitudes et dictait les choix de millions d'hommes, de femmes et d'enfants à travers les continents. Aucune société industrielle ne jouissait d'autant de respectabilité, du moins en apparence. Ne disait-on pas que ce qui était bon pour la Carbide était bon pour l'Amérique et donc pour le monde?

L'aventure de la production de pesticides dans laquelle la société avait à présent décidé de s'engager était dans la lignée de son passé et de son expérience. Sa finalité – débarrasser l'humanité des insectes qui lui volaient sa nourriture – ne pouvait que renforcer le prestige dont elle jouissait dans le monde entier.

5

Les trois forçats des bords de l'Hudson

Ils ressemblaient davantage à des joueurs de coupe Davis qu'à des chercheurs de laboratoire. Harry Haynes, trente-quatre ans, et Herbert Moorefield, trente-six ans, deux athlétiques gaillards, exerçaient une profession relativement nouvelle. Ils étaient docteurs en entomologie. En juillet 1954, la direction d'Union Carbide avait loué une aile des installations du Boyce Thompson Institute de Yonkers pour y installer ces deux éminents spécialistes des insectes. Elle renforça le duo en lui adjoignant l'un des plus brillants éléments de son centre de recherche de South Charleston, le chimiste Joseph Lambrech, âgé de trente-huit ans. À ces trois surdoués, la société confia une mission de la plus haute importance : découvrir un produit capable d'exterminer un large spectre de parasites tout en respectant les normes en vigueur pour la protection et la sécurité de l'homme et de son environnement. Au dernier étage du siège new-yorkais de la multinationale, personne n'en doutait cet été-là : la firme qui parviendrait à concilier ces deux objectifs emporterait le marché mondial des pesticides.

Lambrech donna un nom de code à l'objet de ses travaux. Par commodité, l'« Experimental Insecticide Seven Seven » deviendra bientôt le « Sevin ».

Passant au crible toutes les études de ses prédécesseurs, le chimiste s'acharna à combiner de nouvelles molécules dans l'espoir d'en trouver une qui tue pucerons, araignées rouges et noctuelles sans laisser dans les végétaux et l'environnement trop de résidus toxiques dangereux pour l'homme et les animaux. Des mois durant, ses collègues entomologistes testèrent ses combinaisons sur des feuilles, des tiges, des épis infestés d'insectes de tous genres. Le Boyce Thompson Institute abritait, dans des centaines de cages et de boîtes, un zoo de l'infiniment petit d'une richesse inimaginable, ainsi que des hectares de serres où l'on pouvait recréer tous les climats de la planète autour d'une variété sans limites de plantes et d'espèces végétales. De grandes armoires vitrées permettaient d'expérimenter les différentes molécules grâce à des pulvérisations opérées, avec des dosages progressifs et sous tous les angles possibles, sur des échantillons de toutes les variétés de cultures. Les entomologistes Haynes et Moorefield déposaient alors sur les surfaces traitées des colonies de larves, de chenilles et autres insectes élevés dans leurs laboratoires. D'heure en heure, ils surveillaient l'agonie de leurs sujets. Ils recueillaient les cadavres sur des plaquettes de verre, les examinaient au microscope, et se livraient à des analyses minutieuses sur les plantes et sur les sols afin de déceler d'éventuelles traces de pollution chimique. Leurs observations permettaient d'affiner la mise au point par leur collègue chimiste d'une substance insecticide toujours plus proche de l'objectif recherché.

Au bout de trois années d'acharnement, l'équipe élabora une combinaison d'un dérivé méthylé de l'acide carbamique et d'alpha-naphtol, sous la forme d'une poudre de cristaux blanchâtres solubles dans l'eau. Trois années consacrées à des centaines d'expériences, non seulement sur toutes les espèces d'insectes connues, mais aussi sur des milliers de rats mâles et femelles, sur des lapins, sur des pigeons, sur des poissons, sur des abeilles, et même sur des crevettes et des langoustes. Un soir de juillet 1957, les trois forçats de Yonkers purent enfin sabler le champagne avec leurs épouses Rita, Naomi et Vallah. Il avait fallu éliminer le dieu DDT, mais l'agriculture ne resterait pas pour autant sans défense devant l'assaut des bestioles ravageuses. Le Sevin, né sur les bords de l'Hudson, allait bientôt armer la main de tous les paysans du monde.

*

Carbide s'empressa d'inonder l'Amérique de brochures vantant la naissance de son produit miracle. Rien ne manquait au concert de louanges et, pour bien souligner l'absence totale de toxicité, des photographies montraient Herbert Moorefield, l'un des inventeurs du Sevin, en train de goûter quelques grains avec l'air gourmand d'un enfant léchant du chocolat. Le Sevin, affirmait la publicité, protégeait une variété infinie de cultures : le coton, les légumes, les citrons, les bananes, les ananas, les olives, le cacao, le café, les tournesols, le sorgho, la canne à sucre, le riz. On pouvait l'épandre sur le maïs, l'alfa, les haricots, les cacahuètes et le soja jusqu'au jour de la récolte sans risque du moindre résidu toxique. Il agissait aussi bien sur les insectes adultes que sur les œufs et les larves. Son efficacité était telle qu'il empoisonnait même les parasites devenus résistants à d'autres insecticides. Son pouvoir ne s'arrêtait pas aux cultures. Quelques grammes de Sevin répandus autour des habitations ou pulvérisés sur les murs, les charpentes, les toits des maisons exterminaient moustiques, cafards, punaises et autres nuisances de la vie familiale. Mieux encore : le Sevin réglait aussi leur compte aux puces, poux et tiques des chiens, des chats, et des animaux de basse-cour, sans mettre leur vie en danger. Bref, le Sevin était bien la panacée magique qu'attendait la nouvelle division des produits agricoles de la multinationale new-yorkaise pour faire exploser son chiffre d'affaires.

*

Personne n'en était aussi convaincu qu'un jeune ingénieur agronome argentin de vingt-neuf ans. Beau garçon, charmeur, Eduardo Muñoz appartenait à une famille aisée de Buenos Aires. Il avait choisi l'agronomie par dépit après son échec au concours de diplomate. Il avait épousé une séduisante Américaine employée à l'ambassade des États-Unis, trouvant ainsi dans sa corbeille de noces la plus belle invitation à partir vers d'autres horizons, la possibilité d'obtenir la fameuse « carte verte » permettant de travailler dans le pays de l'oncle Sam. Des cinquante réponses reçues après l'envoi de son curriculum vitæ, il avait choisi la première. Elle émanait d'Union Carbide. Une année de stages sur les différents sites de la société, avec un salaire mensuel de quatre cent quatre-vingt-cinq dollars, avait fait du bel Argentin un authentique *Carbider*. L'invention du Sevin lui donnerait l'occasion d'exercer ses extraordinaires dons de vendeur. Mexique, Colombie, Pérou, Argentine, Chili, Brésil... il n'y eut bientôt plus un seul cultivateur pour ignorer les mérites du pesticide américain. Foires agricoles, concours de récoltes, rencontres de paysans, Muñoz était partout avec ses fanions à la gloire du Sevin, ses démonstrations sur le terrain, ses distributions de cadeaux, ses tombolas publicitaires. L'Amérique centrale et l'Amérique du Sud devinrent un jour des territoires trop exigus pour l'infatigable commis voyageur. Il lui fallait trouver d'autres espaces pour assouvir sa passion de vendre.

6

L'héroïsme quotidien du peuple des bastis

— Ici, mon frère, ça revient moins cher de faire suer à mort un bonhomme que de louer un buffle, déclara Belram Mukkadam au père de Padmini qui revenait du chantier de la voie ferrée menant à la gare de Bhopal.

Le solide grimpeur de palmiers-dattiers de l'Orissa titubait d'épuisement. Toute la journée, il avait charrié des traverses et des rails d'acier. Les coolies que la direction des chemins de fer avait recrutés étaient tous des immigrants comme lui, que la misère des campagnes avait contraints à l'exil.

Les premiers temps de ce travail de bête furent terribles. De jour en jour, Ratna Nadar se sentit faiblir, terrassé par des nausées, des crampes, des accès de sudation, des vertiges. Ses muscles fondaient à vue d'œil. Bientôt, il eut du mal à rester debout. Il souffrait d'hallucinations, de cauchemars. Il était victime de ce que les spécialistes appellent « le syndrome du forçat ». Le peu de riz, de lentilles et parfois de poisson qu'il achetait le matin avant de partir travailler lui était pourtant destiné. C'est la tradition chez les pauvres de l'Inde : on réserve la nourriture de la famille au *rice earner*, à celui qui gagne le riz. Mais l'absence de combustible empêchait souvent Sheela de cuire la nourriture de son mari. Il fallut plusieurs semaines pour que Ratna sente ses forces revenir. Alors seulement, toute la famille put manger presque à sa faim.

Pour Padmini et son frère Gopal, la brutale immersion dans l'univers d'une cité ouvrière surpeuplée fut un traumatisme tout aussi pénible. Chaque jour, des spectacles heurtaient leur sensibilité d'enfants élevés à la campagne.

— Gopal, regarde ! cria un matin Padmini en montrant à son frère une bande de gosses qui escaladaient l'arrière d'une locomotive à l'arrêt.

— Ils vont chaparder des morceaux de charbon, expliqua tranquillement Gopal.

— Ce sont des voleurs ! s'indigna Padmini, furieuse que son frère ne partage pas sa révolte.

Ses petits yeux bridés s'étaient remplis de larmes.

— Sèche tes pleurs, petite ! Toi aussi, tu iras voler du charbon pour confectionner des *ladhus*[1]. Sinon, ta mère ne pourra rien vous faire cuire à manger.

L'homme qui venait de parler n'avait plus de doigts à la main droite. Padmini et ses parents apprendraient à connaître et respecter cette figure de l'Orya basti. À trente-huit ans, Ganga Ram était un rescapé de la lèpre, cette maladie vécue comme une malédiction qui frappe encore aujourd'hui cinq millions d'Indiens. Jeté à la rue par le propriétaire du garage de Bombay où il lavait les voitures, Ram avait échoué un jour dans une salle commune de l'hôpital Hamidia de Bhopal. Il avait eu la chance d'y être soigné et guéri, comme l'attestait le certificat que lui remit un médecin. Mais, ne sachant où aller vivre, il était resté pendant sept ans dans le pavillon des contagieux, rendant de petits services aux patients et aux infirmières. Il faisait les pansements, la toilette des incontinents, administrait les lavements et s'occupait même des piqûres. Un jour, on l'avait appelé pour transporter une superbe jeune femme d'une trentaine

---

1. Boulettes de charbon et de paille servant de combustible pour la cuisson des aliments.

d'années aux lumineux yeux verts. Un camion lui avait brisé les deux jambes. Elle s'appelait Dalima. Ce fut le coup de foudre. Dalima avait adopté dans la salle commune un orphelin de dix ans trouvé à demi mort sur un trottoir. Il avait été amené à l'hôpital par un fourgon de la police. Il s'appelait Dilip. Vif et alerte, ce garçon maigrichon aux cheveux très courts, toujours prêt à rendre service, faisait la joie des occupants de la salle commune. Quelques jours plus tard, l'ancien lépreux, Dalima et le jeune Dilip quittèrent l'hôpital pour débarquer dans l'Orya basti où Belram Mukkadam leur assigna du bout de sa canne un espace où construire une hutte. Des voisins apportèrent des bambous, des planches et un morceau de toile, d'autres des ustensiles de cuisine, un charpoy et un peu de linge. « Nous n'avions pour tout bagage que les béquilles de Dalima », dira Ganga Ram.

Ils survécurent des mois grâce à la seule débrouillardise de Dilip. C'est lui qui entraînait les enfants du quartier à chaparder des morceaux de charbon dans les locomotives. Un matin, il convainquit Padmini de venir avec lui.

— Il faut faire vite, petite sœur, car les policiers des chemins de fer sont aux aguets.

— Ils sont méchants ? s'inquiéta ingénument la fillette.

— Méchants ! éclata de rire le garçon. S'ils t'attrapent, t'as intérêt à leur donner un gros bakchich. Sinon, ils t'emmènent dans un wagon et là... – Dilip fit un geste dont le sens échappa à la petite paysanne.

Au retour de l'expédition, la sage-femme du quartier, la vieille Prema Bai qui habitait la hutte d'en face, donna un peu de paille et quelques crottes de bique à sa jeune voisine.

— Tu écrases le charbon avec la paille et les crottes, tu malaxes le tout pendant un bon moment, lui dit-elle, et tu en fais des boulettes que tu mets à sécher.

Une heure plus tard, Padmini apportait triomphalement le fruit de sa maraude à sa mère.

— Tiens, maman, voici des ladhus. Maintenant, tu pourras cuire la nourriture de papa.

*

Pour des paysans habitués au silence souverain de la campagne, le vacarme infernal des trains passant au ras de leurs huttes fut une épreuve difficile. Leur existence était rythmée par l'incessant va-et-vient de dizaines de convois. « J'appris à connaître leurs horaires, à savoir s'ils étaient à l'heure ou en retard, racontera Padmini. Certains, comme le Mangala Express, secouaient nos huttes en rugissant au milieu de la nuit. C'était le plus terrible. Le Shatabdi Express qui allait à Delhi passait, lui, au début de l'après-midi et le Jammu Mail juste avant le coucher du soleil. Les chauffeurs devaient bien s'amuser à nous terrifier avec les hurlements de leurs locomotives. »

La proximité des voies ferrées apportait parfois quelques avantages. Quand un feu rouge bloquait un train devant des huttes, les chauffeurs jetaient des pièces aux enfants pour qu'ils courent leur acheter des *pan*[1]. Il restait toujours un peu de monnaie pour eux.

— Fais gaffe où tu mets les pieds quand tu marches entre les rails, recommanda Dilip à Padmini. C'est là que les gens viennent faire leurs besoins.

Heureusement, les voies ferrées étaient aussi jonchées d'une multitude de petits trésors jetés par les voyageurs. On trouvait des bouteilles, de vieux tubes de pâte dentifrice, des piles hors d'usage, des boîtes de conserve vides, des semelles de plastique, des lambeaux de vêtements, des bouts de chiffon. Dilip en négociait le prix avec un chiffonnier qui passait chaque semaine. La récolte représentait jusqu'à trois ou quatre roupies par jour. Sur les emballages des paquets de cigarettes Magnet, il y avait une gravure du Taj Mahal, le célèbre mausolée d'Agra. Dilip

---

1. Chique de bétel.

et Gopal, le frère de Padmini, découpaient l'image pour fabriquer des jeux de cartes qu'ils vendaient sur les quais de la gare. « Je n'oublierai jamais les trains de l'Orya basti, dira Padmini. Ils apportaient un peu d'excitation et de joie dans nos existences si difficiles. »

L'une de ces joies avait une cause surprenante. Chaque matin, la mère de Padmini et ses voisines se postaient le long de la voie ferrée pour guetter l'arrivée du Panjab Express. Elles portaient sur la tête des seaux, des gamelles, des cuvettes. Dès que le train s'arrêtait, elles se précipitaient vers la locomotive.

— Que le grand dieu te bénisse! criaient-elles en chœur au chauffeur. Tu nous ouvres le robinet?

Quand il était bien disposé, le chauffeur déverrouillait la vanne de la chaudière pour laisser couler dans leurs récipients quelques litres d'un bien dont peu de pauvres jouissaient à Bhopal : de l'eau chaude.

7

Une vallée américaine
qui régnait sur le monde

Dilip avait l'œil. D'emblée, il vit que la hutte bâtie par Ratna Nadar et sa famille ne résisterait pas aux assauts de la mousson.

— Il faut doubler les perches qui soutiennent la toiture, conseilla-t-il à Padmini.

La fillette eut un geste d'impuissance.

— Nous n'avons même pas de quoi acheter les bâtonnets d'encens pour le dieu, soupira-t-elle. Cela fait trois jours que grand-père et grand-mère se privent de nourriture. Ils refusent de sacrifier le perroquet.

Dilip sortit de sa culotte un billet de cinq roupies.

— Tiens, dit-il, c'est une avance sur la prochaine course au trésor entre les rails. Ton père pourra acheter deux bambous.

*

À l'autre bout du monde, dans une vallée verdoyante de la Virginie-Occidentale, une équipe d'ingénieurs et d'ouvriers d'Union Carbide plantait les poutrelles d'une nouvelle usine destinée à devenir le navire amiral de la multinationale. La Kanhawa Valley était depuis longtemps le fief de la société au losange blanc et bleu. Curieusement, c'est à la plus banale des richesses qu'elle devait son

61

appellation de « vallée magique ». Elle possédait des gisements de sel dont les réserves atteignaient presque un milliard de tonnes. Depuis la préhistoire, ce sel avait attiré hommes et animaux. Il avait conduit les bêtes sauvages à se frayer des passages à travers les forêts jusqu'aux mares salines le long de la rivière. Il avait jeté les Indiens sur les mêmes pistes à la poursuite du gibier, avant de leur fournir la saumure pour la conservation de leurs chasses. Au XVIIᵉ siècle, il avait encore attiré quelques audacieux explorateurs dans cette région par ailleurs inhospitalière, car l'or blanc n'était pas le seul atout de cette vallée magique. Les forêts primitives qui la couvraient fournissaient les matériaux indispensables à la construction des maisons, des canots, des péniches, des barriques pour le transport du sel, des charrettes, des ponts, des roues des moulins. Toute une industrie du bois s'était installée le long de la Kanhawa. Communiquant directement avec les États de l'Ohio et du Mississippi, cette rivière offrait aux marchandises et aux voyageurs de la vallée une voie royale vers le centre et le sud du pays.

Au début de la Première Guerre mondiale, les entrailles de la vallée avaient révélé qu'elles recelaient aussi de fabuleuses réserves énergétiques. La découverte de pétrole, de charbon et de gaz naturel fit alors basculer la Kanhawa dans l'aventure de l'industrie chimique aux horizons illimités. Les années 20 avaient vu les forêts de la région disparaître au profit d'autres forêts, métalliques celles-là, avec des cheminées, des tours, des torchères, des réservoirs, des plates-formes, des tuyauteries. Ces nouvelles usines appartenaient à des géants tels que Dupont de Nemours, Monsanto, Union Carbide. C'était là, sur son site d'Institute et dans son centre de recherches de South Charleston, à quelques kilomètres de la tranquille petite cité de Charleston, que les ingénieurs chimistes de Carbide avaient inventé les innombrables produits innovants qui allaient transformer la vie de centaines de millions d'habitants de la planète. En faisant de la chimie la bonne à tout faire de la civilisation quotidienne, ils avaient contribué à révolutionner des domaines aussi différents que les engrais, les médicaments, les textiles, les lessives, les peintures, les pellicules photographiques... La liste était sans fin, mais cette révolution avait un prix car l'industrie chimique n'est pas une activité comme les autres. Beaucoup de substances manipulées sont aussi dangereuses que les radiations produites par l'industrie nucléaire. L'oxyde d'éthylène qui entre dans la fabrication d'un banal antigel pour automobiles peut se révéler aussi mortel que des poussières de plutonium. L'un des composants les plus couramment utilisés, le gaz phosgène, avait, sous l'appellation de « gaz moutarde », asphyxié des milliers de combattants de la Première Guerre mondiale. L'acide cyanhydrique, ce gaz à l'odeur d'amande douce qui entre dans la fabrication de certains médicaments, était adopté par nombre de pénitenciers américains pour l'exécution des condamnés à mort. Dans ses usines de la Kanhawa Valley, Carbide produisait à elle seule deux cents matières chimiques dont beaucoup étaient connues pour leur aptitude à provoquer des cancers chez les hommes et chez les animaux, tels le chloroforme, l'oxyde d'éthylène, l'acrylonitrile, le benzène, le chlorure de vinyle.

Tout comme ses concurrents, la société Carbide s'efforçait de préserver sa réputation en consacrant d'importants budgets à la sécurité des personnels sur les lieux de travail, ainsi qu'à une stricte politique de sauvegarde de l'environnement. On ne comptait pas les brevets de bonne conduite que s'octroyaient des entreprises dont les rejets toxiques empoisonnaient pourtant insidieusement les verdoyants paysages de la Kanhawa Valley. Bien qu'abondamment rapportés par des médias complaisants, ces efforts n'atteignaient pas toujours leurs objectifs. Carbide se verra condamnée à de fortes amendes pour avoir déversé des produits hautement cancérigènes dans la Kanhawa et dans l'atmosphère. Une enquête menée dans les années 70 établira que le nombre de cancers diagnostiqués chez les habitants de la vallée était de vingt et un pour cent supérieur à la moyenne nationale américaine. Les taux de cancers du poumon, des glandes endocrines, et celui des leucémies étaient en particulier parmi les plus élevés du pays. Une étude réalisée par le département de la Santé de l'État de Virginie-Occidentale précisera que les habitants des quartiers situés sur le passage des vents provenant des usines de South Charleston et d'Institute présentaient deux fois plus de tumeurs cancéreuses que le reste de la population des États-Unis. Ces constats n'empêcheraient pas Carbide de construire sur son site d'Institute une usine de conception entièrement novatrice destinée à rendre encore plus compétitive la fabrication du Sevin, l'insecticide phare que la firme voulait distribuer dans le monde entier.

Ce projet de haute technologie modifiait complètement le procédé mis au point par les trois chercheurs du Boyce Thompson Institute qui avaient inventé le Sevin. Il faisait intervenir un processus chimique qui permettait de réduire les coûts de production de façon substantielle, tout en éliminant les déchets. Le processus de fabrication consistait à faire réagir du gaz phosgène sur un autre gaz appelé monométhylamine. La réaction de ces deux gaz donnait une nouvelle molécule, l'isocyanate de méthyle. Dans une deuxième étape, on combinait l'isocyanate de méthyle avec de l'alpha-naphtol, ce qui produisait le Sevin. Plus couramment désigné sous ses initiales anglaises de MIC (pour Methyl-Iso-Cyanate), l'isocyanate de méthyle est l'un des composés les plus dangereux jamais conçus par les apprentis sorciers de la chimie industrielle. Les toxicologues de Carbide l'avaient expérimenté sur des rats. Les résultats s'étaient révélés si terrifiants que la société avait interdit la publication de ses travaux.

D'autres expériences avaient permis de constater la mort quasi immédiate des animaux exposés aux seules vapeurs de Mic. Celles-ci détruisaient de façon foudroyante l'appareil respiratoire, causaient des cécités irréversibles, brûlaient les pigments de la peau.

Des toxicologues allemands avaient osé aller plus loin en soumettant des cobayes humains volontaires à d'infimes doses de Mic. Bien que réprouvées par la communauté scientifique, ces expériences avaient permis de déterminer des seuils de tolérance à une exposition au Mic, ainsi qu'on l'avait fait pour établir les seuils de tolérance aux radiations nucléaires. Ces recherches furent d'autant plus utiles que des milliers d'ouvriers partout dans le monde se trouvaient en contact quotidien avec d'autres isocyanates cousins du Mic, pour la fabrication d'innombrables produits à base de mousses synthétiques, tels que les panneaux isolants, les matelas, les sièges d'automobiles. Grâce à sa nouvelle usine, Carbide pourrait vendre du Mic à toutes les entreprises utilisant les isocyanates mais peu désireuses d'affronter les dangers de sa fabrication. La firme américaine pourrait surtout vendre du Sevin dans le monde entier.

8

Une petite souris
sous les banquettes des trains de Bhopal

THE BHOPAL TEA-HOUSE. L'enseigne avait de quoi faire sourire. Ses lettres délavées s'étalaient au fronton d'une baraque de planches implantée presque en face de l'entrée de l'Orya basti. Dans une écœurante odeur de friture, on y servait le traditionnel thé au lait très sucré, des beignets de farine de millet, des piments et des oignons hachés, du riz et du dal, des chapati et autres sortes de galettes. Mais l'essentiel du commerce, c'était la *country liquor*, un tord-boyaux local à base d'intestins d'animaux fermentés que la *tea-house* débitait chaque jour par dizaines de litres. Une pancarte en anglais avertissait les clients que l'établissement ne faisait pas crédit. *YOU EAT, YOU DRINK, YOU PAY, YOU GO*[1]. Le propriétaire, un sikh ventripotent aux sourcils broussailleux, se montrait rarement. Bien qu'étant l'une des plus importantes personnalités locales, Pulpul Singh, quarante-cinq ans, s'imposait ailleurs et autrement. Il était l'usurier des trois bastis, profession qu'il exerçait à l'abri des lourdes grilles de sa maison moderne de deux étages à l'entrée de Chola. Trônant comme un bouddha devant son coffre-fort estampillé Godrej et deux immenses chromos du Temple d'or d'Amritsar et du portrait du gourou Nanak, le vénéré fon-

---

1. « Vous mangez, vous buvez, vous payez, vous partez. »

dateur de sa communauté, Pulpul Singh, comme tous les usuriers du monde, exploitait la misère économique des pauvres. Pour recouvrer ses créances, il avait engagé un brigand évadé d'une prison du Panjab. Coiffé d'un turban crasseux, toujours prêt à brandir son poignard, protégé par la police qu'il soudoyait pour le compte de son maître, celui-ci était la terreur des petits emprunteurs. Il était tellement haï que son maître avait renoncé à lui confier la gérance de son estaminet. À sa place, il utilisait l'homme le plus respecté de la population, Belram Mukkadam, dont la canne avait tracé l'emplacement de la hutte de Padmini et de celles de tous les autres habitants.

Fondateur du comité d'entraide qui s'attaquait aux injustices et s'acharnait à soulager les plus extrêmes détresses, Mukkadam était un personnage légendaire. Depuis trente ans, il ne cessait de se battre contre les fonctionnaires corrompus de la municipalité, contre les politiciens véreux, contre les promoteurs immobiliers et, d'une façon générale, contre tous ceux qui voulaient faire disparaître les ghettos de la ceinture nord de la ville. À cause de lui, la date du 18 août 1978 deviendrait célèbre dans l'histoire de Bhopal. Ce jour-là, deux mille miséreux conduits par Mukkadam envahiront le parlement local pour exiger l'annulation d'une procédure d'expulsion prévue pour le lendemain. Il forcera les pauvres à relever la tête, renforcera leur esprit de résistance, rassemblera autour de lui sans distinction de religion, de caste, d'origine, une équipe soudée, une sorte de gouvernement occulte des bastis.

Bien qu'un abîme séparât cet apôtre de son employeur et de ses pratiques sordides, Mukkadam avait accepté la gérance de la Bhopal Tea-House, car cette activité lui offrait un forum. Autour des quelques tables empestant l'alcool, les habitants pouvaient discuter de leurs affaires au grand jour et mieux organiser les ripostes aux dangers qui les menaçaient.

*

La fillette bondit vers l'homme à la mine défaite qui venait d'apparaître au bout de la ruelle et qui titubait comme un ivrogne.

— Papa, papa ! criait-elle en courant vers son père.

Sans doute s'était-il arrêté à la tea-house de Belram Mukkadam. Lui qui ne buvait jamais avait dû avaler quelques verres de *country liquor.* C'était le signe que quelque chose de grave s'était passé. Padmini se jeta à ses pieds.

— Les travaux du chemin de fer sont terminés, grommela Ratna Nadar avec peine. Ils nous ont jetés dehors.

Ce jour d'hiver, plus de trois cents coolies furent frappés du même sort. Aucune législation sociale ne protégeait les travailleurs occasionnels. On pouvait les licencier à tout moment, sans préavis ni indemnités. Pour les Nadar, comme pour les autres familles, le coup était rude. « Mon père chercha désespérément à retrouver un travail, racontera Padmini. Chaque matin, il partait vers Berasia Road dans l'espoir de rencontrer un tharagar qui l'embauche quelques heures ou quelques jours pour tirer des charrois ou porter des matériaux. Mais il n'y avait aucun chantier de construction cet hiver-là dans la zone où nous campions. Encore une fois, nos ventres se sont mis à crier. »

Un soir que toute la famille se préparait à se coucher sans avoir absorbé la moindre nourriture, Sheela décida de faire une surprise aux siens. Elle aligna toutes les gamelles sur le sol de terre battue et les remplit d'un brouet gluant généreusement saupoudré d'une odorante poudre de carry.

— Faites attention à ne pas avaler les petits os, recommanda-t-elle.

Tout le monde comprit. Elle avait fait cuire le perroquet.

Le matin suivant, Padmini vit apparaître Dilip sur le seuil de son logement.

— Si tu viens avec moi, je te promets que personne n'aura plus jamais faim dans ta hutte, déclara-t-il avec autorité.

La fillette considéra avec inquiétude les vêtements déchirés du garçon. Sa culotte et sa chemise étaient souillées de taches de sang.

— Où veux-tu m'emmener? s'inquiéta-t-elle.

Dilip pointa un doigt sur l'amulette qu'il portait autour du cou.

— N'aie pas peur. Avec ça, nous ne risquons rien.

Ils marchèrent entre les rails en direction de la gare. En route, Dilip s'arrêta devant un tas d'ordures qu'il se mit à gratter furieusement.

— Regarde, Padmini! s'écria-t-il en brandissant les deux petites balayettes qu'il venait de déterrer. Elles vont te faire gagner beaucoup de roupies.

À la gare, Dilip retrouva les membres de sa bande.

— Salut, Chef! lança l'un des gamins, armé lui aussi d'une balayette.

— Pas de veine, le train de Delhi est en retard, annonça un autre garçon.

— Et celui de Bombay? demanda Dilip.

— Pas encore signalé, répondit un troisième qui portait une petite calotte de musulman sur la tête. – Les membres de l'équipe appartenaient à toutes les confessions.

Dilip présenta Padmini à ses compagnons qui hochèrent la tête en signe d'admiration.

— Avec une si jolie souris, on va faire fortune! s'esclaffa le plus âgé.

Un coup de sifflet arrêta net les commentaires et mit en émoi la petite bande. Dilip entraîna Padmini par la main et tous sautèrent sur la voie pour remonter sur l'autre quai. L'homme qui avait donné le coup de sifflet était un inspecteur de la police des chemins de fer. Lui et un autre policier s'apprêtaient à se jeter aux trousses de la bande quand Dilip leva le bras.

— J'arrive ! cria-t-il.

Enjambant les rails avec une souplesse de félin, il rejoignit les policiers. Padmini vit son camarade sortir un billet de la poche de sa culotte et le glisser discrètement dans la main de l'inspecteur. Ce geste était courant. C'est alors que le train de Delhi arriva. Les membres de la bande s'égaillèrent le long du quai pour se partager les différents wagons. Dilip poussa Padmini vers la première portière ouverte. Il lui désigna la succession de banquettes où s'entassaient les voyageurs.

— Tu te mets à quatre pattes, et tu rampes avec ta balayette pour ramasser tout ce que tu trouves, lui indiqua-t-il. Mais fais vite ! Il faut qu'on descende au prochain arrêt pour revenir à Bhopal.

Padmini se faufila sous la première banquette avec la frénésie d'un chercheur d'or. Soudain, entre les pieds d'un voyageur, elle aperçut un morceau de chapati. « J'avais si faim que je me suis jetée dessus et je l'ai avalé, avouera-t-elle. Par chance, les gens avaient aussi jeté des peaux de bananes et des pelures d'oranges. » La petite balayeuse ne tarda pas à faire d'autres découvertes. Au premier arrêt, ils firent l'inventaire de leurs trouvailles.

— Devine ce que j'ai dans ma main, lança-t-elle en brandissant sa paume fermée sous les yeux du garçon.

— Un diamant gros comme un bouchon de bouteille !

— Idiot ! pouffa Padmini qui ouvrit sa main sur deux piécettes de cinq paisas, je vais pouvoir acheter deux bidis pour mon père.

— Bravo ! s'extasia Dilip qui sortit de sa ceinture une chaussette, une pile électrique usagée, une sandale et une pochette en papier journal pleine de cacahuètes. Je vais fourguer tout ça à mon chiffonnier habituel. Il devrait bien me donner trois ou quatre roupies.

Le soir, c'est un billet de dix roupies qu'apporta le fils de Dalima à sa jeune complice. Il avait généreusement arrondi la somme reçue du chiffonnier. Padmini caressa le billet un long moment. Puis elle soupira :

— Nous sommes sauvés.

*

Padmini finit par avoir ses trains préférés et par connaître tous leurs contrôleurs. Certains lui donnaient une ou deux roupies et quelquefois un biscuit quand ils la trouvaient en train de ramper avec sa balayette sous les banquettes ou dans les couloirs. Mais il y avait aussi des *big dada*[1] dans la gare de Bhopal. Toujours à l'affût d'une bagarre, ils essayaient de s'emparer de la récolte des balayeurs. Ils étaient de mèche avec les policiers et, si Dilip ne leur donnait pas dix ou vingt roupies, ils sortaient leurs matraques.

« Ils parvenaient souvent à nous prendre ce que nous avions pu ramasser dans la journée, dira Padmini. Je rentrais alors à la maison les mains vides et ma mère et mon frère Gopal se mettaient à pleurer. Parfois, quand les trains avaient du retard, je passais la nuit avec Dilip et sa bande dans la gare. Quand il faisait très froid, Dilip allumait un feu sur le quai. Nous nous couchions près des flammes pour dormir jusqu'au passage du prochain train. Il arrivait aussi que nous dormions dans d'autres gares, à Nagpour, à Itarsi, à Indore, dans l'attente qu'un train nous ramène jusqu'à Bhopal. »

C'est dans l'une de ces gares que Dilip et ses compagnons perdront, une nuit d'hiver, leur petite sœur adivasi.

---

1. Des « gros bras », des truands.

9

Un poison à l'odeur de chou bouilli

« Danger mortel en cas d'inhalation! » Placardé sous forme d'étiquettes illustrées de têtes de mort, d'affiches et de pages imprimées dans un manuel d'utilisation, l'avertissement s'adressait aux fabricants, aux transporteurs et aux utilisateurs du Mic, l'isocyanate de méthyle qui permettrait à Carbide de fabriquer à bas prix le Sevin, ce pesticide dont la firme allait inonder le monde. Cette molécule avait un caractère tellement irascible qu'il lui suffisait d'entrer en contact avec quelques gouttes d'eau, ou quelques grammes de poussière métallique, pour se déchaîner dans une réaction d'une violence incontrôlable. Aucun système de sécurité, fût-il le plus perfectionné, ne pouvait alors l'empêcher de répandre un nuage mortel dans l'atmosphère. Afin d'éviter une explosion, le Mic devait être maintenu en permanence à une température voisine de zéro. Il fallait donc prévoir la réfrigération des cuves et des réservoirs destinés à le contenir. Toute installation de stockage devait par ailleurs être équipée d'appareils de décontamination et de torchères capables de le neutraliser ou de le brûler en cas de fuite accidentelle. Le transport de l'isocyanate de méthyle faisait l'objet de précautions extraordinaires. Les chauffeurs des camions de livraison devaient « impérativement éviter les itinéraires encombrés, contourner les villes et les villages, faire aussi peu d'arrêts que possible ». En cas de soudaine sensation de brûlure aux yeux, ils devaient se précipiter dans la première cabine téléphonique pour composer l'indicatif *HELP*[1], suivi des chiffres 744 34 85, le numéro des urgences de Carbide. Ils devaient ensuite évacuer leur véhicule « vers une zone inhabitée ».

Carbide avait décidé de jouer la transparence, ce qui n'était pas toujours l'habitude dans l'industrie chimique. Tout un chapitre de son manuel énumérait en détail les horribles conséquences d'une inhalation accidentelle de Mic : d'abord, de sévères douleurs dans la poitrine, puis des crises d'étouffement et, enfin, l'apparition d'œdèmes pulmonaires risquant d'entraîner la mort. En cas d'incident, le rinçage à grande eau des parties contaminées, l'usage massif d'oxygène, l'administration de médicaments dilatant les bronches étaient les mesures préconisées.

Carbide négligeait toutefois de fournir l'ensemble des informations qui lui avaient été révélées par deux études secrètes entreprises à sa demande en 1963 et en 1970 par le Mellon Institute de la Carnegie Mellon University de Pittsburgh. Ces études sur la toxicité de l'isocyanate de méthyle indiquaient que celui-ci se décomposait sous l'effet de la chaleur en plusieurs molécules, elles aussi potentiellement mortelles. Parmi ces molécules, se trouvait l'acide cyanhydrique, un gaz de sinistre réputation dont l'inhalation à forte dose provoque presque toujours une mort immédiate. Mais les deux études révélaient aussi l'existence d'un antidote efficace contre les atteintes de ce gaz fatal. Une injection de thiosulfate de sodium pouvait, dans certains cas, neutraliser les effets mortels du cyanure d'hydrogène. Carbide n'avait pas jugé bon d'inclure cette information dans sa documentation sur le Mic.

---

1. Au secours !

*

C'est dans sa nouvelle usine d'Institute, au bord de la rivière Kanhawa, que Carbide comptait fabriquer le Mic nécessaire à la production annuelle de trente mille tonnes de Sevin. Dénommée Institute 2, cette installation devait fonctionner dans des conditions de sécurité et de respect de l'environnement qui feraient d'elle un modèle industriel dans toute la vallée. Ancrée dans un lac de béton, elle déployait ses structures métalliques sur cinq niveaux. Chacun était bourré de réacteurs, de colonnes de distillation, de réservoirs, de torchères, de condenseurs, de fours, d'échangeurs, de pompes et d'un écheveau de dizaines de kilomètres de tuyauteries de grosseurs et de couleurs différentes selon les liquides et les gaz transportés.

« C'était vraiment une belle usine, racontera l'ingénieur américain Warren Woomer, entré à l'âge de vingt-deux ans chez Carbide et devenu spécialiste des installations à hauts risques. Certes, une sensation de danger s'emparait de vous quand vous y pénétriez. Mais j'avais pris l'habitude de vivre au milieu des substances toxiques. Après tout, c'est le sort des ingénieurs chimistes de côtoyer leur vie durant des produits dangereux. Il faut apprendre à les respecter, et surtout les connaître et savoir les manipuler. Si vous faites une erreur, il y a peu de chance qu'ils vous pardonnent. »

Warren Woomer savait que le pilotage de cette usine « high tech » avait été confié aux meilleurs professionnels de la spécialité. Appartenir à l'unité de fabrication du Mic était considéré comme un honneur sur le site d'Institute. C'était aussi un avantage : les salaires tenaient compte de la nature périlleuse des produits qu'on y manipulait. Ils étaient les plus élevés de la société.

Carbide avait doté l'installation d'un impressionnant arsenal de systèmes de sécurité. On ne comptait plus les tours de décontamination et les torchères capables de neutraliser et de brûler de grandes quantités de gaz en cas de fuite accidentelle. Des centaines de soupapes permettaient d'évacuer vers des circuits de dérivation tout fluide accusant une pression anormale. Des chapelets de vannes thermostatiques, de clapets antiretour, de joints, de disques de rupture, de débimètres, de sondes de température, de manomètres, veillaient sur tous les équipements sensibles, et sur les tuyauteries elles-mêmes assemblées par des soudures à haute résistance contrôlées aux rayons X. Des amortisseurs empêchaient toute dilatation excessive du métal. Comme dans les avions les plus modernes, les circuits électriques étaient doublés et protégés pour résister aux agressions des acides les plus corrosifs. En cas de panne électrique, des générateurs surpuissants prenaient immédiatement le relais. Des conduites spéciales à double paroi avaient été installées pour acheminer le Mic vers ses cuves de stockage. Entre les parois circulait un flux d'azote. Tous les dix mètres, des sondes contrôlaient la pureté du gaz. Aussitôt décelée, la plus infime fuite de Mic dans l'azote déclenchait une alarme et une intervention immédiates.

Pour s'assurer d'une fiabilité sans défauts, les constructeurs d'Institute 2 avaient conçu des équipements de haute performance qu'ils avaient fait fabriquer par les plus éminents spécialistes des alliages et des moteurs existant aux États-Unis, tels que International Nickel et Ingersol Rand.

Des précautions non moins exceptionnelles avaient été prises pour assurer la sécurité des personnels. Un réseau de haut-parleurs et de sirènes dotées de modulations différentes selon la nature des incidents était prêt à entrer en action à la moindre alerte. Des équipes de pompiers spécialisées dans les incendies de matières chimiques ainsi qu'un système d'extinction automatique étaient capables de noyer l'usine, en quelques minutes, sous un déluge de mousse carbonique. Des dizaines d'armoires peintes en rouge offraient à tous les étages le secours de leurs scaphandres, de leurs appareils respiratoires, de leurs rinceurs oculaires et de leurs douches de décontamination. L'usine était même équipée d'un réseau d'analyseurs qui prélevaient en permanence des échantillons d'atmosphère. En cas de dépassement des normes de sécurité, une alarme sonore retentissait tandis qu'apparaissait sur un cadran l'emplacement de l'anomalie.

Avec ses murs constellés de manomètres, de manettes, de boutons, la salle de contrôle ressemblait au poste de pilotage d'un Concorde. Jour et nuit, des marqueurs de différentes couleurs y traçaient les respirations de l'installation sur des rouleaux de papier millimétré. Jour et nuit, des clefs, des leviers, des poignées envoyaient par voie électronique les ordres qui ouvraient ou fermaient les vannes, condamnaient ou activaient un circuit, lançaient ou interrompaient une opération de production ou d'entretien. L'un des cadrans les plus attentivement surveillés était un indicateur de température. Il communiquait avec les thermomètres placés sur chacune des cuves d'isocyanate de méthyle servant à la production continue du Sevin. Comme prévu, les aiguilles de ces instruments ne devaient jamais monter au-dessus de zéro degré puisque le Mic risquait d'exploser s'il n'était pas maintenu à cette température. Pour conjurer ce danger, les constructeurs de l'usine américaine avaient enrobé les parois des cuves d'un écheveau de serpentins dans lesquels circulait du chloroforme réfrigérant.

*

C'est à l'odeur, ou plutôt à l'absence d'odeur, qu'avaient été jugés les premiers résultats de ces efforts sans précédent. Une usine chimique étanche ne dégage pas d'odeur. Ce n'était pas le cas des autres usines qui polluaient la Kanhawa Valley d'exhalaisons auxquelles aucun de ses deux cent cinquante mille habitants ne pouvait échapper. « Ces odeurs avaient fini par imprégner les arbres, les fleurs, l'eau de la rivière, et même l'air que nous respirions », déplorait Pamela Nixon, trente-huit ans, laborantine au Saint Francis Hospital de Charleston, qui habitait avec sa famille, comme plusieurs centaines d'autres familles noires aux revenus modestes, le quartier de Perkins Avenue jouxtant les réservoirs et les cheminées du site d'Institute. Quelques jours avant le démarrage de la nouvelle usine, Pamela et ses voisins trouvèrent dans leur boîte à lettres un tract envoyé par la direction locale d'Union Carbide. Intitulé « Plan d'évacuation générale d'Institute, Virginie-Occidentale », ce document énumérait les recommandations à observer en cas d'incident. Le premier conseil était de ne pas chercher à s'enfuir. « Branchez votre poste de radio sur la station WCAW, 680 mètres ondes moyennes, ou votre téléviseur sur le canal 8 de la station WCHS, indiquait le document. Voici le genre d'annonce que vous serez susceptible d'entendre : *À dix heures ce matin, la police de l'État de la Virginie-Occidentale a signalé un accident industriel mettant en cause des matières chimiques dangereuses. L'accident s'est produit à 9 h 50 sur le site d'Institute de la société Union Carbide. Toutes les personnes habitant à proximité sont invitées à rester chez elles, à fermer les portes et les fenêtres de leur domicile, à éteindre les ventilateurs et les climatiseurs, et à rester à l'écoute pour de nouvelles instructions. Le prochain communiqué sera diffusé dans cinq minutes.* »

Pamela Nixon colla la feuille de papier sur la porte de son réfrigérateur.

Deux semaines plus tard, alors que la nouvelle installation était entrée dans sa phase normale de production, la jeune femme discerna subitement une odeur bizarre qui entrait par la fenêtre de sa cuisine. Elle était portée par la brise qui soufflait comme d'habitude depuis les structures industrielles situées en amont de son quartier. Ce n'était pas l'odeur de poisson ou d'œuf pourri à laquelle les autres usines de la vallée l'avaient accoutumée. Cette exhalaison prouvait que, si l'installation visible de chez elle était un modèle avancé de technologie, ses constructeurs n'avaient pas réussi à lui assurer une étanchéité vraiment totale. Fouillant sa mémoire, Pamela retrouva un souvenir d'enfance. Comme le plat que sa mère préparait chaque dimanche après le service religieux, l'isocyanate de méthyle fabriqué par le nouveau fleuron de la société Union Carbide s'annonçait aux papilles nasales des habitants de la Kanhawa Valley par une odeur de chou bouilli [1].

---

1. Cette odeur de chou bouilli devait s'installer définitivement dans la vallée magique. L'Agence fédérale de protection de l'environnement (EPA) révélera en effet que, entre le 1er janvier 1980 et la fin de l'année 1984, soixante-sept fuites d'isocyanate de méthyle s'étaient produites à l'usine d'Institute. La direction de l'usine se garda de porter ces fuites à la connaissance des habitants de la vallée, considérant qu'aucune n'avait posé un réel problème de santé, ou n'avait dépassé les normes tolérées par la loi pour les émissions toxiques dans l'atmosphère.

10

Ils méritaient la miséricorde de Dieu

La surprenante silhouette qui surgit un matin, à l'entrée de l'Orya basti, fit sursauter Belram Mukkadam. Il n'avait jamais vu d'Européenne s'aventurer dans le quartier. Grande, vêtue d'une robe noire qui lui tombait jusqu'aux chevilles, une croix de métal en sautoir sur la poitrine, ses cheveux gris coupés à la garçonne, de grosses lunettes rondes lui mangeant le visage, elle arborait un sourire lumineux. Mukkadam l'accueillit avec sa jovialité coutumière.

— Quelle heureuse surprise ! Soyez la bienvenue, *Sister*. Quel bon vent vous amène ici ? demanda-t-il.

La visiteuse le salua à l'indienne.

— J'ai entendu dire que votre quartier a besoin de quelqu'un pouvant apporter des soins médicaux aux malades, aux enfants, aux personnes âgées. Alors, voilà, je viens vous offrir mes modestes services.

Mukkadam s'inclina presque jusqu'à terre.

— Soyez bénie, *Sister* ! C'est le dieu qui vous envoie. Il y a tant de détresses à soulager ici.

Sœur Felicity McIntyre, quarante-neuf ans, était écossaise. Née dans une famille de diplomates qui avaient fait de longs séjours en France, elle était entrée à dix-huit ans dans un ordre de religieuses missionnaires. Envoyée d'abord au Sénégal, puis à Ceylan et enfin en Inde, elle vivait depuis quatorze ans à Bhopal où elle dirigeait un centre créé par le diocèse pour l'accueil des enfants abandonnés. La plupart d'entre eux souffraient de graves handicaps cérébraux. Le centre était installé dans une bâtisse moderne, au sud de la cité. Il portait le beau nom d'« *Ashinitekan* – la Maison de l'Espoir ». Au-dessus du portail, la religieuse avait fait clouer une plaque avec l'inscription : « Quand Dieu ferme une porte, c'est pour en ouvrir une autre. » Enfants trisomiques, autistes, tuberculeux osseux, polios, aveugles, sourds et muets, ils vivaient tous ensemble dans une grande salle aux murs vert pâle décorés des portraits du Mahatma Gandhi et de Jésus-Christ.

Cette salle surprenait par l'exubérance de l'activité qui s'y déroulait. Plusieurs jeunes filles formées par sœur Felicity s'activaient autour des enfants, les aidant à bouger, marcher, jouer. Des barres parallèles, des ballons en caoutchouc, des planches pivotantes, de petites autos à pédales tenaient lieu d'appareils de physiothérapie. Ici, la vie était plus forte que le malheur. Certains malades réclamaient des soins particuliers. Il fallait les habiller, les faire manger, les porter aux toilettes, les laver. Il fallait surtout essayer d'éveiller leur intelligence, ce qui exigeait des montagnes de patience et d'amour. Sœur Felicity partageait sa chambre à coucher avec une oligophrène de douze ans qui paraissait en avoir six. Atteinte de spina-bifida, une paralysie de la colonne vertébrale, Rina était aussi dépendante qu'un bébé. Mais son sourire clamait sa volonté de vivre et sa reconnaissance. Bien qu'elle s'en défendît, sœur Felicity était à Bhopal ce que Mère Teresa était à Calcutta.

Mukkadam entraîna la religieuse dans le labyrinthe des ruelles.

— C'est un vrai quartier de misère, ici, s'excusa-t-il.

— J'ai l'habitude, le rassura la visiteuse en saluant d'un joyeux *Namasté*[1] ceux qui se rassemblaient sur son passage.

Elle entra dans plusieurs huttes, examina quelques enfants. Rachitisme, pelades, infections intestinales... L'Orya basti collectionnait les pathologies de tous les quartiers pauvres. La religieuse était en pays connu. Familière des bidonvilles, jamais elle n'avait hésité à pénétrer dans les habitations, à s'asseoir avec les gens, sans préjugé de caste ou de religion. Elle avait appris à recevoir les confidences des mourants, à veiller les morts, à prier avec les familles, à laver les corps, à accompagner les défunts pour leur dernier voyage – jusqu'au cimetière ou au bûcher. Surtout, puisant dans son grand sac en skaï noir plein de médicaments, d'ampoules de sérum, d'antibiotiques et de morphine, et aussi de petits instruments de chirurgie, elle avait soigné, soulagé, et guéri.

— Je viendrai chaque lundi matin, annonça-t-elle en hindi. Il faudra que des familles acceptent de m'héberger à tour de rôle.

La suggestion provoqua un brouhaha immédiat. Toutes les mères étaient prêtes à offrir leur logis à la grande sœur blanche pour qu'elle puisse soigner les habitants du basti.

— Et puis, j'aurai besoin d'une volontaire pour m'aider, ajouta-t-elle en balayant d'un regard malicieux les visages qui se pressaient autour d'elle.

— Moi, moi, *didi*[2] !

Felicity se retourna et aperçut devant la hutte une fillette aux yeux bridés.

— Comment t'appelles-tu ?

— Padmini.

---

1. *Namasté* ou *Namaskar*, littéralement « se prosterner ». Salutation faite en joignant les mains au niveau du cœur ou du visage. La considération que l'on manifeste se mesure à la hauteur des mains jointes, que l'on peut élever jusqu'au front.
2. Grande sœur.

— Eh bien, Padmini, je te prends à l'essai comme assistante de notre petit dispensaire.

*

Le lundi suivant, une file d'attente s'était formée dans la ruelle bien avant l'arrivée de sœur Felicity. Padmini avait essayé de repérer les malades les plus atteints pour les amener en priorité dans la hutte que ses parents avaient transformée en infirmerie de fortune. C'étaient le plus souvent des bébés rachitiques au ventre ballonné que leur mère tendait à la religieuse avec un regard suppliant. « Au cours de mes années passées en Afrique, à Ceylan et en Inde, jamais je n'avais vu de telles carences, racontera l'Écossaise. Les fontanelles de beaucoup de ces enfants ne s'étaient pas refermées. L'ossature de leur crâne, faute de calcium, s'était déformée et leur faciès dolicocéphale leur donnait un peu l'air de momies égyptiennes. »

Si la tuberculose était la tueuse numéro un dans l'Orya basti et les quartiers voisins, la typhoïde, le tétanos, la malaria, la poliomyélite, les infections gastro-intestinales et les maladies de peau causaient des dégâts souvent irréversibles. Devant tous ces malheureux qui espéraient des miracles de leur grande sœur blanche, la religieuse sentit ses forces la trahir. Padmini épongea doucement les grosses gouttes de sueur qui coulaient sur son front et risquaient de troubler sa vision. Surmontant la nausée provoquée par les odeurs et l'horreur de certains spectacles, la jeune Indienne soutenait sa « grande sœur » de son inaltérable sourire. Le regard de cette fillette elle-même nourrie de souffrance et de misère ressuscitait à chaque défaillance le courage de la religieuse. Un jour, une femme déposa sur la table un bébé d'une extrême maigreur. Sœur Felicity eut l'idée de confier à Padmini le petit corps à la peau parcheminée.

— Prends-le et masse-le doucement, lui dit-elle. C'est tout ce que nous pouvons lui offrir.

Padmini s'assit dans la ruelle sur un sac de jute et posa l'enfant sur ses cuisses. Elle versa dans ses mains un peu d'huile de moutarde et commença à masser le petit corps. Ses mains allaient et venaient le long du buste et des membres. Comme une série de vagues, elles partaient des flancs du bébé, traversaient sa poitrine, remontaient vers l'épaule opposée. Le ventre, les jambes, les talons, la plante des pieds, les mains, la tête, la nuque, le visage, les ailes du nez, le dos, les fesses étaient successivement caressés, vivifiés, comme nourris par les doigts souples et dansants de Padmini. L'enfant s'était soudain mis à gazouiller de béatitude. « J'étais éblouie par tant d'habileté, de beauté, d'intelligence, dira Felicity. Au fond de ce basti, je venais de découvrir une force d'amour et d'espérance insoupçonnée. Les habitants de l'Orya basti méritaient la miséricorde de Dieu. »

11

« Une main pour l'avenir »

Des trente-huit pays de la planète où elle avait hissé son drapeau au losange bleu et blanc, aucun n'avait tissé avec Union Carbide des liens aussi anciens et chaleureux que l'Inde. Peut-être était-ce dû au fait que depuis presque un siècle la multinationale gratifiait les centaines de millions d'Indiens privés d'électricité d'un bienfait aussi précieux que l'air ou que l'eau. Les lampes de Carbide apportaient la lumière jusqu'au fond des villages les plus reculés du pays indien. Grâce au demi-milliard de piles sortant chaque année de ses usines, l'Inde entière connaissait et bénissait le nom de la firme américaine.

Les juteux profits de ce monopole et la conviction que le pays deviendrait un jour l'un des grands marchés de la planète avaient poussé Carbide à regrouper toutes sortes de productions sous l'égide d'une filiale indienne dénommée Union Carbide India Limited. Le drapeau de cette filiale flottait alors sur quatorze usines. Carbide fabriquait en Inde des produits chimiques, des matières plastiques, des plaques photographiques, des pellicules, des électrodes industrielles, des résines de polyester, du verre feuilleté, des machines-outils. La société possédait aussi sur la côte du Bengale une flotte de sept chalutiers spécialisés dans la pêche à la crevette en haute mer. Avec son chiffre d'affaires annuel de deux cents millions de dollars, Union Carbide India Limited incarnait un exemple réussi de la politique de mondialisation menée par la multinationale new-yorkaise. Cette dernière conservait bien entendu la propriété de cinquante et un pour cent des actions de sa filiale indienne, ce qui lui donnait le contrôle absolu de toutes ses activités et de tous ses nouveaux projets sur le territoire indien.

*

Au mois d'avril 1962, la direction américaine de Carbide révéla la nature et l'ampleur de ces nouveaux projets par une pleine page de publicité dans le très prestigieux *National Geographic Magazine*. Intitulé « La science contribue à bâtir une Inde nouvelle », l'encart se voulait allégorique. Il montrait un paysan décharné à peau noire labourant une terre visiblement stérile à l'aide d'une charrue primitive tirée par deux bœufs efflanqués. Deux femmes en sari, une cruche d'eau et un panier sur la tête, contemplaient la scène. En arrière-plan apparaissaient les eaux d'un large fleuve, le Gange. Juste au-delà du fleuve sacré, scintillant de mille feux dans la lumière, se découpaient les structures dorées d'un gigantesque complexe chimique avec ses tours, ses cheminées, ses tuyauteries, ses réservoirs. Au-dessus, occupant la moitié supérieure de l'image, une main à peau claire se détachait sur la couleur orangée du ciel. Elle tenait entre le pouce et l'index un tube à essai rempli d'un liquide rouge qu'elle faisait couler sur le paysan et sa charrue. Aucun doute : Carbide s'était inspirée de la scène du plafond de la chapelle Sixtine où Michel-Ange représente la main de Dieu effleurant celle d'Adam pour lui donner la vie. Sous le titre *Une main pour l'avenir*, la société délivrait son message en quelques lignes. *Des bœufs qui travaillent dans les champs... le Gange éternel... des éléphants caparaçonnés de bijoux... Aujourd'hui ces symboles de l'Inde ancienne cohabitent avec une vision nouvelle, celle de l'industrie* moderne. *L'Inde a construit des usines pour renforcer son économie et apporter à ses quatre cent cinquante millions d'habitants la promesse d'un avenir éclatant. Mais l'Inde a besoin du savoir technologique du monde occidental. C'est ainsi qu'Union Carbide, en travaillant avec des ingénieurs et des techniciens indiens, a offert ses vastes ressources scientifiques pour contribuer à édifier une grande usine de produits chimiques et de matières plastiques près de Bombay. Partout dans le monde libre, Union Carbide s'est engagée à construire des usines pour la fabrication de produits chimiques, de matières plastiques, de gaz, d'alliages. Les collaborateurs d'Union Carbide se félicitent de pouvoir partager leur savoir et leurs compétences avec les citoyens de ce grand pays.*

Ce morceau de bravoure se terminait par une exhortation. *Écrivez-nous pour recevoir la brochure intitulée* L'Univers excitant d'Union Carbide. *Vous y découvrirez comment les ressources dans les domaines du carbone, des produits chimiques, des gaz, des métaux, des matières plastiques et de l'énergie continuent d'apporter chaque jour de nouvelles merveilles dans votre vie.*

*

« De nouvelles merveilles dans votre vie ! » Cette éloquente promesse trouverait bientôt une occasion spectaculaire de s'exprimer. C'était l'époque où l'Inde faisait des efforts désespérés pour conjurer le spectre ancestral de la famine. Après les sévères disettes du début des années 60, la situation alimentaire du pays connaissait enfin une amélioration. Le principal responsable de ce miracle était un lot de petites graines importées du Mexique. Baptisées Sonora 63 par leur créateur, l'agronome américain Norman Borlang, futur prix Nobel de la paix, ces graines procuraient une nouvelle variété de blé à haut rendement. Produisant de lourds épis insensibles aux vents, aux différences de luminosité, aux pluies torrentielles de la mousson, ainsi que des tiges très courtes et moins gourmandes, ces semences à la maturation très rapide permettaient d'obtenir plusieurs récoltes par an sur une même parcelle. C'était une révolution, la fameuse Révolution verte.

Cette innovation souffrait toutefois de sérieuses contraintes. Pour que ces semences à haut rendement produisent les multiples récoltes qu'on attendait d'elles, il leur fallait beaucoup d'eau et beaucoup d'engrais. En cinq ans, de 1966 à 1971, la Révolution verte multiplia par trois la consommation des engrais en Inde. Mais ce n'était pas tout. La base génétique très étroite des variétés à haut rendement et la monoculture qui leur était associée décuplèrent la vulnérabilité des nouvelles cultures aux maladies et aux insectes. Le riz devint la cible favorite des ravageurs dont on dénombrait au moins cent espèces différentes. Les plus virulents étaient de petites mouches appelées cicadelles vertes. Leurs stylets suceurs de sève plantés dans les jeunes pousses dévastaient en quelques jours des rizières de plusieurs hectares. Au Panjab et dans d'autres États, l'invasion d'une sorte de pucerons tigrés décimait les plantations de coton. Contre ces fléaux, l'Inde s'était trouvée passablement désarmée. Dans son souci de favoriser l'industrialisation du pays, le gouvernement avait encouragé une production essentiellement locale de pesticides. Mais devant l'abondance de la demande, celle-ci s'était révélée cruellement insuffisante. En outre, une bonne part des produits de fabrication indigène contenaient du DDT ou de l'HCH – hexa-chlorocyclohexane –, substances jugées si dangereuses pour la flore, les hommes et les animaux que nombre de pays en avaient banni l'utilisation.

Faute de pouvoir fournir massivement à leurs paysans des pesticides efficaces, les responsables indiens décidèrent en 1966 de s'adresser à des fabricants étrangers. Plusieurs, comme Carbide, étaient déjà implantés dans le pays. L'occasion parut suffisamment intéressante aux dirigeants de la multinationale new-yorkaise pour qu'ils dépêchent d'urgence à New Delhi l'une des vedettes de leurs équipes commerciales, le jeune ingénieur agronome argentin Eduardo Muñoz. Ce séduisant commis voyageur n'avait-il pas converti toute l'Amérique du Sud aux bienfaits du Sevin ? D'emblée, Muñoz se montra digne de ce choix en inaugurant sa mission par un coup d'éclat.

Le légendaire empereur Ashoka qui avait répandu en Inde le message de non-violence du Bouddha aurait été fort étonné. Le palace de New Delhi qui portait son nom accueillait ce soir d'hiver 1966 les principaux responsables de la filiale indienne de Carbide et une centaine des plus hauts fonctionnaires des ministères de l'Agriculture et de la Commission du Plan. Tous ces personnages étaient réunis pour célébrer par un banquet l'accord quasi historique signé dans l'après-midi au ministère de l'Agriculture devant une meute de journalistes et de photographes. Ce contrat prévoyait d'armer les paysans indiens contre les pucerons et autres insectes qui dévastaient leurs cultures. Pour cela, il envisageait l'importation immédiate de mille deux cents tonnes de Sevin américain. En échange, Carbide s'engageait à construire dans les cinq ans une usine fabriquant ce même pesticide sur le territoire indien. Eduardo Muñoz avait négocié cet accord avec un haut responsable du ministère de l'Agriculture nommé Sardar Singh, lequel semblait très pressé de voir arriver les premières livraisons. C'était un sikh originaire du Panjab, ainsi que le révélaient son turban et sa barbe roulée autour des joues. Les paysans de sa communauté étaient les premières victimes des insectes ravageurs.

La chance permit à l'envoyé de Carbide d'exaucer plus tôt que prévu les espérances de son partenaire indien. Ayant appris qu'une cargaison de mille deux cents tonnes de Sevin destinée aux paysans de la vallée du Nil dévastée par des invasions de sauterelles était bloquée dans le port d'Alexandrie par le zèle de douaniers tatillons, l'Argentin obtint que le bateau soit dérouté vers Bombay où, quinze jours plus tard, le précieux Sevin y fut accueilli comme un don du ciel.

L'euphorie retomba quelque peu lorsque l'on constata que le Sevin du bateau égyptien était en fait un concentré qui ne pourrait être utilisé qu'après avoir subi une préparation appropriée. Dans leur jargon, les spécialistes appellent cette opération une « formulation ». Elle consiste à mélanger le concentré avec du sable ou de la poudre de gypse. Comme le sucre que l'on mêle à la substance active d'un médicament pour en faciliter la consommation, le sable servant de support au Sevin permet d'épandre ou de pulvériser l'insecticide selon les besoins spécifiques de chaque utilisateur. L'Inde ne manquait pas de petites unités industrielles capables de procéder à cette transformation. Mais Muñoz avait une meilleure idée. Carbide allait elle-même rendre son Sevin opérationnel en bâtissant sa propre usine de formulation. Qu'importe si l'*Industrial Development and Regulation Act* réservait la construction de ce type d'installations à des entreprises de petite taille et uniquement de nationalité indienne, il dénicherait bien un homme de paille pour lui servir de prête-nom.

*

Comme partout ailleurs, on trouve en Inde quantité d'intermédiaires, d'agents, de *compradores* prêts à s'entremettre pour n'importe quelle affaire. Un matin de juin 1967, un petit homme jovial se présenta au bureau d'Eduardo Muñoz.

— Je m'appelle Santosh Dindayal, déclara-t-il, et je suis un dévot du culte de Krishna. – Étonné par cette entrée en matière, l'Argentin offrit un cigare à son visiteur, qui poursuivit : — Je suis propriétaire de nombreuses affaires. Je possède une exploitation forestière, une concession de scooters, un cinéma, une pompe à essence. J'ai entendu parler de votre projet de construire une usine de pesticides. – À ce point de son récit, l'homme prit un air un peu mystérieux. — Or, voyez-vous, il se trouve que j'ai mes entrées un peu partout à Bhopal.

— À Bhopal ? répéta Muñoz à qui ce lieu ne disait rien.

— Oui. C'est la capitale de l'État du Madhya Pradesh, enchaîna l'Indien. Les dirigeants de l'État souhaitent vivement développer son industrialisation. Cela devrait être utile à votre projet.

Tirant avidement sur son cigare, le petit homme expliqua que les dirigeants du Madhya Pradesh avaient délimité une zone d'aménagement industriel sur des terrains vacants situés au nord de la capitale.

— Je vous propose de déposer en mon nom propre une demande de permis dans cette zone d'aménagement pour y construire un atelier capable de transformer le Sevin que vos amis ont importé en un produit utilisable pour les cultures. Le coût d'une telle entreprise ne devrait pas dépasser cinquante mille dollars. Nous pouvons signer ensemble un contrat d'association. Vous réalisez l'installation et vous me verserez ensuite une redevance sur votre production.

L'Argentin faillit avaler de plaisir son cigare. Cette proposition représentait une excellente première étape dans l'aventure industrielle plus vaste dont il comptait bien devenir l'architecte. Elle permettrait de faire apprécier tout de suite les qualités du Sevin aux paysans indiens et donnerait aux ingénieurs des bureaux d'études de South Charleston le temps de concevoir la grande usine de pesticides que le gouvernement indien semblait désireux de voir édifier sur son territoire. Mais soudain une question traversa son esprit.

— À propos, M. Dindayal, où donc se trouve votre ville de Bhopal ?

L'Indien eut un sourire amusé.

— *In the very heart of India, dear Mr. Muñoz*[1], répondit-il en pointant fièrement le doigt sur sa poitrine.

---

1. En plein cœur de l'Inde, cher monsieur Muñoz.

*

Le cœur de l'Inde ! L'expression enflamma le bel Argentin. Il embarqua aussitôt l'Indien comme navigateur et lança sa Jaguar grise Mark VII vers le cœur du pays. Il eut l'impression d'arriver « dans un gros village ». La zone industrielle désignée par le gouvernement était une vaste esplanade située à deux kilomètres et demi du centre de la ville, à un kilomètre à peine de la gare centrale. Autrefois, les souverains de Bhopal y avaient érigé les écuries de leurs chevaux de course. Les escadrons des Victoria Lancers l'avaient utilisée comme champ de manœuvres. La couleur sombre du sol expliquait que l'endroit s'appelle Kali Grounds, l'Esplanade noire. Mais l'appellation avait peut-être aussi pour origine la couleur du sang dont la terre était gorgée. C'était en effet ici que, devant des milliers de spectateurs, les bourreaux du royaume tranchaient d'un coup de sabre la tête de ceux que la *sharia*[1] islamique avait condamnés à mort.

Ce funèbre souvenir ne risquait pas de rebuter l'Argentin. Deux jours d'exploration l'avaient convaincu. Cette ville de Bhopal offrait bien tous les atouts possibles : situation centrale, communications faciles avec une excellente desserte routière et ferroviaire et un aéroport moderne, abondantes ressources en électricité et en eau. Quant à l'Esplanade noire, elle jouissait à ses yeux d'un autre atout : le chapelet de huttes et de baraques qui s'étalait le long de sa bordure promettait une abondante main-d'œuvre.

---

1. Loi canonique islamique appliquée de manière stricte.

12

Une terre promise sur les ruines d'un royaume des Mille et Une Nuits

« Le gros village » qu'avait cru apercevoir du fond de sa Jaguar l'envoyé de Carbide était en réalité l'une des plus belles et des plus attachantes cités de l'Inde. Mais Eduardo Muñoz n'avait pas eu le temps de découvrir un seul des trésors qui faisaient de Bhopal un haut lieu du patrimoine culturel indien. Depuis qu'en 1722 un général afghan était tombé amoureux du site au point d'y fonder la capitale de son royaume, Bhopal s'était parée de palais magnifiques, de mosquées sublimes, de superbes jardins, si bien qu'on n'hésitait pas à l'appeler « la Bagdad de l'Inde ». Mais c'était avant tout pour sa riche culture musulmane, pour ses traditions de tolérance, pour le progressisme de ses institutions que la ville s'était distinguée dans l'histoire nationale. La richesse de Bhopal avait été forgée tout d'abord par un Français puis par quatre souveraines novatrices, en dépit des burqas qui les dissimulaient à la vue des hommes. Général en chef des armées du nabab puis régent du pays, Balthazar Ier de Bourbon et, après lui, les bégums Sikandar, Shah Jahan, Sultan Jahan et Kudsia, avaient fait de leur royaume et de sa capitale un modèle admiré aussi bien par la puissance impériale britannique que par nombre de nations coloniales d'Afrique et d'Asie. Les quatre souveraines n'avaient pas seulement désenclavé leur État en finançant de leurs propres deniers la venue du chemin de

95

fer. Elles avaient ouvert des routes et des marchés, construit des filatures, distribué de vastes territoires à leurs sujets sans terre, instauré un système postal sans équivalent en Asie, et installé l'eau courante dans la capitale. Soucieuses d'éduquer leur peuple, elles imposèrent l'instruction primaire gratuite pour tous et favorisèrent l'émancipation féminine en multipliant les écoles de filles. L'avant-dernière de ces souveraines éclairées, la bégum Sultan Jahan, avait même créé une institution révolutionnaire pour son époque, le *Bhopal Ladies Club*. Là, des femmes sorties de leurs gynécées venaient discuter librement de leur condition et de leur avenir. Cette même bégum offrit aussi à ses concitoyennes la possibilité de faire leurs emplettes à visage découvert. Pour cela, elle avait fait construire le *Paris Bazaar*, un immense centre commercial qui leur était exclusivement réservé. Elles pouvaient y déambuler à visage découvert puisque toutes les boutiques étaient tenues par des femmes. La souveraine elle-même, vêtue simplement et sans gardes du corps, aimait rendre visite à cet emporium bien approvisionné en articles importés de Londres et de Paris. Les Britanniques ne lui ménageaient pas leur estime. Le roi George V l'invita à son couronnement et, en 1922, le prince de Galles lui rendit visite lors de l'inauguration du Conseil de gouvernement du royaume de Bhopal, une institution démocratique unique dans les Indes d'alors. Par sa visite, le prince anglais voulait aussi remercier la souveraine d'avoir, en 1914, si généreusement vidé sa cassette personnelle ainsi que les caisses du royaume pour collaborer à l'effort de guerre britannique. N'avait-elle pas également envoyé son fils aîné représenter Bhopal dans les tranchées de la Grande Guerre aux côtés des soldats alliés ?

*

L'éclat du royaume et de sa prestigieuse capitale s'étendait à de nombreux domaines. Grand amateur de littérature, auteur elle-même de plusieurs traités de philosophie, la bégum Shah Jahan avait attiré à sa cour les érudits et les savants les plus distingués des Indes et même de contrées aussi éloignées que l'Afghanistan et la Perse. La cité avait supplanté Hyderabad et Lahore comme phare de cette foisonnante culture islamique de langue ourdoue, si riche en littérature, en peinture, en musique. Parmi toutes les expressions de cet héritage, c'est à la poésie que la souveraine avait fait la part la plus belle. Renouvelant la tradition des *Mushaira*, ces soirées de récitation qui permettaient au peuple de rencontrer les plus grands poètes, elle avait ouvert à tous les salons de son palais et organisé de monumentales manifestations sur le Lal Parade Ground, l'immense champ de manœuvres de la cavalerie royale. Les yeux illuminés de bonheur, soixante à quatre-vingt mille amateurs passionnés, les trois quarts de la population de la ville, prirent l'habitude de venir s'accroupir des nuits entières pour écouter les poètes chanter les souffrances, les joies, les quêtes éternelles de l'âme. « Ne pleure plus, ô bien-aimée, implorait l'une des rengaines préférées des Bhopalis. Même si elle n'est pour l'instant que poussière et lamentations, ta vie chante déjà la magie de ton existence future. »

*

Avant de s'éteindre, la bégum Kudsia, dernière souveraine de Bhopal, exprima toutefois le regret de voir ses sujets montrer plus de goût pour la poésie que pour les projets industriels ou les services de l'État. Malgré les efforts de l'agence économique de développement qu'elle avait créée avec le concours des Britanniques, peu d'entreprises vinrent, entre les deux guerres, s'installer dans le royaume. Deux filatures, deux sucreries, une cartonnerie, une fabrique d'allumettes – le bilan était maigre. L'arrivée sur le trône d'un souverain de sexe masculin n'avait rien arrangé. Le nabab Hamidullah Khan était un prince charmant et cultivé mais davantage intéressé par la décoration de ses palais et l'élevage de ses chevaux que par la construction de hauts fourneaux ou d'usines textiles. À l'heure où le Mahatma Gandhi entreprenait une grève de la faim pour obliger les Anglais à quitter le pays, il faisait installer une baignoire de grand luxe sur l'un de ses breaks de chasse.

Le 15 août 1947, l'indépendance du sous-continent avait jeté aux oubliettes de l'histoire les maharajas et les nababs des royaumes indiens. Ce bouleversement avait été une chance pour Bhopal qui s'était vue promue capitale d'une immense province englobant les territoires du centre du pays, le Madhya Pradesh. Ce choix, qui avait précipité la ville dans une ère fébrile de développement, résultait d'une série d'atouts qui n'échapperaient pas, vingt ans plus tard, à l'envoyé d'Union Carbide. Il avait fallu construire des bâtiments pour abriter les ministères et les administrations de la nouvelle province, des quartiers entiers pour loger des milliers de fonctionnaires et leurs familles, une université, plusieurs collèges techniques, un hôpital de deux mille lits, une faculté de médecine, des magasins, des clubs, des théâtres, des cinémas, des restaurants. En cinq ans, la population passa de quatre-vingt-cinq mille à près de quatre cent mille habitants.

Cet essor entraîna une ruée de petites et de grandes entreprises venues de l'Inde entière. Comme le museau chromé d'une Jaguar grise venait de l'annoncer, l'Amérique allait à présent débarquer, là où hier encore le dernier nabab et ses invités chassaient les tigres et les éléphants. Pour les habitants de l'Orya basti, comme pour les centaines d'immigrants en quête de travail qui descendaient chaque jour des trains, Bhopal, en cette fin des années 60, était la Terre promise.

13

Un continent de trois cents millions de paysans qui parlent six cents langues

La cité des bégums salua la décision du gouvernement du Madhya Pradesh comme un cadeau des dieux. En attribuant à l'entrepreneur Santosh Dindayal une parcelle de deux hectares et demi sur l'Esplanade noire avec autorisation d'y édifier une usine de formulation de pesticides, il offrait à la ville la chance d'une aventure industrielle. Eduardo Muñoz se hâta de transmettre la bonne nouvelle à sa direction new-yorkaise avant de se précipiter au bar de l'hôtel Grand, le palace de Calcutta, pour y sabler le champagne avec son épouse Rita et ses collègues. Après quoi il se mit en quête d'une équipe pour construire l'usine. Servi par une chance insolente, il tomba sur un trio idéal. D'abord Maluf Habibie, un frêle ingénieur chimiste iranien à lunettes cerclées de fer, spécialiste des techniques de formulation de produits chimiques ; puis Ranjit Dutta, un ingénieur à la carrure de joueur de rugby, ancien collaborateur de la Shell au Texas. Enfin le seul Bhopali de l'équipe, Arvind Shrivastava qui venait juste d'obtenir son diplôme d'ingénieur en mécanique. Les trois hommes transformèrent en bureau d'études l'arrière-boutique de la station d'essence appartenant à l'associé indien de Muñoz. Quinze jours plus tard, ils avaient tracé les plans d'une usine. « Usine » était un bien grand mot pour qualifier un atelier destiné à abriter les quelques concasseurs, mélangeurs et autres équipements nécessaires à la préparation commerciale du Sevin.

Comme tous les événements de la vie en Inde, le premier coup de pelle donna lieu à une cérémonie. Un pandit ceint de la triple cordelette des brahmanes vint réciter des *mantras*[1] au-dessus du trou creusé dans la terre noire. On apporta une noix de coco qu'Arvind Shrivastava décapita d'un coup de serpe. Le pandit en fit lentement couler le lait sur le sol. Puis le jeune homme découpa la chair du fruit en petits morceaux qu'il offrit au prêtre et à l'assistance. Le brahmane leva alors la main et les ouvriers s'avancèrent pour vider leur brouette de béton dans la cavité. Les dieux avaient donné leur bénédiction. L'aventure pouvait commencer.

*

Pas de tuyauteries compliquées, pas de réservoirs scintillants, pas de torchères enflammées, pas de cheminées métalliques : la construction qui s'élevait sur l'Esplanade noire ne ressemblait en rien à l'un des monstres américains de la Kanhawa Valley. En fait, sa triple toiture et son alignement de petites fenêtres faisaient plutôt penser à une pagode. L'intérieur était un vaste hangar où s'alignait une rangée de silos coniques montés sur des machines à moudre. Cette usine devait fournir au concentré de Sevin importé d'Amérique des supports granuleux adaptés aux différents modes de diffusion. Ainsi, le Sevin destiné à être pulvérisé par avion sur les immenses exploitations du Panjab devait-il être « formulé » de façon plus fine que le Sevin en paquet destiné à être épandu à la main par les petits paysans du Madhya Pradesh ou du Bengale. Qu'il soit granuleux ou fin comme de la poussière, le Sevin de Bhopal promettait en tout cas d'être un insecticide unique. Ses qualités intrinsèques n'en étaient pas la cause

---

1. Formules sacrées.

mais plutôt le support que les ingénieurs de Muñoz lui avaient trouvé.

Pour l'Inde mystique, la rivière Narmada est la fille du Soleil. Il suffit de la contempler pour atteindre la purification parfaite. Une nuit de jeûne sur ses berges garantit la prospérité pour des centaines de générations, et s'y noyer permet de s'arracher au cycle des réincarnations. Un heureux hasard de la géographie faisait passer cette rivière sacrée à quarante kilomètres de Bhopal. Ses berges étaient couvertes d'un sable aussi mythique pour les Védas que les eaux qu'il bordait. Mélangé avec le pesticide venu d'Amérique, le sable de la Narmada vengerait la famille Nadar, ainsi que tous les paysans ruinés par la voracité destructrice des insectes. L'Inde allait échapper à l'ancestrale malédiction de ses famines.

*

« Ce fut le plus beau cadeau de Noël de mon existence », confiera l'Indien enturbanné qui avait acheté à Muñoz les mille deux cents tonnes de Sevin américain. Cette fin d'année 1968 vit arriver dans les entrepôts de son ministère la première livraison de l'insecticide mis au point dans la petite usine de Bhopal. Cent trente et une tonnes qu'on pourrait pulvériser sur les exploitations de céréales et de coton du Panjab. Mais une fois les besoins de son cher Panjab satisfaits, Sardar Singh risquait de se retrouver avec sept ou huit cents tonnes de pesticide sur les bras. Comment faire profiter les autres paysans de son pays de ce bienfait providentiel? Il appela Eduardo Muñoz à la rescousse.

— Votre société vend chaque année plus de cinq cents millions de piles électriques dans ce fichu pays, lui dit-il. Ses agents vont jusqu'aux fins fonds de l'Himalaya et des *backwaters* [1] du Kérala. Seule une organisation telle que la vôtre peut m'aider à distribuer mon Sevin.

L'Argentin leva les bras.

— Cher monsieur Singh, un paquet d'insecticide n'est pas aussi facile à vendre qu'une petite lampe de poche, fit-il remarquer.

L'Indien se fit patelin.

— *My dear Mr. Muñoz*, ce que vous avez personnellement réussi à faire au Mexique et en Argentine, vous le réussirez aussi ici. Je vous fais confiance. N'en parlons plus : votre sourire me dit que vous acceptez de venir à mon secours.

Le défi était colossal. Au volant de sa Jaguar, Muñoz avait mesuré l'immensité et la complexité de l'Inde. Ce pays n'avait aucun rapport avec le Mexique ni même avec l'Argentine qu'il avait fini par connaître comme la paume de sa main. L'Inde est un continent de trois cents millions de paysans qui parlent cinq ou six cents langues et dialectes différents. La moitié d'entre eux sont illettrés au point d'être incapables de déchiffrer une étiquette sur un sac d'engrais ou sur un bidon d'insecticide. Or, il s'agissait de produits chimiques aux risques potentiellement mortels. Muñoz avait été effaré par le nombre d'accidents en milieu rural rapportés par les journaux : intoxications pulmonaires, brûlures cutanées, empoisonnements. Les victimes étaient presque toujours de pauvres ouvriers agricoles que leurs employeurs n'avaient pas jugé bon d'équiper de tenues protectrices et de masques. Pour accroître l'efficacité de leurs épandages, beaucoup de paysans malaxaient différentes sortes de produits, presque toujours à mains nues. Certains goûtaient même leurs mélanges pour s'assurer de leur composition. Dans les villages les plus pauvres où les habitations n'avaient qu'une pièce, le sac d'insecticide trônait fréquemment dans un coin, empoisonnant insidieusement les familles de ses

---

1. Lagunes reliées par des canaux artificiels.

émanations toxiques. Les femmes allaient puiser l'eau, trayaient le lait, ou cuisaient les aliments dans des récipients ayant contenu du DDT. Ces comportements causaient une augmentation alarmante de certaines pathologies. Un voyage dans la région du Tamil Nadu horrifia l'envoyé d'Union Carbide. Dans certains secteurs connus pour leur forte utilisation de produits phytosanitaires, on ne comptait plus les cancers du poumon, de l'estomac, de la peau, du cerveau. Dans la région de Lucknow, on s'était aperçu que la moitié des ouvriers manipulant des pesticides souffraient de désordres psychologiques graves ainsi que de troubles de la mémoire et de la vision. Le plus navrant était l'inutilité de ces sacrifices. Mal informés, les paysans croyaient multiplier l'efficacité des produits en doublant ou triplant les doses indiquées par le fabricant. Ce gâchis acculait nombre d'entre eux à la ruine, voire au suicide. Les rubriques de faits divers révélaient que le moyen préféré de ces désespérés pour se donner la mort était d'avaler une bonne dose de pesticides.

Eduardo Muñoz n'en répondit pas moins à l'appel au secours de son partenaire indien. Il obtint la mobilisation du réseau de vente des piles électriques au losange bleu et blanc pour écouler son Sevin. Bientôt, il n'y aurait plus une seule épicerie, une seule droguerie, un seul marchand ambulant, qui ne vendraient l'insecticide américain. Ce généreux coup de main n'était pas tout à fait désintéressé. L'Argentin comptait sur lui pour tester de façon précise les capacités d'absorption en pesticides du marché indien. Ce serait une information capitale au moment de déterminer la taille et le volume de production de l'usine qu'Union Carbide s'était engagée à construire.

*

« AU SERVICE DES PAYSANS, NOS PARTENAIRES DE LA TERRE. » Un raz de marée d'affichettes portant ce slogan déferla bientôt sur les campagnes du Bengale et du Bihar. Elles montraient un sikh au turban rouge posant une main protectrice sur l'épaule d'un pauvre hère au visage creusé de rides. Dans l'autre main, ce chevalier sauveur brandissait une boîte de Sevin, une belle boîte de la taille d'un paquet de pâtes Lustucru couverte d'inscriptions en lettres rouges, et qu'il pointait vers un épi de blé. *Je m'appelle Kuldip Chahal*, disait le texte. *Je suis un technicien régional en pesticides. Mon rôle est de t'apprendre à gagner cinq roupies avec chaque roupie que tu dépenseras pour acheter du Sevin.*

Eduardo Muñoz en était plus que jamais persuadé : pour convertir les paysans indiens au Sevin, il lui faudrait des légions de Kuldip Chahal.

14

Des proxénètes très spéciaux

L'invasion soudaine de bétonnières, de grues, d'échafaudages sur l'horizon désolé de l'Esplanade noire causa un véritable séisme dans les bastis. Le losange bleu et blanc qui flottait à proximité des huttes de torchis était un emblème magique, plus encore que le trident de Vishnou, le dieu créateur de toutes choses. Pour Eduardo Muñoz, ce drapeau hissé à la vue de tous constituait une belle victoire. Il avait obtenu des autorités de New Delhi qu'Union Carbide n'ait plus à utiliser un prête-nom pour « formuler » le concentré de Sevin importé des États-Unis, opération normalement réservée à des entreprises indiennes. Elle pouvait opérer au grand jour, sous son nom propre. À New Delhi comme ailleurs dans le monde, le *big business* international trouvait toujours des arrangements.

Dès l'ouverture du chantier, plusieurs tharagars vinrent assiéger la tea-house de Belram Mukkadam. Carbide avait besoin de main-d'œuvre. Les candidats accoururent et, bientôt, l'estaminet devint une véritable foire à l'embauche. Parmi les tharagars, Ratna Nadar reconnut l'homme qui l'avait recruté à Mudilapa pour le doublement des voies de chemin de fer. Ratna aurait bien aimé lui vider son sac. Lui exprimer sa rancœur, sa colère, lui crier que tous les pauvres en avaient marre de l'engraisser avec leur sueur. Mais ce n'était pas le moment. Le rêve de franchir le portail mythique de la multinationale américaine était peut-être sur le point de s'accomplir.

— Je paie vingt roupies la journée, annonça le tharagar en rejetant la fumée de sa bidi. Et je fournis un casque et une combinaison, et aussi un morceau de savon par semaine.

Un pactole pour ces hommes obligés de faire survivre leurs familles avec moins de quatre roupies par jour. Ils se courbèrent jusqu'à terre pour essuyer la poussière des sandales de ce bienfaiteur en signe de reconnaissance. Parmi eux, se trouvait l'ancien lépreux, Ganga Ram. Cet emploi serait le premier qu'il parviendrait à décrocher depuis sa sortie du pavillon des contagieux de l'hôpital Hamidia.

Le lendemain à six heures, conduits par Mukkadam, tous les candidats se présentèrent à la porte du chantier. Le tharagar était là pour vérifier la feuille d'embauche de chaque travailleur. Quand vint le tour de Ganga Ram, il secoua la tête.

— Désolé, l'ami, on ne prend pas de lépreux chez Carbide, déclara-t-il en montrant les deux moignons de phalanges qui serraient maladroitement la feuille de papier.

Ganga Ram fouilla dans la ceinture de son longhi pour y chercher son certificat de guérison.

— Regardez, regardez, c'est écrit là que je suis guéri ! implora-t-il en mettant le papier sous le nez du tharagar.

Celui-ci resta inflexible. Pour Ganga Ram, la combinaison de Carbide resterait un rêve.

Ce soir-là, ceux qui avaient eu la chance de recevoir l'uniforme de toile bleue le rapportèrent chez eux pour le présenter au dieu Jagannath dont l'image trônait dans une petite niche au coin de la ruelle. Sheela, la mère de Padmini, déposa le vêtement de son mari au pied de la divinité et plaça à côté une chapati avec quelques pétales d'œillets mouillés d'eau sucrée.

Quelques jours plus tard, le principal informateur de Belram Mukkadam apporta une nouvelle qui redonna espoir à Ganga Ram et à tous ceux qui n'avaient pu être embauchés.

— Ce chantier n'est qu'une broutille, annonça le cul-de-jatte Rahul. Des sahibs vont bientôt arriver d'Amérique pour construire d'autres usines, et elles vont payer des salaires dont même Ganesh [1] ne pourra imaginer le montant.

Rahul était l'un des personnages les plus populaires de l'Orya basti. Il se déplaçait au ras du sol sur une planche à roulettes qu'il propulsait avec la dextérité d'un pilote de Formule 1. Ses grosses mains aux doigts couverts de bagues, ses longs cheveux noirs soigneusement ramassés dans un chignon, ses colliers de verroterie, ses chemises bariolées de figures géométriques mettaient une note d'élégance insolente dans la tristesse du décor. Il était toujours au courant de la moindre nouvelle, du plus infime ragot. C'était lui le journal, la radio, la gazette de l'Esplanade noire. Son regard attentif, son sourire, sa généreuse disponibilité lui valaient le surnom de « *Kali Parade Ka Swarga dut* – l'Ange de Kali Parade ».

Ce matin-là, il était porteur d'une autre nouvelle qui frappa de stupeur tous ceux qui se trouvaient autour de la tea-house.

— Padmini, la fille de Ratna et Sheela Nadar, a disparu ! annonça-t-il. Elle n'est pas revenue chez elle depuis quatre jours. Elle n'était pas là ce matin pour aider sœur Felicity dans sa consultation médicale. Dilip, le fils de Dalima, dit que ses camarades et lui l'ont perdue dans la gare de Bénarès.

L'information fit accourir tout le monde à la hutte des Nadar. Dans le basti, chacun se sentait solidaire du malheur de son voisin.

---

1. Ganesh, le dieu à tête d'éléphant symbole de la prospérité.

*

Cet hiver-là, Dilip, Padmini et la bande des jeunes chiffonniers des trains poussèrent leurs expéditions de plus en plus loin. Ils ne se contentaient plus de s'embarquer à la gare de Bhopal pour descendre au premier arrêt et rentrer chez eux. Ils n'hésitaient pas à aller au-delà de Nagpur et même jusqu'à Gwalior, ce qui prolongeait leur absence de deux ou trois jours. Sautant d'un train à l'autre, ils écumaient avec toujours plus d'audace le dense réseau ferroviaire du nord de l'Inde. L'une de leurs destinations les plus lucratives était la cité sainte de Bénarès, située à quelque six cents kilomètres, où des trains entiers d'hindous de toutes conditions se rendaient en pèlerinage. L'aller et retour se faisait en quatre jours seulement, ce qui permettait à Padmini si elle partait un lundi de rentrer à temps pour la consultation de sœur Felicity qu'elle n'aurait manquée pour rien au monde. Mais ces longs voyages n'étaient pas exempts de danger. Un soir qu'elle avait quitté ses camarades pour courir acheter des beignets, le train partit sans elle. C'était le dernier de la nuit. Seule dans l'immense gare de Bénarès envahie de voyageurs, de marchands et de mendiants, elle fut prise de panique et éclata en sanglots. Un homme coiffé d'un calot blanc semblable à celui des membres du parti du Congrès s'approcha d'elle et déposa dans sa paume un billet de dix roupies tout froissé.

— Ne me remercie pas, petite. C'est moi qui ai besoin de toi.

Il invita la fillette à s'asseoir à côté de lui et lui raconta que sa femme venait d'être appelée à Calcutta pour soigner son père mourant.

— Elle ne reviendra que dans quelques jours et je cherche quelqu'un pour s'occuper de mes trois enfants en bas âge pendant son absence, déclara-t-il. J'habite tout près. Je te donnerai cinquante roupies par semaine.

Sans lui laisser le temps de répondre, l'homme souleva Padmini par les aisselles et la porta vers une voiture stationnée devant la gare. Comme tous les grands centres de pèlerinage, Bénarès était un terrain de prédilection pour bon nombre de commerces douteux. L'un des plus actifs était la prostitution des fillettes. La légende prétendait que déflorer une vierge restaurait la virilité des hommes et les protégeait des maladies vénériennes. Les nombreuses maisons de plaisir de la ville se fournissaient en pensionnaires auprès de pourvoyeurs attitrés. Ceux-ci achetaient souvent les jeunes filles à des familles très pauvres, notamment au Népal, ou organisaient des mariages factices avec de prétendus conjoints. Parfois, ils se contentaient tout simplement d'enlever leurs victimes.

Deux hommes également coiffés d'un calot blanc attendaient dans la voiture que l'adolescente leur soit « livrée ». L'auto démarra en trombe et roula longtemps avant de s'arrêter devant la grille d'un temple. Dans la cour étaient parquées une vingtaine de pauvres filles accroupies sous la garde d'autres hommes coiffés de calots blancs. Padmini tenta d'échapper à ses ravisseurs mais on la fit entrer de force dans la cour.

Dans cette cité où toute activité ressortissait fatalement du sacré, certains proxénètes n'hésitaient pas à utiliser les fêtes religieuses pour initier leurs victimes, sous le couvert d'un rite, à leur triste destin. La capture de la fillette coïncidait justement avec la fête de Makara Sankraūti célébrée lors du solstice d'hiver. Makara était la déesse de l'Amour charnel, du Plaisir et de la Fertilité.

Les jeunes captives furent poussées à l'intérieur du temple où les attendaient deux pandits au crâne rasé, la poitrine ceinte de leur triple cordelette de brahmanes. « Ce fut le début de deux jours et de deux nuits de cauchemar », racontera Padmini. Tantôt enjôleurs, tantôt menaçants, ponctuant leurs discours de coups de gong, se livrant à toutes sortes de rites au pied des nombreuses divinités du sanctuaire, ces inquiétants personnages tentaient de briser la résistance de leurs victimes et de les préparer au travail qui les attendait. Par bonheur, Padmini ne comprenait pas la langue qu'ils parlaient.

Dès la fin de ce stage très spécial, les captives furent emmenées sous escorte à Munshigang, le quartier des bordels de Bénarès, afin d'y être réparties dans les différentes maisons qui les avaient achetées. Padmini et deux autres petites victimes furent poussées dans l'une de ces habitations et conduites au premier étage où les attendait une grosse femme d'une cinquantaine d'années.

— Je suis votre nouvelle maman, déclara la mère maquerelle avec un sourire cajoleur, et voici des cadeaux qui feront de vous de vraies princesses.

Elle déplia trois jupes de couleurs différentes avec leurs blouses assorties, et présenta plusieurs boîtes contenant des bracelets, des colliers, et un nécessaire à maquillage. Ces présents faisaient partie de ce que les proxénètes locaux appellent dans leur jargon *the breaking of the girls*, l'apprivoisement des filles.

— Et maintenant, je vais chercher votre repas, annonça la mère maquerelle avant de sortir en fermant la porte à clef.

C'était le moment ou jamais. Deux mètres à peine séparaient les trois fillettes de la fenêtre de la pièce où elles étaient séquestrées. Padmini fit un signe à ses compagnes et se précipita vers le carreau qu'elle déverrouilla pour sauter dans le vide. Sa chute fut miraculeusement amortie par l'étalage d'un marchand de fruits. Elle put se fondre aussitôt dans la foule qui occupait toute la largeur de la chaussée. Son évasion avait été si rapide que personne n'avait eu le temps de s'y opposer. Se fiant à son instinct, la fillette se faufila droit devant elle aussi vite qu'elle le put. Elle arriva bientôt au bord du Gange et tourna à gauche le long des ghats. Dans sa fuite, elle avait perdu ses deux compagnes mais elle était sûre qu'elles avaient pu se

sauver elles aussi. Le grand dieu Jagannath l'avait protégée. Il ne lui restait plus qu'à trouver la gare pour monter
dans le premier train en partance vers Bhopal [1].

Deux jours plus tard, alors qu'ils s'apprêtaient à se glisser dans l'express de Bombay, Dilip et ses camarades
virent soudain leur petite sœur descendre d'un wagon. Ils
poussèrent un tel cri de joie que les voyageurs se précipitèrent aux fenêtres.

— Tenez, dit Padmini en sortant un paquet du sac
qu'elle portait à l'épaule. Je vous ai rapporté des beignets.

Les garçons la soulevèrent en triomphe avant de la
ramener chez elle où l'annonce de son retour, déjà répan-
due par le cul-de-jatte Rahul, faisait accourir des centaines
d'habitants vers sa hutte.

---

1. Selon le magazine *India Today* du 15 avril 1989, plus de trois mille
fillettes sont livrées chaque année à la prostitution à l'occasion de la fête
de Makara Sankraūti dans le seul État du Karnataka.

15

« Une usine aussi innocente
qu'une fabrique de chocolats »

Une lettre officielle du ministère indien de l'Agriculture informa Eduardo Muñoz que le gouvernement de New Delhi accordait à Union Carbide une licence pour la fabrication annuelle de cinq mille tonnes de pesticides. Cette fois, il ne s'agissait pas d'ajouter du sable à quelques centaines de tonnes d'un concentré importé d'Amérique mais d'autoriser, en Inde même, la production du Sevin, donc de tous les ingrédients chimiques entrant dans sa composition.

Comme à son habitude, l'Argentin emmena sa femme Rita et ses collaborateurs célébrer ce nouveau succès au bar de l'hôtel Grand de Calcutta. Mais en levant sa coupe de champagne à la réussite de cette future usine indienne, il éprouva une réticence. « Cinq mille tonnes, cinq mille tonnes ! répéta-t-il en hochant la tête. Je crains que nos amis indiens aient vu un peu grand ! Avec une usine d'une capacité de deux mille tonnes, nous aurons largement de quoi fournir toute l'Inde en Sevin. »

Les premiers résultats des ventes du Sevin « formulé » dans la petite installation de l'Esplanade noire n'étaient pas très encourageants. C'était la raison de la réticence d'Eduardo Muñoz. Malgré un effort considérable d'information et de publicité, les paysans indiens n'abandonnaient pas facilement les produits dont ils avaient l'expérience, tels l'HCH et le DDT. Les aléas climatiques de cet immense pays, avec ses moussons tardives ou insuffisantes, ses sécheresses fréquentes qui réduisaient brusquement la demande, empêchaient d'envisager un écoulement régulier des produits. Commerçant avant tout, Muñoz avait fait et refait ses calculs. Ses prévisions les plus optimistes ne dépassaient pas une vente annuelle de deux mille tonnes. La sagesse imposait de limiter les ambitions de Carbide. Certain de pouvoir convaincre ses supérieurs, il s'envola pour New York. Dans son porte-documents se trouvaient, méticuleusement classés par provinces, par blocs, parfois même par villages, les résultats de sa première campagne de vente. Il espérait qu'ils suffiraient à convaincre ses employeurs de modérer leur implantation en Inde, fût-ce au risque de favoriser d'éventuels concurrents. Il se trompait. Ce voyage à New York allait sceller le premier acte d'une catastrophe.

*

Jamais l'Argentin n'aurait pu imaginer que son adversaire le plus important était mort depuis vingt et un ans. Toute l'industrie américaine continuait à révérer comme un prophète l'homme qui, au lendemain de la Seconde Guerre mondiale, avait révolutionné les rapports entre direction et main-d'œuvre dans les entreprises. Obscur employé d'une banque de Philadelphie, Edward N. Hay ne semblait pourtant pas destiné à laisser d'autres souvenirs que ses courtes moustaches à la Chaplin et ses manches de lustrine sur ses chemises amidonnées. Mais ses obsessions feraient de lui un personnage aussi célèbre dans le monde industriel que Frederick Taylor, l'inventeur de la rationalisation du travail dans les usines. Selon Edward N. Hay, les forces humaines employées dans l'industrie ne recevaient pas la juste attention qu'elles méritaient. Partant de ce constat, il avait imaginé un sys-

114

tème permettant d'évaluer en points la valeur de chaque tâche réalisée au sein d'une entreprise. L'idée fut immédiatement adoptée par de nombreuses branches de l'industrie américaine. En cette fin des années 60, Union Carbide était l'un des plus fervents utilisateurs de cette méthode. Tous ses projets industriels se voyaient automatiquement attribuer une valeur en points selon une grille qui déterminait l'importance, la taille, et la sophistication des installations à construire. Plus nombreuses et complexes étaient celles-ci, plus élevé était le nombre de points. Comme chaque point correspondait à un avantage salarial, les ingénieurs chargés de concevoir et de réaliser un projet industriel avaient intérêt à ce que celui-ci représente d'emblée le plus de points possible.

*

« J'ai tout de suite compris que je n'avais aucune chance, racontera Eduardo Muñoz. Avant même de m'entendre, le comité de direction qui regroupait les directeurs de toutes les divisions et les principaux membres du conseil d'administration s'étaient ralliés avec enthousiasme à la proposition indienne. »

— L'Inde est un marché de trois cents millions de paysans, déclara d'emblée le président.

— Bientôt cinq cents millions, renchérit aussitôt l'un des directeurs.

— Rassurez-vous, cher Eduardo, on les vendra, nos cinq mille tonnes, et même davantage ! insista le président à l'approbation unanime des personnes présentes. – Puis il précisa : — Pour vous montrer la confiance que nous avons dans ce projet, nous lui consacrons un budget de vingt millions de dollars.

« Une somme extravagante que le système de points imaginé par M. Hay allait répartir de façon avantageuse pour chacun », dira Muñoz après avoir rencontré les ingénieurs de South Charleston chargés de concevoir l'usine. Ces hommes étaient des chimistes et des mécaniciens de haut niveau, des responsables respectés de procédés de fabrication, des chefs de projets réputés, bref, l'élite des forces vives du centre technique et de recherche qu'Union Carbide possédait à South Charleston, au bord de la Kanhawa River. « Mais ils étaient tous des petits dictateurs, dira encore Muñoz. Ils n'avaient qu'une obsession : utiliser leur pactole de vingt millions de dollars pour faire la plus belle usine de pesticides dont s'enorgueillirait jamais l'Inde. »

Exhibant ses documents, l'Argentin tenta désespérément d'expliquer à ses interlocuteurs les conditions particulières du marché indien. Son argumentation les laissa de glace.

— La licence du gouvernement indien concerne une production annuelle de cinq mille tonnes de pesticides. C'est donc une usine pour cinq mille tonnes que nous avons le devoir de construire, trancha d'une voix coupante l'ingénieur en chef du projet.

« Visiblement, mes arguments commerciaux ne concernaient pas ces jeunes loups, dira Muñoz. Ils n'étaient liés par aucune obligation de rentabilité. Ils brûlaient de planter leurs torchères, leurs réacteurs et leurs kilomètres de tuyauteries dans la campagne indienne. »

Devant cette obstination, l'Argentin rechercha un compromis.

— Ne serait-il pas possible de procéder par étapes ? proposa-t-il. C'est-à-dire de commencer par la construction d'une unité de deux mille tonnes, qu'on pourrait ensuite agrandir si le marché se révélait favorable ?

La question déclencha les sarcasmes de l'auditoire.

— *My dear* Muñoz, reprit sèchement le chef du projet, vous devriez savoir que l'ingénierie de ce type d'usine exige qu'elle soit dimensionnée dès le départ pour la production prévue. Les réacteurs, les réservoirs, les organes de contrôle d'une installation destinée à fabriquer deux mille tonnes de Sevin ne sont pas du même calibre que ceux destinés à une usine deux fois et demie plus importante. Lorsque l'on a défini un objectif de production, on ne peut plus en changer.

— Je reconnais la validité de l'argument, concéda Muñoz, soucieux de ménager ses interlocuteurs. D'autant qu'à l'inverse j'imagine qu'on doit pouvoir ralentir la production d'une usine plus grande que nécessaire pour adapter la production à la demande?

— C'est tout à fait exact, acquiesça le chef du projet, heureux de voir la discussion s'achever sur un consensus.

Un consensus en apparence seulement.

L'Argentin avait en effet encore beaucoup de sujets à débattre avec ses interlocuteurs de South Charleston. Le plus important tenait à la conception même du projet indien. L'usine d'Institute, près de Charleston, conçue pour produire trente mille tonnes annuelles de Sevin et qui devait plus ou moins servir de modèle, fonctionnait « en continu » : la chaîne de fabrication tournait jour et nuit. Pour alimenter cette « continuité », il fallait fabriquer puis stocker de considérables quantités de Mic, c'est-à-dire d'isocyanate de méthyle. Trois cuves faites en acier de haute résistance, équipées d'un système complexe de sécurité, servaient à entreposer jusqu'à cent vingt tonnes de Mic.

Pour Muñoz, le stockage d'une telle quantité de ce produit hyperdangereux se justifiait peut-être dans une usine comme celle d'Institute qui tournait vingt-quatre heures sur vingt-quatre. Mais pas dans une installation beaucoup plus modeste où la production se ferait au fur et à mesure des besoins. Pour en avoir le cœur net, l'Argentin se rendit chez Bayer, en Allemagne, et à l'usine française de la Littorale, près de Béziers. Les deux entreprises manipulaient du Mic. « Tous les spécialistes que j'ai rencontrés ont sauté au plafond quand je leur ai dit que nos ingénieurs prévoyaient d'entreposer cent ou cent vingt mille litres de Mic dans les cuves de la future usine de Bhopal, racontera Muñoz. Un Allemand m'a expliqué : " Nous ne fabriquons notre isocyanate de méthyle qu'au fur et à mesure de nos besoins. Nous ne prendrions jamais le risque d'en conserver un seul litre pendant plus de dix minutes. " Un autre s'est indigné : " Vos ingénieurs sont tombés sur la tête. C'est une bombe atomique prête à exploser qu'ils vont placer au beau milieu de votre usine. " Quant aux ingénieurs de Béziers, le gouvernement français leur avait tout simplement interdit de stocker le Mic qu'ils utilisaient autrement que dans un petit nombre de fûts de deux cents litres qu'ils importaient directement des États-Unis au fur et à mesure de leurs besoins. »

Ébranlé par l'unanimité de ces témoignages, l'Argentin retourna à South Charleston pour tenter de convaincre Carbide de modifier les plans de la future usine de Bhopal. À une production « en continu » qui impliquait le stockage permanent de dizaines de milliers de litres de matières potentiellement mortelles, il suggéra de préférer une production de Mic « au coup par coup », capable de répondre, comme à Béziers, aux besoins de la chaîne de fabrication. « J'ai vite compris que ma proposition allait à l'encontre de la culture industrielle des Américains, racontera Muñoz. Ils adorent faire les choses " en continu ", par grosses quantités. Ils raffolent des gros tuyaux qui vont vers de gros réservoirs. Toute l'industrie du pétrole et bien d'autres activités fonctionnent ainsi. »

L'équipe de South Charleston souhaitait cependant apaiser les inquiétudes de leur interlocuteur.

— Les nombreux systèmes de sécurité qui équipent ce genre d'installation permettent de maîtriser toutes les réactions potentiellement dangereuses du Mic, assura le chef du projet. Vous n'avez aucune crainte à avoir, cher Eduardo Muñoz. Votre usine de Bhopal sera aussi inoffensive qu'une fabrique de chocolats.

*

D'autres soucis attendaient l'Argentin à son retour en Inde. Trouver un site pour la future usine était sa nouvelle priorité. Ses supérieurs de New York et de Charleston étaient d'accord sur le choix de Bhopal qui accueillait déjà l'unité de « formulation » du Sevin. Mais le nouvel emplacement devait être d'une tout autre dimension. La nouvelle usine serait un monstre à plusieurs têtes. Il y aurait l'unité qui produirait l'alpha-naphtol, celle de l'oxyde de carbone, celle du phosgène, celle de l'isocyanate de méthyle, etc. Aux côtés de ces installations, de leurs salles de contrôle, de leurs ateliers, de leurs hangars, la « belle usine » compterait aussi un ensemble de bâtiments administratifs, une cantine, une infirmerie, un centre de décontamination, une caserne de pompiers, ainsi que tout un chapelet de postes de surveillance. Pour un tel ensemble, il fallait trouver au moins soixante hectares d'un seul tenant, et une viabilité capable de fournir les énormes quantités d'eau et d'électricité nécessaires.

Toutes ces conditions étaient réunies sur l'Esplanade noire. Mais l'Argentin ne voulait pas de ce lieu. « J'avais perdu ma bataille pour imposer ma conception de l'usine, dira-t-il. Au moins, pouvais-je essayer d'empêcher qu'elle soit construite trop près de zones habitées. » Les dirigeants du gouvernement du Madhya Pradesh déroulèrent le tapis rouge. L'implantation d'une multinationale du prestige d'Union Carbide était une extraordinaire aubaine pour la ville et la région. Cela représentait des millions de dollars pour l'économie locale, et des milliers d'emplois. Ratna Nadar ainsi que les autres habitants des bastis auraient du travail pendant des années.

L'équipe de Carbide venue de New York examina avec Muñoz plusieurs sites proposés par les autorités. Aucun ne leur donna vraiment satisfaction. Ici, l'alimentation en eau était insuffisante ; là, c'était l'électricité qui faisait défaut ; ailleurs, le sol n'était pas assez ferme pour supporter le poids des constructions. C'est alors que les habitants de l'Orya basti et des bastis voisins furent témoins de mystérieuses allées et venues de voitures autour de l'Esplanade noire. Les véhicules s'arrêtaient fréquemment pour laisser sortir leurs occupants. Le manège dura plusieurs jours, puis cessa. Les envoyés de New York avaient finalement vaincu les réticences de l'Argentin. C'était bien sur l'Esplanade noire, à côté de l'atelier de formulation, qu'il convenait de bâtir l'usine. Quant aux risques encourus par les riverains en cas d'accident, les envoyés de New York rassurèrent Muñoz : ses appréhensions étaient totalement injustifiées.

— Eduardo, si on construit cette usine comme elle doit l'être, il n'y aura aucun danger, déclara leur chef.

— Prends l'exemple de New York, intervint son adjoint. Trois aéroports au milieu des gratte-ciel : La Guardia, J.F.K. et Newark. Les avions décollent toutes les minutes et devraient logiquement percuter les buildings au moindre brouillard, ou se rentrer dedans.

— Et pourtant, reprit le chef, les aéroports de New York sont les plus sûrs du monde. Il en sera de même à Bhopal.

Le choix ratifié, Muñoz et ses collègues se présentèrent au siège du gouvernement du Madhya Pradesh et déposèrent une demande en bonne et due forme pour l'allocation d'un terrain de soixante hectares sur l'Esplanade noire. Ce terrain devait être mitoyen des deux hectares et demi de l'atelier de « formulation ». Selon le plan d'aménagement établi par la municipalité, aucune industrie émettant des rejets toxiques ne pouvait être implantée dans des sites où les vents dominants risquaient de rabattre ces effluents sur des zones fortement habitées. C'était le cas de l'Esplanade noire où les vents habituels soufflaient du nord vers le sud, c'est-à-dire vers les bastis, puis vers la gare, et enfin vers les quartiers surpeuplés de la vieille ville. En toute logique, la demande présentée aurait dû être rejetée. Mais les envoyés d'Union Carbide s'étaient bien gardés de mentionner dans leur dossier que les pesticides de leur future usine seraient fabriqués à partir des gaz les plus toxiques de toute l'industrie chimique.

*

Décidément, Indira Gandhi ne portait pas dans son cœur les maharajas et les nababs de son pays. Après que son père, le pandit Nehru, et les dirigeants de l'Inde indépendante leur eurent retiré leurs pouvoirs temporels au départ des Britanniques, elle se préparait à confisquer leurs derniers privilèges et leurs ultimes possessions. Eduardo Muñoz vit dans cette persécution un cadeau de la Providence. L'imaginatif Argentin rêvait de bâtir à Bhopal, parallèlement à l'usine de pesticides, un centre de recherches à l'image du Boyce Thompson Institute américain où le Sevin avait été inventé. Après tout, le climat de l'Inde, les pathologies de ses cultures, les variétés d'insectes qui les attaquaient, tous ces éléments étaient dus à un environnement particulier. Un centre de recherches travaillant sur ce milieu pourrait découvrir une nouvelle génération de pesticides mieux adaptés au pays. Ce serait l'occasion pour la future usine de diversifier ses fabrications et, qui sait, de toucher un jour le gros lot grâce à de nouvelles molécules exportables dans toute l'Asie. L'idée tenait la route. Des chercheurs et des techniciens indiens étaient prêts à se lancer dans l'aventure, pour des salaires dix à douze fois inférieurs à ceux de leurs collègues américains. Seul manquait l'emplacement. Quand il apprit que le frère du dernier nabab, se trouvant menacé d'expropriation par le gouvernement, cherchait à vendre au plus vite son palais de Jehan Numa, Muñoz sauta sur l'occasion. Superbement dressé sur les Shamla

Hills, l'une des sept collines entourant la cité, l'édifice dominait la ville. Son parc de cinq hectares de végétation tropicale, d'arbres rares, de buissons, de fleurs exotiques, constituait une somptueuse oasis de fraîcheur, de couleurs, d'odeurs. Sans doute faudrait-il démolir le bâtiment, mais la propriété était assez vaste pour accueillir des laboratoires de recherche, des plantarium, des serres, et même une luxueuse maison d'hôtes pour les visiteurs de passage. Persuadé qu'un Indien réglerait l'affaire plus habilement que lui, l'Argentin chargea son adjoint Ranjit Dutta de la négociation. Elle fut rondement menée. Trois jours plus tard, ce bijou de l'ancestral patrimoine de Bhopal tomba dans l'escarcelle de la multinationale américaine, pour le prix dérisoire d'un million cent mille roupies, à peine trois cent mille francs [1].

---

1. À la démolition du palais, les magnifiques lustres en cristal de Venise qui avaient illuminé les fêtes données par la famille du nabab furent démontés et mis dans des caisses. Les auteurs de ce livre n'ont jamais pu retrouver leur trace.

16

Une nouvelle étoile dans le ciel de l'Inde

L'Inde des sadhous [1] nus comme des vers, des éléphants
sacrés caparaçonnés d'or ; l'Inde des fous de Dieu en
prière dans les flots du Gange ; l'Inde des femmes en saris
multicolores repiquant le riz dans le sud ou cueillant les
feuilles de thé des plantations de l'Himalaya ; l'Inde
immémoriale des adorateurs de Shiva, de Mahomet, de
Bouddha ; l'Inde qui avait donné au monde des prophètes
et des saints comme Gandhi, Tagore, Ramakrishna, Sri
Aurobindo et Mère Teresa ; l'Inde de nos fantasmes, de
nos mythes et de nos rêves avait aussi un autre visage. Ce
pays qui compterait un milliard d'habitants avant la fin du
siècle était déjà, dans les années 60, une puissance industrielle et technologique en plein développement.

Nul n'en fut plus stupéfait que le petit groupe d'ingénieurs américains envoyés par Union Carbide à Bombay
pour y construire un complexe pétrochimique. L'aventure confronta deux cultures qui n'avaient pour seul
dénominateur commun que les sortilèges de la chimie.
Cette rencontre se révéla si positive que Carbide engagea
un véritable commando de jeunes ingénieurs indiens
chargés d'apporter un sang nouveau dans les veines de
l'orgueilleuse société américaine. Tous ces jeunes

---

1. Sadhou ou *sadhu,* ascète hindou.

hommes pensaient, travaillaient, rêvaient en anglais. Ils sortaient de grandes écoles fondées par les anciens colonisateurs, comme le Victoria Jubilee Technical Institute de Bombay, ou créées par la jeune république indienne comme le Madras Technical, l'Indian Institute of Science de Bangalore et le prestigieux collège rajpoute de Pilari. Certains étaient diplômés des universités occidentales les plus prestigieuses, Cambridge, la Columbia University de New York ou le Massachusetts Institute of Technology de Boston. Hindous, musulmans, sikhs ou chrétiens, quelle que fût leur religion, ils partageaient celle de la science. Les mantras qu'ils préféraient chanter étaient les formules des procédés et des réactions chimiques. Contraints de vivre dans une économie qui prenait pour modèles le protectionnisme et le socialisme soviétiques, ils exultaient d'avoir forcé la porte d'une multinationale pour montrer leurs talents, leur savoir-faire, leur imagination, leur créativité. Ce fut le génie de Carbide de jouer cette carte indienne, et d'associer les élites locales à ses ambitions de mondialisation industrielle.

« Cette reconnaissance avait en tout cas le mérite de détruire l'image archaïque que beaucoup d'Occidentaux avaient de notre pays », se félicitera l'ingénieur Kamal Pareek. Fils d'un avocat de l'Uttar Pradesh, ancien élève du célèbre collège de Pilari, champion de tennis et grand amateur de films américains, ce garçon au teint clair et au visage poupin était, à vingt-trois ans, un élément prometteur de cette association de Carbide avec les forces vives de l'Inde. « Nous autres, Indiens, avons toujours été particulièrement sensibles à ce qui touche aux possibilités de transformer la matière, confiera-t-il. Comme l'attestent nos textes sanskrits les plus anciens, cette sensibilité fait partie de notre culture. De tradition immémoriale, nous fabriquons les parfums les plus élaborés. Depuis la nuit des temps, notre médecine ayurvédique utilise des formules chimiques empruntées à nos plantes et à nos minéraux. La maîtrise des éléments de la chimie fait partie de notre héritage. » Pareek aimait illustrer ses propos par un exemple. « Il existe au Rajasthan une tribu de gens très arriérés qu'on appelle les Bagrus, racontait-il. Ils fabriquent des teintures pour les tissus à partir de graines d'indigo qu'ils mélangent à de la corne de sabots de cheval écrasée. Ils y ajoutent des morceaux d'écorce d'un arbre appelé Ashok et aussi des résidus de blé infestés de colonies de fourmis. Ces gens sans aucune éducation, ignorant complètement les phénomènes chimiques qui s'opèrent au cœur de leurs décoctions, égalent des chimistes de haut niveau. Leurs teintures sont les meilleures du monde. »

*

La première usine de produits chimiques construite par Carbide en Inde fut inaugurée le 14 décembre 1966. Le losange bleu et blanc hissé ce jour-là dans le ciel de l'île de Trombay était symbolique. À quelques encablures de l'endroit où, quatre siècles et demi plus tôt, le galion *Hector* avait débarqué le premier colonisateur britannique, il incarnait la volonté d'un nouveau colonisateur de faire de l'Inde l'un des bastions de son expansion industrielle à travers le monde. Après l'île de Trombay, c'était l'Esplanade noire de Bhopal qui verrait flotter ce même drapeau devant une usine hautement sophistiquée. La toxicité potentiellement mortelle des produits qu'elle fabriquerait avait toutefois semé quelques doutes dans l'esprit de certains responsables new-yorkais. Était-il sage de livrer à un pays du tiers-monde une technologie aussi complexe et dangereuse que celle de l'isocyanate de méthyle ? Les brevets d'excellence remportés par les ingénieurs indiens recrutés pour l'usine de Trombay finirent par dissiper ces appréhensions. Ils furent invités à participer à South Charleston à l'élaboration des plans de l'usine de Bhopal. Une aventure qu'un jeune technicien nommé Umesh Nanda, fils d'un petit industriel du Panjab, n'oublierait jamais.

« En découvrant l'usine de Sevin d'Institute, je me suis subitement senti projeté dans le prochain millénaire, racontera-t-il. Le centre technique chargé de concevoir le projet était une ruche habitée par une armée d'experts. Il y avait les spécialistes des échangeurs de chaleur, des pompes centrifuges, des soupapes de sécurité, des instruments de contrôle, et de tous les autres organes vitaux. Il suffisait de leur fournir les caractéristiques de telle ou telle opération pour recevoir en retour les descriptions et les plans détaillés de tous les appareils et équipements nécessaires. Pour pallier la dangerosité des substances que nous allions fabriquer à Bhopal, de volumineux *Safety Reports*[1] nous familiarisèrent avec tous les instruments de protection installés à Institute. Des semaines durant, nous nous concertâmes avec nos collègues américains pour tenter d'imaginer le moindre incident et ses conséquences, rupture d'une tubulure, panne d'une pompe, anomalie dans le fonctionnement d'un réacteur ou d'une colonne de distillation. »

« C'était un véritable plaisir de travailler avec ces ingénieurs américains, racontera de son côté Kamal Pareek. Ils étaient si professionnels, si attentifs aux détails, alors que nous autres, Indiens, avons souvent tendance à les négliger. Tant qu'ils n'étaient pas satisfaits, ils ne permettaient pas que l'on passe à l'étape suivante. »

Cette quête de la perfection était la marque de fabrique de Carbide. La société fit même venir une équipe de soudeurs indiens pour les familiariser avec les alliages spéciaux résistant aux acides et aux températures élevées auxquels seraient soumis certains secteurs de l'installation. « Aller en Amérique pour apprendre à assembler des alliages pointus tels que l'Inconel, le Monel ou l'Hastelloy fut une épopée aussi grandiose que de partir dans le char

---

1. Manuels de sécurité.

126

d'Arjuna pour assembler les étoiles du ciel », s'émerveillait Kamal Pareek.

Les étoiles ! Eduardo Muñoz, le magicien de l'aventure, pouvait remercier les dieux. Sans doute l'usine de pesticides qu'il allait bâtir sur l'Esplanade noire n'était-elle pas exactement celle dont il avait rêvé, mais elle promettait d'être une nouvelle étoile dans le ciel de l'Inde.

*

Au début de l'été 1972, Carbide expédia des États-Unis l'ensemble des plans de construction et d'exploitation de l'usine indienne. Cette masse de documents était le plus beau cadeau que la fine fleur de la technologie américaine pouvait offrir à la jeune industrie du monde en voie de développement. En théorie, du moins, car la « belle usine » de Bhopal, pour des raisons d'économies, ne serait pas pourvue de tous les équipements et systèmes de sécurité prévus par les ingénieurs de South Charleston. Les motifs exacts de ces économies resteraient obscurs. Il semble que les ventes du Sevin « formulé » à Bhopal n'aient pas atteint le niveau espéré. De désastreuses conditions climatiques et l'apparition sur le marché d'un pesticide concurrent bien moins onéreux auraient été la cause de cette mévente. La loi indienne limitant sévèrement la participation des sociétés étrangères dans leurs filiales locales, Union Carbide India Limited s'était brusquement trouvée dans l'obligation d'exiger des coupes dans le budget de l'usine. Les experts affirmaient cependant qu'aucune de ces suppressions ne risquait de nuire à la sécurité générale de l'installation.

*

Avec quatre années de retard, le gigantesque puzzle conçu à South Charleston fut réalisé à Bombay puis transporté, pièce par pièce, jusqu'à Bhopal pour y être assemblé.

127

« Participer à un tel projet, c'était se lancer dans une croisade, dira avec enthousiasme John Luke Couvaras, un jeune ingénieur américain. Il fallait s'investir corps et âme. Vous viviez avec lui à chaque minute du jour et de la nuit, même quand vous étiez loin du chantier. Si, par exemple, vous installiez une tour de distillation fignolée avec amour, vous en étiez aussi fier que Michel-Ange avait pu l'être du plafond de la chapelle Sixtine. Vous restiez aux aguets, pour vous assurer qu'elle fonctionnait comme une horloge. Une telle aventure vous forçait à une vigilance de tous les instants. Cela vous épuisait, vous vidait. En même temps, vous vous sentiez heureux, triomphant. »

17

« Ils n'oseront jamais lancer leurs bulldozers »

Qu'il soit américain ou indien, aucun des ingénieurs et techniciens travaillant sur l'Esplanade noire ne pouvait soupçonner le grouillement humain fait de souffrances, de combines, de rackets, d'amour, de foi, d'espoir, qui peuplait les centaines de baraques autour de l'usine. Dans tous les quartiers pauvres, le pire côtoyait parfois le meilleur mais la présence d'apôtres comme Belram Mukkadam parvenait à transformer ces parcelles d'enfer en modèles d'humanité. Bien qu'il fût un hindou fervent, de nombreux musulmans, sikhs et animistes militaient à ses côtés. Jusqu'à un Irani, le personnage sans doute le plus paradoxal de cette mosaïque d'origines et de cultures. Les Iranis à la peau claire et aux traits délicats formaient une petite communauté d'un demi-millier de personnes. Leurs aïeux étaient venus à Bhopal dans les années 20, après qu'un tremblement de terre eut dévasté leurs villages du Baloutchistan, aux confins de l'Iran. Leur chef était un auguste vieillard aux yeux couleur de miel nommé Munné Babba, toujours vêtu d'une *kurta*[1] et d'un pantalon de coton. Il vivait avec ses fils, ses deux femmes et ses lieutenants dans un immeuble moderne de trois étages, à la lisière de l'Orya basti. Trois fois par

---

1. Tunique longue portée sur le pantalon.

semaine, il s'arrachait à sa vie douillette pour emmener les malades des trois bastis à l'hôpital Hamidia. C'était un véritable exploit de conduire ces malheureux à travers une circulation qui les terrifiait, puis de les guider dans les couloirs vers les salles d'attente bondées. Sans escorte, un pauvre n'avait aucune chance d'être examiné par un médecin. Aurait-il eu cette chance qu'il eût été incapable d'expliquer de quoi il souffrait ni de comprendre le traitement préconisé, puisque la plupart d'entre eux ne parlaient ni l'hindi ni l'ourdou, mais l'un des innombrables dialectes et langues des régions dont étaient natifs les pauvres paysans contraints d'aller chercher du travail dans les villes qui s'industrialisaient. Munné Babba exigeait que ses protégés soient traités comme des êtres humains et que les médicaments prescrits leur soient effectivement remis. Pourtant, ce saint-bernard était l'un des parrains notoires de Bhopal. Le bruit courait qu'il s'intéressait au trafic de l'opium et du *ganja*, le haschisch local, ainsi qu'aux bordels du quartier des Lakshmi talkies ; et qu'il était le maître des jeux de hasard, en particulier du *satha* qui consiste à parier sur la cote quotidienne du coton, de l'or et de l'argent.

Il était aussi le patron d'un racket immobilier qui faisait de lui l'un des plus riches propriétaires de la ville. Pour s'assurer les appuis politiques nécessaires à de telles activités, il alimentait généreusement les caisses du parti du Congrès dont il était l'un des agents électoraux les plus actifs. Les bulletins de vote des pauvres de l'Orya basti, de Chola, de Jai Prakash, étaient entre ses mains. Comme le révélaient ses doigts énormes et ses puissants biceps, il avait dans sa jeunesse pratiqué la boxe et la lutte. L'âge venant, il s'était tourné vers un autre sport : les combats de coqs. Il achetait ses champions à Madras et les nourrissait lui-même avec des pâtées de jaunes d'œufs, de beurre clarifié, de pistaches et de noix de cajou écrasées. Avant chaque combat, il les massait « comme un boxeur avant son match », disait-il avec un soupçon de nostalgie. Ses dix coqs se promenaient librement dans les étages de sa maison sous la surveillance de gardes du corps car chacun d'eux, selon son palmarès, valait entre vingt et trente mille roupies. Une somme que le père de Padmini ne pourrait gagner en dix années de labeur acharné.

*

Le quartier recelait d'autres bienfaiteurs, tel le laitier Karim Bablubai qui distribuait chaque soir une partie du lait de ses dix-sept bufflesses aux enfants rachitiques. Son rêve était que Boda, la jeune orpheline du Bihar qu'il venait d'épouser, lui donne un héritier. Le sorcier Nilamber en robe jaune qui exorcisait les mauvais esprits en aspergeant ses clients de *country liquor* lui avait promis que ce rêve serait exaucé si Boda allait chaque jour faire une puja auprès du tulsi sacré. Il y avait aussi le cordonnier musulman Mohammed Iqbal dont la baraque de l'allée n° 2 répandait une insoutenable odeur de cuir et de colle, et son compère Ahmed Bassi, un jeune tailleur de vingt ans qui n'avait pas son pareil pour broder de fils d'or les saris de mariage destinés aux riches fiancées de Bhopal. Les ingénieurs de Carbide auraient été bien surpris d'apprendre que dans les baraques de planches, de pisé et de bambous qu'ils apercevaient des plates-formes de leur meccano géant, des hommes déguenillés produisaient des chefs-d'œuvre. Le cordonnier et le tailleur, ainsi que leur ami Salar, le réparateur de bicyclettes de l'allée n° 4, étaient toujours prêts à répondre à l'appel de Belram Mukkadam. Dans le basti, personne ne refusait de lui prêter main-forte.

Il y avait aussi Hussein, le bon mullah à barbichette grise qui enseignait aux enfants les sourates du Coran sous l'auvent de sa petite mosquée de torchis de Chola, et surtout la vieille sage-femme Prema Bai, qui se traînait de

hutte en hutte dans son vêtement blanc de veuve, cour-
bée sur un bâton à cause des séquelles d'une poliomyélite
déformante. Son sourire lumineux dominait sa souffrance. Dans un coin de sa hutte, sous le petit autel où,
devant la statuette de Ganesh, dieu de la Chance et de la
Prospérité, brûlait jour et nuit une lampe à huile, la
vieille femme gardait, méticuleusement rangés, les instruments qui faisaient d'elle un ange du basti : quelques
lambeaux de sari, une cuvette, deux seaux d'eau et le
couteau arabe qui lui servait à couper le cordon ombilical
des bébés.

Comment le croire ? L'Amérique et toute sa haute technologie s'installaient au milieu d'une couronne de taudis
sans rien savoir de ceux qui se pressaient comme les
vagues d'un océan contre les murs de ses installations.
Aucun expatrié de Charleston, aucun ingénieur indien
pétri des valeurs de Carbide n'aurait jamais la curiosité
de faire connaissance avec l'univers de ces milliers
d'hommes, de femmes et d'enfants vivant à un jet de
pierre des trois splendides réservoirs d'isocyanate de
méthyle qu'ils étaient en train d'assembler.

Un jour pourtant l'univers de Carbide vint rendre une
visite à la *terra incognita* qui bordait l'Esplanade noire.
« On a cru que c'était la fin du monde », dira le père de
Padmini. Les habitants entendirent un avion rugir au-
dessus de leurs têtes. L'appareil décrivit plusieurs cercles
en rase-mottes, si bas qu'on craignit qu'il décapitât le
petit minaret de la mosquée de Chola. Puis, en un éclair,
il disparut vers le soleil couchant. Cette apparition insolite alimenta de furieuses discussions autour de la tea-
house. Le cul-de-jatte Rahul, qui se voulait toujours bien
informé, affirma qu'il s'agissait « d'un avion pakistanais
venu rendre hommage à la belle usine que les ouvriers
musulmans étaient en train de bâtir dans leur ville de
Bhopal ».

*

L'avion apparu au-dessus de l'Esplanade noire venait en effet apporter un hommage, mais pas celui que le cul-de-jatte imaginait. Le biréacteur *Gulf Stream II*, qui se posa le 19 janvier 1976 sur l'aérodrome de Bhopal, arborait sur son fuselage la cocarde aux ailes dorées marquées des initiales UCC. Il transportait la plus haute autorité de l'Union Carbide Corporation en la personne de son président, un grand gaillard de cinquante ans aux cheveux blancs et à l'air juvénile. Diplômé de la prestigieuse Harvard Business School, ancien officier de réserve de la marine américaine, Bill Sneath avait gravi tous les échelons de la multinationale jusqu'à en devenir le patron en 1971. Il était accompagné de son épouse, une élégante jeune femme en tailleur Chanel, et d'un aréopage de hauts responsables de la société. Ils venaient tous de New York inaugurer le premier centre de recherches et de développement phytosanitaires construit par Carbide dans le tiers-monde.

L'architecture de cet édifice ultramoderne avec ses façades ruisselantes de verre s'inspirait du centre de recherche américain de Tarrytown. Bâti sur l'emplacement du palais de la famille du dernier nabab racheté par Eduardo Muñoz, il avait bien failli ne jamais exister. En creusant les fondations, les maçons avaient mis au jour le squelette d'un oiseau et plusieurs crânes humains. Le bruit avait alors couru qu'il s'agissait de trois ouvriers mystérieusement disparus lors de la construction du palais en 1906. Ce très mauvais présage fit aussitôt fuir les maçons. Pour les inciter à revenir, Eduardo Muñoz dut recourir aux grands moyens. Il tripla leurs salaires et organisa une puja pour lever le mauvais sort. Le centre comptait déjà plusieurs laboratoires où travaillaient une trentaine de chercheurs, et des serres où l'on cultivait de multiples variétés de plantes locales.

Le ministre de la Science et de la Technologie du gouvernement de New Delhi, les plus hautes autorités de l'État du Madhya Pradesh et de la ville, toutes les excellences locales depuis le préfet jusqu'au chef de la police, entourèrent les Sneath, les Muñoz et l'état-major de la filiale indienne de Carbide pour la cérémonie qui scella de façon grandiose le mariage de la multinationale new-yorkaise avec la cité des bégums. Avant son discours, Bill Sneath reçut des mains d'une hôtesse en sari le *tilak* de bienvenue, ce point de poudre rouge qui symbolise sur le front le troisième œil de la connaissance, celui qui a le pouvoir de voir au-delà de la réalité matérielle. Les yeux du président de Carbide contemplèrent avec orgueil le vaste parallélépipède de béton et de verre de ce magnifique outil de recherche. Quelques instants plus tôt, ils avaient découvert l'enchevêtrement de constructions, de tours, de cheminées, de réservoirs, d'échafaudages qui commençait à sortir du sol de l'Esplanade noire. Coiffés de casques arborant leurs noms, Bill Sneath et son épouse avaient parcouru le chantier sous les objectifs des photographes et triomphalement brandi une boîte du Sevin « formulé » sur place.

Ce que ne verrait pas cet hiver-là le président américain, c'était le fouillis de huttes, de baraques, de cabanes qui bordaient l'esplanade comme la boursouflure d'un méchant cancer. La plupart des hommes qui vivaient là avec leurs familles travaillaient pourtant comme manœuvres sur les différents chantiers de Carbide. Ils avaient été invités à l'inauguration du centre de recherches. Le souvenir que leur grand patron remit à chacun n'avait peut-être pas une grande valeur mais, pour le père de Padmini et pour tous ceux qui vivaient dans l'obscurité de logis privés d'éclairage, une torche électrique et trois piles estampillées du losange bleu et blanc représentaient le plus précieux des cadeaux.

Bien différent fut le cadeau que Sanjay Gandhi, le fils cadet du Premier ministre de l'Inde, réserva ce même hiver à quelques millions de pauvres de son pays. Profitant de l'état d'urgence instauré par sa mère pour asseoir son pouvoir et museler l'opposition, l'impétueux jeune homme s'était mis en tête de nettoyer les principales villes de l'Inde en supprimant de leurs trottoirs et de leurs faubourgs ce qu'on appelait les *encroachments,* c'est-à-dire les occupations sauvages. On prétendait qu'environ un dixième de la superficie des villes était ainsi occupé par des gens sans titres de propriété. C'était le cas des bastis de l'Esplanade noire. Les conditions d'hygiène y étaient si abominables, les risques d'épidémie si flagrants, que la destruction de ces quartiers avait été maintes fois envisagée par les autorités municipales. Mais les politiciens locaux, plus soucieux de conserver des voix en prévision de prochaines élections que de supprimer des îlots de misère, s'étaient toujours opposés à ces actions radicales. Forts de l'appui du fils bien-aimé de la toute-puissante Indira, les responsables de la municipalité de Bhopal étaient cette fois décidés à passer à l'action.

Un beau matin, deux bulldozers et plusieurs camions chargés de policiers firent irruption sur l'esplanade devant la tea-house. L'officier qui dirigeait l'opération grimpa sur le camion de tête équipé d'un puissant haut-parleur.

— Habitants de l'Orya basti, de Jai Prakash et de Chola! Par ordre de Sanjay Gandhi, du gouvernement central et des autorités de la ville, je suis chargé de vous avertir que vous devez quitter les emplacements que vous occupez illégalement, déclara-t-il. Vous avez une heure pour libérer les lieux. Passé ce délai, vos huttes seront détruites et tous ceux qui resteront sur place seront appréhendés et emmenés de force dans un camp d'hébergement.

« Curieusement, cet appel ne suscita d'abord aucune réaction », racontera l'ancien lépreux Ganga Ram. Les gens s'attroupèrent en silence dans les ruelles. On aurait dit que les menaces criées dans le haut-parleur les avaient assommés. Puis, soudain, une femme poussa un hurlement. À ce signal, toutes les autres femmes se mirent à crier à leur tour. C'était terrifiant, comme si on leur arrachait les entrailles. Les enfants couraient de tous côtés tels des moineaux affolés. Les hommes s'étaient précipités vers la tea-house. Glissant sur sa planche à roulettes, le cul-de-jatte Rahul rameutait tout le monde. De vieilles femmes allèrent porter des offrandes et des bâtonnets d'encens aux statues des dieux dans les différents oratoires du quartier. On entendait au loin les bulldozers qui rugissaient comme des éléphants sauvages impatients de charger. C'est alors qu'apparut Belram Mukaddam armé de sa canne. Quand il prit la parole devant la tea-house, il paraissait très sûr de lui.

— Cette fois, ces ordures sont venues avec des bulldozers, tonna-t-il. Si nous nous couchons devant leurs chenilles, ils n'hésiteront pas à nous réduire en bouillie.

Il s'arrêta sur ces mots, comme s'il voulait réfléchir. Il tripotait sa moustache. « On voyait que ça carburait dur dans sa tête », dira Ganga Ram. Il se remit à parler.

— Nous avons un moyen de barrer la route à ces salauds, reprit-il en frappant l'air plusieurs fois avec sa canne. – Il semblait savourer ce qu'il allait dire. — Mes amis, nous allons changer les noms de nos trois bastis. Nous allons leur donner le nom du fils bien-aimé de notre grande prêtresse Indira. Nous allons les appeler les « Sanjay Gandhi bastis ». Ils n'oseront jamais, oui, je vous assure qu'ils n'oseront jamais lancer leurs bulldozers contre un quartier qui porte le nom de Sanjay !

Le tenancier de la tea-house désigna alors de sa canne un rickshaw qui attendait devant le portail du chantier de Carbide.

— Ganga! ordonna-t-il à l'ancien lépreux, saute dans cette guimbarde et fonce jusqu'à la place des Épices! Fais-leur peindre une grande banderole marquée BIENVENUE AUX SANJAY BASTIS. Si tu reviens à temps, nous sommes sauvés!

*

Comme l'avait magnifiquement imaginé l'apôtre de l'Esplanade noire, la banderole brandie entre deux perches de bambou à l'entrée du chemin menant à l'Orya basti figea sur place la marée de policiers et les bulldozers qui s'apprêtaient à déferler. Ce morceau de toile arborant en majestueuses lettres rouges le prénom du fils d'Indira Gandhi était plus fort que toutes les menaces. Ce jour-là, les habitants purent retrouver sans crainte leurs huttes. Le destin se chargerait de les frapper d'une autre façon.

18

Salaire de la peur
sur les routes du Maharashtra

La funeste cargaison était arrivée. Prévenu par télex, l'ingénieur hindou Kamal Pareek alerta son adjoint, le superviseur musulman Shekil Qureshi, un gros garçon joufflu de trente-six ans. Ils empilèrent dans deux valises les combinaisons, les gants, les bottes, les masques et les casques prévus pour les interventions spéciales, et prirent l'avion pour Bombay. Leur mission : escorter par la route, sur une distance de huit cent cinquante kilomètres, deux camions chargés de seize fûts contenant chacun deux cents litres de Mic. L'usine de Bhopal n'étant pas encore prête à fabriquer elle-même l'isocyanate de méthyle nécessaire à sa production de Sevin, les responsables avaient décidé d'en faire venir plusieurs centaines de barils d'Institute, aux États-Unis.

« Les navires transportant des produits toxiques devaient se rendre à l'Aji Bunder, racontera Kamal Pareek. C'était un dock complètement isolé, aménagé à la toute extrémité du port de Bombay. On l'appelait " le quai de la peur ". »

Pareek observa avec une certaine appréhension la palette de fûts se balançant en plein ciel au bout d'un filin. La grue s'apprêtait à déposer le chargement au fond d'une barge amarrée au navire qui devait ensuite emporter les fûts à quai. Soudain, l'ingénieur se figea. Des bulles de gaz s'échappaient du couvercle de l'un des récipients. Le commandant du navire, qui avait repéré la fuite, cria à l'opérateur de la grue :

— Balance ta palette à la flotte ! Vite !

— Non ! Surtout pas ! intervint Pareek en faisant de grands gestes pour stopper la manœuvre. Un bidon de Mic à l'eau, tout saute ! – Se tournant vers le patron de la barge, il ordonna : — Éloigne-toi en vitesse, sinon, toi et ta famille, vous allez y passer !

Le patron, un petit homme au torse nu entouré d'une demi-douzaine de gosses, secoua la tête.

— *Sahib*, mes grands-parents et mes parents ont vécu et sont morts sur cette barge, répondit-il. Je suis prêt à en faire autant.

Pareek et Qureshi enfilèrent rapidement leurs combinaisons et mirent leurs masques et leurs casques. Puis, munis de plusieurs grosses seringues d'une colle spéciale, ils sautèrent sur le pont du bateau où la grue avait déposé la palette avec d'infinies précautions. Des grappes de bulles jaunes continuaient à jaillir du couvercle endommagé de l'un des fûts. Les deux hommes injectèrent avec soin la colle dans la fissure et parvinrent à colmater la fuite. « Je poussai le plus long soupir de soulagement de ma vie », avouera Pareek.

Une heure plus tard, les seize fûts marqués de têtes de mort et de tibias entrecroisés furent chargés à bord des deux camions. Le voyage de l'angoisse commençait. Englués dans le chaos des *tongas* [1], des cyclopousses, des chariots à buffles, des éléphants sacrés en route vers quelque temple, des bestiaux de toutes espèces, des camions surchargés, les deux poids lourds et la voiture Ambassador blanche de Pareek et Qureshi s'engagèrent sur la route de Bhopal. « Chaque ornière, chaque coup de klaxon, chaque dépassement acrobatique d'un véhicule, chaque

---

1. Carrioles tirées par des chevaux.

franchissement d'une voie ferrée, nous faisait sursauter »,
racontera Shekil Qureshi.

— Tu as déjà vu du Mic ? demanda soudain Pareek à
son compagnon qui marmonnait des sourates.

— Oui, une fois. Un échantillon liquide dans une bouteille. On aurait dit de l'eau minérale. – À cette idée, les
deux hommes émirent un rire un peu forcé. — En tout
cas, reprit Qureshi, c'était si limpide, si transparent qu'on
avait peine à imaginer qu'il suffisait d'en respirer quelques gouttes pour être foudroyé à mort.

Pareek ordonna au chauffeur de doubler les deux
camions et de s'arrêter un peu plus loin. Le soleil tapait si
fort qu'il était inquiet.

— Il ne faudrait pas que nos bidons se mettent à bouil-
lir.

Les deux hommes le savaient : l'isocyanate de méthyle
entre en ébullition dès qu'il atteint une température de
trente-neuf degrés centigrades. Ils savaient aussi quelle
catastrophe pouvait en résulter.

Qureshi passa la tête à l'extérieur de la fenêtre. Une
bouffée d'air brûlant lui fouetta le visage.

— Je parie qu'il fait au moins quarante degrés, peut-
être même quarante-cinq.

Pareek fit une grimace et adressa un signe au chauffeur
du premier camion pour qu'il stoppe. Aussitôt, les deux
hommes se précipitèrent pour couvrir les fûts avec de
lourdes bâches isothermes. Puis ils sortirent les extincteurs de leurs alvéoles. En cas de danger, un jet de mousse
carbonique pouvait faire retomber la température d'un
fût de quelques degrés.

« Mais nous ne nous faisions pas trop d'illusions »,
avouera plus tard l'ingénieur.

Durant trente-huit heures, les deux intrépides envoyés
de Carbide jouèrent les chiens de berger avec leur Ambassador qui tantôt précédait, tantôt suivait les deux camions.
Ils avaient reçu des instructions formelles : leur convoi

devait impérativement s'arrêter avant d'entrer dans une agglomération afin qu'ils aient le temps d'aller chercher une escorte de police. « On pouvait lire la plus extrême curiosité sur les visages des habitants à la vue de ces deux camions entourés de policiers, se souviendra Pareek. " Que peuvent-ils bien transporter sous leurs bâches pour justifier une telle protection ? " devaient se demander ces gens. »

Ce premier convoi à haut risque sera suivi de dizaines d'autres. Pendant six ans, des centaines de milliers de litres de liquide mortel traverseront ainsi les villages et les campagnes du Maharashtra et du Madhya Pradesh. Jusqu'à ce jour de mai 1980 quand, dans l'euphorie de tout le personnel, les réacteurs chimiques de la toute neuve usine de Bhopal fabriqueront leurs premiers litres d'isocyanate de méthyle et les enverront dans les trois immenses cuves capables de stocker assez de Mic pour empoisonner à mort la moitié de la ville.

*

Celle qui avait résisté aux invasions, aux sièges et aux pires complots politiques était en train de succomber aux charmes d'une société industrielle étrangère. Eduardo Muñoz pouvait se réjouir. Carbide allait réussir pacifiquement ce que nul n'avait pu accomplir en trois siècles d'histoire : conquérir Bhopal. Avec le croissant de ses mosquées, le lingam de ses temples hindous, la croix de ses églises, la capitale du Madhya Pradesh arborait à présent un emblème profane qui bouleverserait son destin : le losange bleu et blanc d'une usine de pesticides. « Ce prestigieux symbole contribua à l'avènement d'une classe privilégiée de travailleurs, racontera Kamal Pareek. Que l'on soit tout en haut de la hiérarchie, ou le plus humble des opérateurs, travailler pour Carbide c'était appartenir à une caste à part. On nous appelait les " sei-

142

gneurs ". » Chez Carbide, un ingénieur gagnait deux fois plus qu'un fonctionnaire de l'administration indienne du même niveau. Cela lui permettait de jouir d'une maison, d'une auto, de plusieurs serviteurs, et de voyager dans les trains de première classe climatisés. Mais ce qui comptait surtout, c'était le prestige d'appartenir à une multinationale universellement reconnue. Le statut social joue un rôle capital en Inde. « Quand les gens lisaient sur ma carte de visite : " Kamal Pareek – Union Carbide India Limited ", toutes les portes s'ouvraient », dira l'ingénieur.

Tout le monde rêvait d'avoir un membre de sa famille, ou de connaître quelqu'un, qui fût employé par la société. Ceux qui avaient cette chance ne tarissaient pas de louanges envers elle. « Contrairement aux entreprises indiennes, Carbide ne vous dictait pas ce que vous deviez faire avec votre salaire, racontera l'un de ses cadres. C'était la liberté américaine plaquée sur un environnement indien. » Pour le fils d'un petit paysan illettré de l'Uttar Pradesh nommé V.N. Singh, l'enveloppe estampillée du losange que le facteur lui remit un matin « était comme un message du dieu Krishna tombé du ciel ». À l'intérieur, une lettre informait le jeune diplômé en mathématiques que Carbide lui offrait un poste d'opérateur stagiaire dans son unité de phosgène. Le garçon s'élança à toutes jambes à travers la campagne pour porter la nouvelle à son père. Ses voisins accoururent. Bientôt, le village entier fit cercle autour de l'heureux élu et de son père. Tous deux étaient trop émus pour articuler un son. C'est alors qu'une voix cria : « *Union Carbide ki jai !* Vive Union Carbide ! » Tous les villageois reprirent en chœur l'invocation, comme si l'entrée de l'un des leurs au service de la société américaine était une bénédiction pour tous les habitants du village.

Quant au musulman Shekil Qureshi, qui avait participé au dangereux transport des fûts de Mic de Bombay à Bhopal, son entrée chez Carbide comme superviseur stagiaire lui avait valu un mariage somptueux à la Taj-ul-Masjid, la grande mosquée construite par la bégum Shah Jahan. Vêtu d'un étincelant *sherwani*[1] de brocart doré, les pieds chaussés de babouches incrustées de pierreries, le bras ceint du traditionnel bandeau orné d'incantations sollicitant la protection d'Allah sur lui et son épouse, coiffé d'un turban rajasthanais de soie rouge, le jeune diplômé en chimie du Safia College s'était fièrement avancé vers le *mihrab*[2] de la mosquée « en songeant à la combinaison de toile marquée du losange bleu et blanc qui représentait pour lui le plus beau des vêtements ».

Le prestige que conférait un emploi chez Carbide était tel que des familles n'hésitaient pas à venir de très loin chercher à Bhopal un mari pour leur fille. Un matin, sentant sa fin proche, Yusuf Bano, un marchand de tissus de Kanpur, embarqua sa fille Sajda, dix-huit ans, dans l'express de Bhopal avec la secrète intention de lui faire rencontrer le fils d'un de ses lointains cousins qui travaillait dans l'atelier de phosgène de l'Esplanade noire. « Mon cousin Mohammed Ashraf était un beau garçon avec une épaisse moustache noire et une bouche rieuse, racontera la jeune fille. Il me plut immédiatement. Tous ses compagnons de travail et même le directeur de l'usine assistèrent à notre mariage. Ils nous offrirent un cadeau très amusant. Mon époux en fut ému aux larmes : deux casques aux armes d'Union Carbide ornés de nos prénoms entrecroisés gravés en lettres dorées. »

Pour l'ingénieur mécanicien Arvind Shrivastava, vingt-six ans, qui avait fait partie de la première équipe recrutée par Muñoz, « Carbide n'était pas seulement un lieu de travail. C'était aussi une culture. Les soirées théâtrales, les spectacles, les jeux, les pique-niques en famille au bord des eaux de la Narmada comptaient autant dans la vie de

---

1. Longue tunique.
2. Niche indiquant la direction de La Mecque.

l'entreprise que la fabrication du monoxyde de carbone ou du phosgène ».

La direction ne cessait d'exhorter ses ouvriers à « briser la routine monotone de la vie en usine », en créant des clubs d'intérêt culturel et récréatif. Dans cette Inde où le plus humble balayeur est nourri de récits historiques et d'épopées mythologiques, le résultat dépassa les espérances. La pièce de théâtre intitulée *Shikari ki bivi* montée par les ouvriers de l'atelier de phosgène fut un triomphe. On y exaltait le courage d'un chasseur qui se sacrifiait pour tuer une tigresse mangeuse d'hommes. Quant au premier festival de poésie organisé par les musulmans travaillant à l'unité de « formulation », il attira tant de candidats désireux de réciter leurs œuvres que la manifestation dut se prolonger trois soirs de suite. Puis apparut une revue. L'opérateur de l'unité du monoxyde de carbone qui faisait fonction de rédacteur en chef y appelait tous les employés à lui envoyer des articles, des nouvelles, des poèmes, bref tous les textes qui pouvaient « apporter des idées ingénieuses pour contribuer au bonheur de tous ».

Ces initiatives d'inspiration typiquement américaine imprégnèrent bientôt la ville elle-même. Les habitants de Bhopal ignoraient à quoi allaient servir les cheminées, les réservoirs, les tuyauteries qu'ils voyaient construire, mais tous se précipitaient aux rencontres de cricket et de volley-ball patronnées par la nouvelle usine. Celle-ci avait même créé une équipe de hockey de haut niveau. En hommage à la famille spécifique de pesticides à laquelle appartenait le Sevin, elle avait baptisé ses joueurs « les Carbamates ». Carbide n'oubliait pas non plus les plus démunis. C'est ainsi qu'à l'occasion de la fête de Diwali, la jeune Padmini vit débarquer dans les ruelles de l'Orya basti un commando envoyé par la société avec des paniers remplis de bonbons, de barres de chocolat et de biscuits. Pendant que les enfants se jetaient sur ces friandises, d'autres employés distribuaient de hutte en hutte le cadeau que Carbide avait estimé le plus utile pour ces familles de l'Inde surpeuplée : des préservatifs.

*

De leur côté, les Américains que l'implantation de leur société à Bhopal avait brutalement parachutés au cœur de l'Inde eurent l'impression d'atterrir sur une autre planète. En vingt-quatre heures, Warren Woomer, quarante-quatre ans, et son épouse Betty étaient passés de leur paisible et aseptisée Virginie-Occidentale à l'ahurissant maelström de bruits, d'odeurs et de grouillements de la cité des bégums. Pour cet éminent cadre auquel la société confierait prochainement le commandement de l'usine de Bhopal, l'aventure fut « un réel choc de cultures ». « Je savais si peu de choses sur l'Inde ! avouera-t-il candidement. Je me suis rendu compte qu'il fallait ajuster nos systèmes de pensée et nos modes de vie à des traditions millénaires. Comment faire accepter à un sikh barbu et enturbanné d'enfiler un masque pour des interventions dangereuses ? D'ailleurs, avant de quitter Charleston, je ne savais même pas ce qu'était un sikh. » Pour son jeune compatriote John Luke Couvaras, qui, dans son enthousiasme, comparait l'aventure de Bhopal à « une croisade », « l'expérience était absolument unique ». « Je me souviens en particulier du sentiment d'excitation qui nous animait, dira-t-il, même si l'Inde ne manquait jamais de se rappeler à notre bon souvenir, et parfois de façon comique. »

Au début, les employés arrivaient régulièrement en retard à leur poste de travail.

— *Sahib*, les bufflesses avaient fichu le camp, s'excusa un matin l'un des ouvriers de Couvaras. Il a fallu courir après pour les traire.

L'Américain tança gentiment l'ancien paysan.

— La marche de notre usine ne peut pas dépendre de l'humeur de tes bufflesses, lui expliqua-t-il.

« Au bout de six mois, tout était rentré dans l'ordre », dira Couvaras.

Bien d'autres surprises frapperont le jeune ingénieur d'outre-Atlantique, à commencer par les différences de mentalités entre les ingénieurs hindous et musulmans. « En cas de problème, un musulman vous exposait carrément les faits avant de reconnaître sa responsabilité, racontera-t-il. Alors qu'un hindou restait dans le vague avant d'incriminer la fatalité. Nous devions nous adapter à ces variations. Heureusement, à partir d'un certain niveau d'éducation, la fée chimie intervenait pour nous mettre tous, Indiens et Américains, sur la même longueur d'onde. »

19

Le Cercle des poètes paresseux

— Très cher ingénieur Young, votre présence nous honore infiniment. Veuillez vous déchausser et vous allonger sur ces coussins. Notre récital de poésie va commencer dans quelques instants. En attendant, désaltérez-vous avec ce lait de coco.

Hugo Young, trente et un ans, un ingénieur mécanicien originaire de Denver, dans le Colorado, n'en croyait pas ses yeux. Il se trouvait soudain à des milliers d'années-lumière de ses réacteurs de phosgène, dans le vaste salon d'une des nombreuses demeures patriciennes de Bhopal. Autour de lui, une vingtaine d'hommes d'âges différents étaient allongés sur des coussins de soie brodés d'or et d'argent, leurs têtes reposant sur un petit oreiller de brocart, propriété de chaque invité. En achetant cet oreiller, ils avaient acquis le droit d'entrée dans le club masculin le plus exclusif de la cité des bégums, le « Cercle des poètes paresseux ». Sans doute Bhopal basculait-elle dans l'ère industrielle mais, comme le constatait avec émerveillement un expatrié de la Kanhawa Valley, elle n'abandonnait pas pour autant ses traditions. Tous les adeptes du Cercle des poètes paresseux continuaient d'observer les lois et rites très particuliers de leur confrérie. Les « allongés » étaient considérés comme les paresseux de l'ordre premier ; les « assis », les paresseux de l'ordre second ;

quant à ceux qui se tenaient debout, ils se privaient volontairement de la considération de leurs pairs. Cette hiérarchie des postures autorisait les « allongés » à commander aux « assis », et les « assis » aux « debout ». Une subtile philosophie qui s'exprimait même dans les choses matérielles. Ainsi, les tasses et les coupes à bord épais étaient strictement prohibées pour épargner aux membres du Cercle des paresseux d'avoir à entrouvrir les lèvres plus que nécessaire lorsqu'ils boiraient.

L'après-midi, des poètes, des chanteurs, des musiciens se succédèrent au chevet des « paresseux » pour les charmer de leurs couplets et de leurs aubades. Le soir, après qu'une armée de serviteurs en turbans eut servi toutes sortes de samosas, la confrérie emmena le jeune Américain vers le terrain de parade de la vieille ville où se déroulait le festival de poésie. Ce soir-là, la *mushaira* réunissait plusieurs auteurs, professionnels et amateurs, qui chantaient leurs œuvres devant une assistance particulièrement enthousiaste. « Mes amis se faisaient un devoir de me traduire les *ghazal*[1], racontera Young. Toutes évoquaient des destins tragiques que l'amour finissait par sauver. En écoutant les voix aux harmonies toujours plus hautes, jusqu'au suraigu, et aux confins du cri, tels des appels au secours, je pensais avec embarras au phosgène mortel que je fabriquais dans mes réacteurs à quelques centaines de mètres de ce prodigieux happening. »

Au cours de la soirée, l'un des membres du Cercle des poètes paresseux posa la main sur l'épaule du jeune Américain.

— Savez-vous, cher ingénieur Young, quelle est la mushaira la plus courue de Bhopal? lui demanda-t-il.

L'ingénieur fit semblant de réfléchir. Puis, avec un clin d'œil malicieux, il répondit :

— Celle des poètes paresseux, j'imagine.

---

1. Couplet poétique.

— Vous n'y êtes pas du tout, mon cher. C'est celle de la police municipale. Le chef de la police a expliqué un jour à un journaliste qu'il « valait mieux faire pleurer les gens par la magie de la poésie que par les gaz lacrymogènes ».

*

Indolente, voluptueuse, coquine et toujours surprenante, telle était Bhopal. Jamais John Luke Couvaras n'oublierait le spectacle qu'il découvrit un après-midi dans le salon de sa villa de l'Arera Colony. Allongée sur un divan, sa jeune épouse canadienne était en train de se faire masser par deux superbes créatures aux yeux sombres cernés de khôl. Un large ruban rouge et une fleur de jasmin paraient la lourde tresse de cheveux noirs qui tombait sur leurs reins. La grâce de leurs gestes, leur délicatesse, leur concentration arrachèrent à l'ingénieur une volée de compliments, mais les remerciements qu'il reçut en réponse auraient pu sortir de la gorge d'une paire de dockers de Liverpool : les longues mains ornées de figures géométriques au henné qui pétrissaient la chair de son épouse étaient celles de deux eunuques.

À moins de huit cents mètres de l'enchevêtrement futuriste qui s'élevait sur l'Esplanade noire, dans de vieilles maisons délavées par la mousson, vivait en effet une communauté de *hijra*, une caste très particulière de la société indienne. Originaires de toutes les régions de l'Inde, ils avaient échoué dans la cité des bégums à l'occasion des fêtes et pèlerinages qui les rassemblaient à dates fixes. À Bhopal, on comptait trois ou quatre cents eunuques réunis autour d'un gourou qu'ils considéraient comme leur chef de famille. En dehors de leurs dons de masseurs, ils jouaient dans la société hindoue locale un rôle important. À ces êtres qui n'étaient ni hommes ni femmes, la religion avait attribué le pouvoir d'effacer les fautes commises au cours de leurs vies antérieures par les nouveau-nés. À chaque naissance, ils accouraient avec leurs tambourins enduits de poudre rouge pour la cérémonie purificatrice des nouveau-nés. À cette occasion, ils étaient toujours généreusement rétribués. Personne, à Bhopal, ne marchandait les services des hijra, de peur d'encourir leurs malédictions.

*

Ce « choc des cultures » permit aux expatriés de South Charleston de vivre des expériences comme seule l'Inde pouvait en offrir. Pour le célibataire Jack Briley, trente-six ans, spécialiste de l'alpha-naphtol, l'Orient et ses sortilèges s'incarnèrent sous les traits d'une nièce du nabab rencontrée lors d'un cocktail en l'honneur du président de la Banque mondiale. Raffinée, cultivée, libérée, ce qui était rare en milieu musulman, douée en outre d'un vif sens de l'humour, Selma Jehan, vingt-huit ans, était avec ses grands yeux noirs ourlés de khôl « l'incarnation parfaite d'une princesse des *Mille et Une Nuits* telle que pouvait l'imaginer un jeune Américain des bords de la Kanhawa River ». Jack Briley se laissa facilement ensorceler. Dès qu'il pouvait s'échapper de l'usine, la jeune musulmane lui faisait découvrir la cité de ses ancêtres. Comme le voulait la règle du *pardah* [1], les fenêtres de la vieille Ambassador familiale qu'elle conduisait elle-même étaient tapissées de rideaux pour dissimuler ses passagers au regard d'autrui.

Selma emmena d'abord son amoureux dans les palais de la ville où vivaient encore certains membres de sa famille. La plupart de ces bâtiments étaient en piètre état avec des murs lézardés, des plafonds peuplés de chauves-souris, des meubles couverts de crasse.

---

1. Loi musulmane obligeant les femmes à dissimuler leur visage et leur corps aux regards masculins.

Dans certaines de ces demeures survivaient des personnages d'une autre époque. La bégum Zia, la grand-mère de Selma, vivait au milieu de ses bougainvillées, de ses margousiers et de ses tamariniers sur les collines de Shamla. Elle ne manquait jamais de montrer à ses visiteurs le portrait serti dans un cadre d'argent du premier cadeau qu'elle avait reçu de son mari : un esclave abyssin de seize ans, en pantalons à la turque avec un gilet brodé d'or.

Briley eut la chance d'être plusieurs fois convié aux réceptions de cette étonnante grand-mère. Il y rencontra tout le gratin de la ville, comme le docteur Zahir Ul-Islam qui venait de réussir la première opération de changement de sexe réalisée à Bhopal, ou encore ce petit monsieur qu'on appelait le Pacha et qui était la commère de la ville. Coiffé d'un fez couleur lie-de-vin, vêtu de costumes de brocart brodés d'argent, les yeux cernés de khôl, le Pacha parlait l'anglais avec un parfait accent d'Oxford. Il avait vécu vingt ans en Angleterre, mais en était parti car il se sentait trop indien. Il supportait mal de vivre en Inde, car il se sentait trop anglais. Sauf à Bhopal, où il était chez lui.

Un autre familier des soirées de la bégum Zia était un extravagant vieillard vêtu de loques qu'on appelait Enamia. De son vrai nom Sahibzada Sikandar Mohammed Khan Taj, Enamia, un vague cousin désargenté de la bégum, était marié à une princesse espagnole. Lui aussi avait vécu vingt ans à Londres, travaillant dans une usine de saucisses avant de s'en faire renvoyer pour *unhygienic behaviour*[1]. Personne n'avait cherché à savoir ce que cachaient ces mots, mais la bégum et ses amis raffolaient du vieil Enamia. Il était l'un des plus grands connaisseurs de la cité et rien ne l'amusait plus que d'y promener des visiteurs étrangers à bord de sa vieille jeep aux amortisseurs trépassés. Il connaissait l'histoire de chaque rue, de

---

1. Comportement ne respectant pas les règles d'hygiène.

chaque monument, de chaque maison. À lui tout seul, Enamia était la mémoire de Bhopal.

Les dîners de la bégum réunissaient aussi des artistes de passage, des hommes politiques, des écrivains, des poètes. L'un des habitués était bien sûr Eduardo Muñoz à qui Bhopal devait la venue de Carbide. De l'avis de tous, l'un des atouts de ces dîners était l'excellence de la table. La meilleure de Bhopal, affirmait-on. Pour le jeune Briley, chaque invitation était l'occasion d'une expérience gastronomique. C'est là que pour la première fois de sa vie il dégusta des perdrix à la coriandre et des entremets de lait caillé nappés de sirop de cannelle et de gingembre.

C'était une tradition : les mariages des petits-enfants, des neveux et des nièces de la bégum se déroulaient toujours chez elle, sous une immense *shamiana*[1] dressée dans la cour de sa demeure. Ils étaient l'occasion de trois jours de fêtes ininterrompues. Les salons, les cours, les couloirs étaient jonchés de divans sur lesquels les invités s'étendaient pour boire, écouter des ghazals et de la musique. Bien que musulmane, Selma, dont Briley était amoureux, pratiquait depuis l'enfance tous les styles de danses hindoues. Elle parait ses chevilles et ses poignets de colliers de grelots avant de se lancer sur l'estrade pour de folles exhibitions de *katak*, une danse du sud accompagnée par les rythmes complexes des joueurs de tabla et de sarod. Il flottait alors sous la shamiana des senteurs de patchouli et de musc si enivrantes que l'Américain pensait ne plus jamais pouvoir supporter l'odeur du phosgène ou du Mic.

*

Tous les expatriés de South Charleston dans la cité des bégums n'eurent pas la chance de vivre une histoire d'amour avec une princesse. Mais les attraits de Bhopal

---

1. Grande tente abritant festivités et cérémonies.

étaient innombrables, à commencer par la succession ininterrompue de fêtes religieuses, de célébrations, de cérémonies. Il y avait la *bujaria,* procession bruyante et colorée réunissant des milliers d'eunuques qui parcouraient la vieille ville. Et le grand festival hindou en l'honneur de la déesse Dourga dont les statues richement décorées étaient immergées dans le lac en présence de dizaines de milliers de fidèles. Et aussi la célébration par les sikhs de la naissance du gourou Nanak, le fondateur de leur communauté, et ce, à grand renfort de pétards qui réveillaient la ville entière. Et encore la fête des jaïns en l'honneur de leur prophète Mahavira et le retour de la saison des pèlerinages marquée par la fin officielle de la mousson. Sans compter l'Id et l'Isthema, deux fêtes musulmanes qui réunissaient des centaines de milliers de participants dans les vieux quartiers et de tant d'autres célébrations religieuses ou païennes dues à l'extraordinaire diversité de la population de Bhopal.

20

« Carbide a pourri notre eau ! »

L'une s'appelait Parvati, comme l'épouse du dieu Shiva ; une autre Surabhi, « la vache de tous les dons » née, d'après les Védas, du « grand barattage de la mer de lait » ; une autre Gauri-la-claire, les deux dernières Sita et Kamadhenu. Elles étaient si douces que les jeunes enfants n'hésitaient pas à caresser leur front aux grands yeux bordés de cils tellement longs qu'on les croyait fardés. Ces cinq vaches faisaient partie des trois cents millions de têtes du premier cheptel bovin du monde. Pour les cinq familles de l'Orya basti auxquelles elles appartenaient, elles représentaient un capital enviable. Belram Mukkadam, le cul-de-jatte Rahul, le père de Padmini, l'ancien lépreux Ganga Ram et le cordonnier Iqbal étaient les heureux propriétaires de ce maigre troupeau. Les rares litres de lait qu'elles donnaient chaque jour permettaient de confectionner un peu de beurre et de yaourt, seules protéines animales disponibles pour les affamés du basti en dehors du lait de quelques chèvres. Pieusement récupérée et transformée en galettes, la bouse de ces vaches séchait au soleil sur les parois des huttes et servait de combustible pour la cuisson des aliments. Chaque animal connaissait le chemin de son propriétaire chez lequel il retournait le soir, après une journée d'errance en quête d'un peu de verdure sur les bords de l'Esplanade noire. Le douzième jour de la lune d'Asvina en septembre, de celle de Kartika en novembre, et lors de la fête du riz nouveau, les habitants teignaient les cornes en bleu et rouge et les décoraient de guirlandes d'œillets et de jasmin. Le sorcier Nilamber venait réciter des mantras devant les animaux disposés en arc de cercle devant la tea-house de Belram Mukkadam. En tant que le plus ancien résidant du quartier, c'était à ce dernier de prononcer le discours d'usage.

Il montra une fougue particulière : « Chacune de nos vaches est un animal céleste, symbole de la mère qui donne le lait, déclara-t-il. Elle a été créée le même jour que le dieu Brahma, fondateur de notre univers, et chaque partie de son corps est la demeure d'un dieu, depuis les naseaux où logent les Asvin, jusqu'au plumeau de la queue, résidence de Yama. » Le sorcier Nilamber, drapé dans sa robe safran, intervint à son tour pour souligner « combien est sacré tout ce qui vient de la vache ». À ces mots, le cul-de-jatte Rahul apporta une coupe remplie d'une sorte de pâte. C'était la traditionnelle purée contenant les dons du précieux animal – le lait, le beurre, le yaourt, la bouse et l'urine. Le récipient passa de main en main afin que chacun puisse prendre une boulette de cette substance purificatrice. Conduites par Padmini, les jeunes filles répandirent alors sur la terre battue des huttes un peu de terre et de bouse fraîche mélangées à de l'urine. Cet enduit protecteur avait la propriété d'éloigner les scorpions, les cancrelats et surtout les moustiques, le supplice permanent des Bhopalis.

En ce jour de fête, Mukkadam avait une mission particulière. Dès la fin de la cérémonie, il attacha une guirlande de fleurs aux cornes de sa vache Parvati et la conduisit vers sa hutte au bout de la première ruelle. À l'intérieur de l'unique pièce gisait sur un charpoy le vieux père du tenancier de la tea-house, veillé par ses deux filles qui l'éventaient en récitant des prières. Sa respiration affaiblie, son regard terni indiquaient que la mort était proche. Mukkadam poussa la vache jusqu'au chevet du moribond, prit l'extrémité de sa queue et la noua par une cordelette à la main de son père.

— Conduis ce saint homme de l'irréel au réel, des ténèbres à la lumière, de la mort à l'immortalité, murmura-t-il en caressant doucement le front de la bête.

*

Quatre jours après la mort du père de Belram Mukkadam, une catastrophe frappa les habitants de l'Orya basti. Padmini était en train de remonter un seau d'eau du fond du puits quand une odeur pestilentielle s'échappa du trou. L'eau était d'une étrange couleur blanchâtre. La vieille Prema Bai plongea sa main dans le seau pour y recueillir un peu de liquide, qu'elle goûta.

— Cette eau est pourrie ! annonça-t-elle avec une grimace de dégoût.

Toutes les femmes présentes firent la même constatation. Levant les yeux vers les structures d'acier qui barraient l'horizon, la mère de Padmini s'écria :

— Venez tous ! Venez tous voir ! Carbide a pourri notre eau !

*

Quelques heures plus tard, Rahul et plusieurs jeunes du quartier firent irruption dans la tea-house.

— Belram, viens vite ! cria le cul-de-jatte. Ta vache Parvati et toutes les autres vaches sont mortes. Les corbeaux et les vautours qui dévoraient leurs cadavres sont morts aussi.

Mukkadam partit en courant vers l'endroit que désignaient les garçons. Les bêtes gisaient à côté d'une mare alimentée par un tuyau en caoutchouc qui venait de l'usine. « C'est l'eau de Carbide qui les a tuées, constatat-il avec colère. La même eau qui vient de pourrir notre puits. Courons tous chez Carbide ! »

Un cortège de trois à quatre cents personnes se mit aussitôt en marche vers l'usine. Le vieux Munné Babba et ses fils, l'ancien lépreux Ganga Ram, le cordonnier Iqbal et son compère le tailleur Bassi, le réparateur de vélos Salar marchaient en tête. Même le laitier Bablubai et le sorcier Nilamber étaient venus. « Remboursez-nous les vaches ! Arrêtez d'empoisonner notre puits ! » hurlaient-ils en chœur. Au deuxième rang, avançaient six hommes écrasés par le poids du charpoy qu'ils portaient sur les épaules. Sur ce lit de cordes avait été placée la dépouille de la première victime de la multinationale américaine dans ce coin de l'Inde. Les cornes badigeonnées de pâte de santal, visibles entre les plis du linceul, révélaient qu'il s'agissait d'une vache. « Aujourd'hui, ce sont nos vaches. Demain, ce sera nous ! » grondaient les plus excités du cortège. Même si les espoirs d'embauche et le prestige de l'uniforme au losange continuaient à hanter les rêves de tous, ces morts brisaient le mythe d'un voisinage harmonieux.

La direction de l'usine chargea l'un de ses ingénieurs de régler l'incident au plus vite. L'Américain se porta courageusement au-devant des manifestants.

— Mes amis, rassurez-vous ! cria-t-il dans un mégaphone, Union Carbide vous dédommagera généreusement. Que les propriétaires des vaches qui ont péri lèvent la main ! – L'ingénieur s'étonna de voir une forêt de bras monter aussitôt vers le ciel. Il sortit une liasse de billets de sa poche. — Union Carbide offre cinq mille roupies pour la perte de chaque animal, annonça-t-il. Cela représente plus de dix fois le prix de chacune de vos bêtes. Voici vingt-cinq mille roupies. Partagez-vous cette somme !

Il tendit le paquet de billets à Mukkadam.

— Et l'eau de notre puits ? insista Ganga Ram.

— Rassurez-vous. Nous allons la faire analyser et nous prendrons les mesures adéquates.

Les résultats de ces analyses furent si catastrophiques que la direction de l'usine interdit leur divulgation. Les échantillons de sol recueillis à l'extérieur du périmètre de l'unité de formulation du Sevin avaient par ailleurs révélé une présence élevée de mercure, de chrome, de cuivre, de nickel et de plomb. Du chloroforme, du tétrachlorure de carbone et du benzène furent détectés dans l'eau des puits situés au sud et au sud-est de l'usine. Le rapport des experts était formel : il s'agissait d'une contamination potentiellement mortelle. Pourtant, contrairement aux promesses du représentant de Carbide, aucune mesure n'allait être prise pour supprimer cette pollution.

*

L'enveloppe portait le cachet de l'Indian Revenue Service, l'administration fiscale indienne. Elle contenait l'hommage officiel du gouvernement à l'homme qui se battait depuis neuf ans pour donner à l'agriculture indienne les moyens de se défendre contre les hordes microscopiques qui ravageaient ses cultures. À la lecture de la lettre contenue dans l'enveloppe, Eduardo Muñoz sursauta. Il était prêt à devenir un contribuable à part entière de la République indienne mais pas, comme l'en informaient les services fiscaux, à lui abandonner les trois quarts de son salaire. Il décida de faire ses valises.

« Quitter l'Inde après toutes ces années si exaltantes fut un crève-cœur, reconnaîtra le père de l'usine de Bhopal. Mais je partais confiant. Le gouvernement indien nous avait confirmé l'autorisation officielle de fabriquer sur le site de Bhopal tous les ingrédients destinés à la production du Sevin. Le document portait le numéro C/11/409/75. Après un long et difficile accouchement, ma " belle usine " allait bientôt apporter aux Indiens, selon le slogan de notre publicité, " Les promesses d'un avenir éclatant ". »

L'optimisme de Muñoz était pour le moins exagéré. Sans doute ignorait-il que la population des bastis de l'Esplanade noire s'était, pour la première fois, dressée contre les nuisances de sa « belle usine ». Plus préoccupante encore était la situation du pays qu'il quittait. Une nouvelle fois dans son histoire, l'Inde connaissait l'épreuve de la sécheresse. Tout au long du mois de juin, des millions d'hommes, de femmes, d'enfants avaient guetté le ciel dans l'espoir de voir apparaître les premiers signes de la mousson. D'ordinaire, un vent violent se lève quelques jours avant que n'éclate le premier orage. Brusquement, le ciel s'obscurcit. D'énormes nuages roulent les uns sur les autres, courant au ras du sol à une vitesse vertigineuse. D'autres nuages leur succèdent, énormes, comme bordés d'or. Quelques instants plus tard, explosent une rafale formidable, un ouragan de poussière. Enfin, une nouvelle vague de nuages noirs plonge le ciel dans les ténèbres, un interminable roulement de tonnerre ébranle l'espace, et c'est le déchaînement. Agni, le dieu du feu des Védas, le protecteur des hommes et de leurs foyers, lance ses foudres. Les grosses gouttes chaudes se transforment en cataractes. Les enfants se jettent tout nus sous le déluge en hurlant de joie. Les hommes exultent et sous les vérandas les femmes chantent des hymnes d'actions de grâces.

Mais, cette année-là, dans plusieurs régions, l'eau, la vie, la renaissance n'étaient pas au rendez-vous. Ruinés, leurs semis desséchés, étranglés par leurs dettes, des millions de paysans n'avaient pu acheter ni engrais ni pesticides. Les chiffres de vente du Sevin avaient, pour l'année en cours, diminué de moitié. Un nouveau coup sévère après la sécheresse de l'année précédente.

Cependant, une heureuse surprise attendait Eduardo Muñoz à son retour à New York. En reconnaissance de ses bons et loyaux services, la société l'avait nommé président de la division internationale de ses produits agricoles. La cérémonie de prise de fonction se déroula au nouveau siège où Carbide venait de s'installer après la vente de son immeuble de Park Avenue à la Manufacturer's Hanover Trust Bank. Un déménagement qui avait attiré les foudres du gouverneur de l'État de New York, Hugh Carey. On racontait que le gouverneur et deux sénateurs de la ville avaient rendu visite au président d'Union Carbide pour tenter d'empêcher que la prestigieuse multinationale ne quitte Manhattan. Ils lui auraient proposé des subventions et des avantages fiscaux. En dix ans, la ville avait perdu le siège de quarante-quatre des plus grandes entreprises américaines, ce qui avait causé la suppression de quelque cinq cent mille emplois. Les plus belles promesses n'avaient pu faire revenir le président de Carbide sur sa décision. Celui-ci avait méthodiquement énuméré les désavantages que présentait New York, ville que lui-même et ses collaborateurs jugeaient surpeuplée, chère et peu sûre, où les établissements scolaires étaient d'un niveau exécrable, les transports déficients, les impôts exorbitants. L'entreprise avait jeté son dévolu sur un endroit particulièrement grandiose, construit au milieu d'un parc de cinquante hectares peuplé de biches, de cerfs et de daims. Il était situé à proximité de Danbury, charmante petite ville du Connecticut dont les fabriques de chapeaux fournissaient depuis deux siècles shérifs, sénateurs, gangsters et bourgeois américains. Le bâtiment se découpait en forme de terminal d'aéroport avec des ailes satellites, des parkings souterrains, des auditoriums, des salles de conférences, des bibliothèques, une banque, cinq restaurants, un centre de remise en forme, un hôpital, un coiffeur, un magasin de cadeaux, un kiosque à journaux, une agence de voyages et de location de voitures, un studio de télévision, une imprimerie, un centre informatique, des hectares de bureaux climatisés, et même une piste de jogging longue de deux kilomètres. De toute évidence, les orgueilleux fabricants de l'isocyanate de méthyle avaient trouvé là un quartier général à la mesure du renom de leur société, de son importance, et de ses ambitions planétaires. On disait qu'il avait coûté la bagatelle de huit cents millions de dollars.

*

Dans les paisibles banlieues de Virginie-Occidentale, autour du site industriel d'Institute, on n'avait encore jamais respiré pareille odeur. Ce n'était pas celle de chou bouilli du Mic, mais celle des petits piments rouges emporte-gueule qui rehaussaient la savoureuse cuisine indienne. « Ils faisaient leur tambouille dans les chambres que nous avions louées pour eux », racontera l'ingénieur Warren Woomer. À son retour d'Inde, il avait été chargé d'accueillir la vingtaine de techniciens et d'ingénieurs indiens envoyés fin 1978 par l'usine de Bhopal pour un stage intensif de six mois dans les différentes unités de sa grande sœur américaine. Woomer se souvient de la joyeuse bande qui découvrait l'Amérique avec émerveillement. « Le gouvernement indien ne les avait autorisés à emporter que cinq cents dollars par personne, mais c'est inimaginable ce qu'un Indien peut faire avec cinq cents dollars ! Le soir et les fins de semaine, ils s'abattaient comme des sauterelles sur les magasins d'appareils de photo ou de radio pour se livrer à d'extraordinaires marchandages à l'orientale qui leur permettaient d'arracher d'astronomiques rabais que nous autres Américains n'aurions jamais pu obtenir. »

Mais ce n'était pas pour faire du shopping que les envoyés de Bhopal avaient traversé la moitié du monde. À l'intention de chacun d'eux, Woomer avait préparé un rigoureux programme de travail destiné à les former à la prochaine mise en route de leur usine. « Ce fut une expérience irremplaçable, dira le jeune Kamel Pareek qui était du voyage, même si notre usine à nous n'était qu'un jouet

164

d'enfant à côté du mastodonte d'Institute qui produisait jour et nuit sept fois plus de Sevin que n'en fabriquerait jamais la nôtre. » Sachant qu'un bateau d'une centaine de tonneaux pose les mêmes problèmes de navigation et d'entretien qu'un cuirassé de cinquante mille tonnes, Woomer assigna chaque visiteur au département qui relevait de sa spécialité, qu'il s'agisse des manipulations gazeuses, du pilotage des réacteurs, du fonctionnement des circuits électriques et des systèmes de contrôle, de la production du dangereux Mic, de la maintenance des installations et de leurs réparations ; de la fabrication du phosgène, de la « formulation » du Sevin, de la prévention de la corrosion, ou encore de la gestion des déchets toxiques, de la protection de l'environnement, de la médecine du travail, et même de la direction de l'entreprise. Séances d'instruction sur le site, projections audiovisuelles, stages en laboratoires, visites chez les fournisseurs et les fabricants d'équipement, Woomer et son équipe ne ménagèrent aucun effort pour que s'effectue ce que l'Américain appelait « un transfert correct des connaissances ». Chaque visiteur fut convié à consigner par écrit ce qu'il apprenait afin de pouvoir rédiger à son retour à Bhopal un manuel d'instructions destiné à assurer la mise en œuvre de toutes les opérations nécessaires au bon fonctionnement de l'usine.

L'un des « transferts de connaissances » les plus significatifs dont bénéficièrent les stagiaires indiens n'était pas de nature technique ; c'était un message d'un tout autre ordre. Dans une curieuse doctrine mêlant cynisme et réalisme, les dirigeants de la société avaient défini les principes d'une méthodologie qu'ils nommaient *corporate safety* [1]. *Les êtres humains sont notre bien le plus précieux*, affirmait en préambule le manifeste de cette doctrine, *et leur sécurité et leur santé sont donc notre priorité numéro un.* On aurait pu imaginer que Carbide éprouvât quelques scru-

---

1. La sécurité à l'intérieur de l'entreprise.

pules à délivrer un pareil message alors que ses usines étaient régulièrement responsables de contaminations chimiques dans cette même vallée où elle recevait aujourd'hui ses visiteurs indiens. Il n'en était rien.

« Comment n'aurions-nous pas acclamé avec enthousiasme une telle profession de foi, demandera Pareek, nous qui avions la charge d'assurer la sécurité de la première usine produisant de l'isocyanate de méthyle jamais construite en dehors de l'Amérique ? » Le manifeste de Carbide énonçait ainsi quelques vérités, la première étant que *tous les accidents sont évitables à condition de définir et de mettre en œuvre les actions nécessaires pour les éviter*. Mais c'était sur un autre argument encore plus subtil que comptaient les dirigeants de la multinationale pour imprégner leurs visiteurs de leur obsession de la sécurité, à savoir qu'il n'est pas de bon *business* possible sans une bonne sécurité des personnes et des biens. La formule imaginée ne pouvait que plaire aux envoyés de Bhopal : *Good safety and good accident prevention practices are good business*. – C'est grâce à une bonne sécurité et de bonnes mesures de prévention des accidents qu'on fait de bonnes affaires.

« À Institute, le véritable emblème d'Union Carbide n'était pas le losange mais un triangle vert où s'inscrivaient les mots " *SAFETY FIRST* – Sécurité d'abord " », constatera avec une admiration naïve Kamal Pareek, futur directeur adjoint de la sécurité à l'usine de Bhopal. Cette obsession se matérialisa d'abord par l'étude d'un volumineux manuel de quatre cents pages examinant à la loupe les consignes de sécurité des opérations concernant tant les procédures d'urgence à mettre en place en cas d'incident, l'information continue des personnels, le contrôle permanent de tous les équipements, les exercices réguliers des équipes et des matériels de secours que l'identification immédiate des agents toxiques, les procédures d'évacuation et mille autres situations extrêmes. « À

166

Institute, dira l'ingénieur indien, les décorations dont les responsables paraissaient les plus fiers n'étaient pas les tableaux affichant les courbes ascendantes des ventes du Sevin, mais les *Safety awards* [1] gagnés par les usines de la société à travers le monde. »

1. Brevets de sécurité.

21

Les premières gouttes mortelles
de la « belle usine »

Aucune stèle ne commémore le jour où le paquebot *Titanic* fut baptisé d'une bouteille de champagne avant de fendre les flots pour la première fois. Aucun manuel d'histoire ne mentionne non plus le 4 mai 1980, date à laquelle la première usine exportée par l'Occident pour fabriquer des pesticides avec de l'isocyanate de méthyle entra en production dans un pays en voie de développement. Pour les hommes qui l'avaient construite, ce jour était pourtant « un événement jubilatoire », comme le dirait l'un d'eux. Treize ans après que la Jaguar grise d'Eduardo Muñoz avait roulé pour la première fois sur la terre noire de Kali Grounds, un rêve devenait réalité.

Discours, remises de cadeaux, distributions de guirlandes et de friandises, la firme au losange avait réuni pour l'occasion plusieurs centaines d'invités sous des shamiana multicolores. Autorités officielles, ministres, hauts fonctionnaires, dirigeants de la société, personnels des différentes unités, du chef d'équipe jusqu'au plus modeste opérateur, tous se trouvèrent fraternellement réunis au pied de l'enchevêtrement des tubulures et des réservoirs. Ingénieurs américains et indiens ne cachaient pas leur joie et leur soulagement d'avoir pu surmonter les obstacles de ce long et difficile parcours.

Le nouveau président d'Union Carbide était venu spécialement des États-Unis pour la circonstance. Grand, athlétique, un casque de plastique blanc posé sur d'épais cheveux gris, Warren Anderson dominait l'assistance. Fils d'un modeste menuisier suédois immigré à Brooklyn, il incarnait à cinquante-neuf ans l'accomplissement du rêve américain. Avec pour tout bagage un simple diplôme de chimie et une capacité en droit, il avait en trente-cinq ans gravi tous les échelons menant au sommet de la troisième société mondiale de produits chimiques. L'empire qu'il dirigeait aujourd'hui comptait sept cents usines qui employaient cent dix-sept mille personnes dans trente-huit pays. Pour ce passionné de pêche à la ligne qui cultivait avec amour les fleurs de sa maison du Connecticut, la naissance de cette nouvelle usine était une étape décisive vers l'un des principaux objectifs de sa vie. Anderson voulait faire d'Union Carbide une société à visage humain, une entreprise où le respect de certaines valeurs morales importerait autant que l'ascension du cours de son action en Bourse. Grâce au Sevin que les équipes de Carbide allaient fabriquer ici, des dizaines de milliers de paysans pourraient protéger leurs familles de l'ancestrale malédiction de la faim. Une guirlande d'œillets jaunes autour du cou, le président Warren Anderson avait, ce jour-là, toutes les raisons d'être fier et heureux. Cette usine était sa victoire.

*

La mise en route de l'installation avait nécessité trois mois d'une préparation intensive. Cette opération était un défi hors normes. Trouver et former en plein cœur de l'Inde des techniciens capables de faire face à toute éventualité avait été un tour de force. La liste des incidents possibles et des problèmes qu'ils étaient susceptibles d'engendrer ne comportait pas moins de quatre-vingts points, parfois d'une extrême gravité. « On ne démarre pas une usine d'une telle complexité comme on tourne la clef de contact d'une automobile, expliquera Pareek. Nous avions affaire à une sorte de dinosaure de métal avec son mauvais caractère, ses caprices, ses faiblesses, ses malformations de naissance. Réveiller et faire vivre un tel monstre constitué de centaines de kilomètres de tuyauteries, de milliers de soupapes, de joints, de pompes, de réacteurs, de réservoirs, d'instruments était une aventure pharaonique. »

Cette aventure commença par un contrôle rigoureux de l'étanchéité de tous les circuits grâce à l'envoi de flux répétés d'azote dans toutes les tuyauteries. Pour déceler les fuites, les joints de raccordement, les soupapes de sécurité, les manomètres et les vannes avaient été enrobés d'une pâte de savon. La moindre bulle alertait les opérateurs. Il fallait alors resserrer un à un les centaines de boulons qui assemblaient entre eux les différents équipements. Quand l'intégrité du système fut entièrement vérifiée, les ingénieurs entreprirent de chauffer séparément les deux gaz dont la combinaison chimique devait produire l'isocyanate de méthyle. Ces deux composants – le phosgène et la monométhylamine – avaient eux-mêmes été obtenus par des combinaisons d'autres substances. À mesure que montait la température des deux gaz, les opérateurs ouvraient les circuits un à un. Les quelques privilégiés présents dans la salle de contrôle retinrent leur souffle. Le moment fatidique approchait. L'ingénieur John Luke Couvaras vérifia une dernière fois les cadrans des manomètres de température et de pression des réacteurs. Puis il cria : « GO ! » À cet ordre, un opérateur activa un circuit qui envoya le phosgène et la monométhylamine dans un même cylindre d'acier. Ce mélange produisit une réaction gazeuse. Aussitôt, ce gaz fut refroidi, purifié, liquéfié. Il y eut alors une salve nourrie d'applaudissements. Six ans après avoir déclenché une explosion nucléaire, l'Inde venait de fabriquer ses premières gouttes d'isocyanate de méthyle.

« Nous n'avons pas pu voir couler les premières gouttes de Mic, racontera Pareek, parce qu'elles sont allées directement dans la cuve de stockage. Mais dès que la cuve s'est remplie, nous avons revêtu nos scaphandres pour procéder à un prélèvement de quelques centilitres du liquide. J'ai porté le récipient, avec autant de respect que s'il s'agissait d'une statue de Dourga, jusqu'au laboratoire afin d'en faire analyser le contenu. Le résultat nous fit exulter. Notre Mic indien était d'un cru aussi pur que celui de la Kanhawa Valley ! »

*

Tandis que les cuves d'Union Carbide se remplissaient au milieu de l'euphorie générale, une célébration bien différente se déroulait sur la bordure sud de l'Esplanade noire. Belram Mukkadam, Rahul, Ganga Ram, Ratna Nadar et de nombreux habitants de l'Orya basti s'étaient rassemblés autour des cinq bêtes à cornes qu'un marchand de bestiaux et son vacher venaient de livrer. Avec les indemnités versées par Carbide, Mukkadam avait décidé de remplacer sa vache Parvati par un taureau. Il l'appela Nandi, comme le taureau dont le dieu Shiva avait fait sa monture parce qu'il écartait le danger et le mal. Ce soir de pleine lune, il décorerait le front de la bête de l'emblème du dieu, un trident. Un emblème de bon augure. Mukkadam en était certain : ce serait le garant de la fertilité du nouveau troupeau et de la protection divine des bastis de l'Esplanade noire.

22

Trois citernes décorées comme pour un carnaval

En nommant l'un de ses meilleurs éléments à la barre de son usine indienne de pesticides, la multinationale américaine soulignait le contrôle qu'elle entendait exercer sur elle. D'aspect modeste, presque timide derrière ses grosses lunettes, l'Américain Warren Woomer était l'un des ingénieurs les plus expérimentés et les plus respectés de Carbide. Ni l'Inde ni Bhopal n'étaient des planètes inconnues pour lui. Woomer y avait déjà effectué deux missions, l'une pour aider ses collègues indiens à faire fonctionner leur unité fabriquant l'alpha-naphtol, substance qui entrait dans la composition du Sevin. L'autre pour assister ces mêmes Indiens dans le démarrage de leur usine de Mic, et vérifier qu'ils appliquaient correctement tout ce qu'il leur avait enseigné à Institute.

Un Américain à la tête d'un millier d'Indiens d'origines, de castes, de religions, de langues différentes... C'était le défi le plus rude de sa carrière. Woomer commença par une inspection détaillée du navire : « Je ne trouvai rien de fondamental à redire, dira-t-il. Bien sûr, la salle de contrôle nous paraîtrait aujourd'hui obsolète, mais à l'époque elle représentait ce qu'on pouvait faire de mieux en Inde. Qu'il s'agisse de la conception de l'usine ou de son fonctionnement, je ne remarquai rien de vraiment choquant. De toute façon, ma bible était le *Manuel d'utilisation de l'isocyanate de méthyle* avec ses quarante pages d'instructions. Chacune était parole d'Évangile, en particulier la consigne qui impose de conserver le Mic à une température voisine de zéro degré centigrade dans les cuves de stockage. Sur ce point, j'étais décidé à me montrer intraitable. Oui, chaque goutte de Mic devait être impérativement maintenue à zéro degré. Ma longue lune de miel avec les matières chimiques les plus dangereuses m'incita par ailleurs à ajouter une recommandation au manuel d'utilisation du Mic. Je la jugeais capitale : *Ne garder sur place qu'un strict minimum d'isocyanate de méthyle.* »

S'il ne rencontra aucun problème sur le plan technique, Woomer s'aperçut que bien des choses pouvaient être améliorées, notamment la façon dont les membres du personnel exécutaient leurs tâches. « Par exemple, personne ne prenait la précaution de porter des lunettes de sécurité, se souviendra-t-il. Un jour, j'ai appliqué ma main sur les yeux d'un opérateur. "Voilà comment vos enfants et vos petits-enfants risquent de voir votre visage si vous ne protégez pas vos yeux ", lui ai-je dit sévèrement. L'histoire fit le tour de l'usine et, le lendemain, je constatai que tout le monde portait des lunettes de sécurité. Je compris alors qu'en Inde c'est par le cœur qu'on touche les gens. »

Bien d'autres préoccupations attendaient le nouveau capitaine. D'abord, comment retenir les noms imprononçables de tant de collaborateurs ?

— Sathi, dit-il un jour à sa secrétaire, vous allez m'apprendre à prononcer correctement les patronymes et les prénoms de tous ceux qui travaillent à l'usine, y compris ceux de leurs épouses et de leurs enfants. Et je vous prie de me signaler mes erreurs dues à mon ignorance des us et coutumes de votre pays.

— *Sahb*[1], en Inde, les employés ne disent pas à leur patron ce qu'ils doivent faire, répondit la jeune Indienne.

_____

1. Diminutif affectueux de « *Sahib* ».

— Je ne vous demande pas de me dire ce que je dois faire, répliqua vivement Woomer. Je vous demande de m'aider à être le meilleur patron possible.

Le meilleur patron possible ! Warren Woomer allait découvrir, parfois à ses dépens, l'extrême subtilité des rapports dans cette société indienne où chaque personne tient une place spéciale dans une myriade de hiérarchies différentes. « J'appris à ne jamais faire de remarque à quelqu'un en présence de son supérieur, dira-t-il. J'appris à ne jamais annoncer une décision sans que chacun ait eu l'occasion de s'exprimer afin qu'elle paraisse le résultat d'un choix collectif. Mais surtout, j'appris qui était Rama, qui étaient Ganesh, Vishnou, Shiva ; quels événements commémoraient les fêtes de Moharam ou de l'Ishtema ; qui étaient le gourou Nanak ou le dieu du Travail que vénéraient si ardemment mes ouvriers et qui portait un nom si difficile à retenir. »

*

L'Américain Warren Woomer ne put ignorer longtemps le nom de Vishwakarma, l'un des principaux géants du panthéon hindou. Dans la mythologie de l'Inde, ce dieu personnifie la puissance organisatrice. Les textes sacrés le glorifient comme « l'artisan de l'univers, le dieu qui voit tout, le dispensateur de tous les mondes, celui qui donne leurs noms aux divinités et se situe au-delà de la compréhension des mortels ». Il est aussi l'artificier des dieux et le fabricant de leurs outils, le seigneur des arts et le charpentier du cosmos, le constructeur des chariots célestes et le créateur de tous les ornements. C'est pourquoi il est la divinité tutélaire des artisans, le protecteur de tous les métiers manuels qui permettent aux hommes de subsister.

Chaque année après la lune de septembre, son effigie triomphante pénètre sur les lieux de travail – depuis les plus petits ateliers jusqu'aux usines géantes les plus modernes. C'est un moment privilégié de communion entre patrons et ouvriers, une réjouissance unissant les riches et les pauvres dans une même vénération et une même prière.

En l'espace d'une nuit, les réacteurs, les pompes, les colonnes de distillation de la belle usine furent décorés de couronnes de jasmin et d'œillets entremêlés en l'honneur de Vishwakarma. Les trois grandes citernes destinées à contenir les dizaines de milliers de litres de Mic furent enveloppées d'étoffes multicolores, ce qui leur donna soudain un air de chars de carnaval. Le vaste atelier de « formulation » du Sevin où devait se tenir la fête fut recouvert de tapis et ses murs ornés de banderoles, d'oriflammes, de guirlandes de fleurs. Des ouvriers apportèrent des caisses pleines de marteaux, de clefs, de pinces, et de cent autres outils qu'ils disposèrent sur le sol et décorèrent de feuillages et de fleurs. D'autres dressèrent un tabernacle monumental pour y installer la représentation du dieu sur un coussin de pétales de roses. Sur son éléphant recouvert d'un tapis incrusté de pierreries, l'effigie évoquait un maharaja. Vishwakarma portait une tunique brodée de fils d'or et constellée de bijoux. Il se différenciait d'un humain par ses ailes et ses quatre bras qui brandissaient une hache, un marteau, un arc et le fléau d'une balance. Plusieurs centaines d'ingénieurs, d'opérateurs, de contremaîtres et d'ouvriers, la plupart accompagnés de leurs femmes et de leurs enfants, tous parés de leurs habits de fête, remplirent bientôt l'atelier. Accroupis pieds nus au milieu de cette mer humaine, Warren et Betty Woomer, seuls étrangers, assistaient avec étonnement et respect à la pittoresque cérémonie.

Après avoir psalmodié dans un micro de vibrants mantras, un pandit au crâne rasé plaça sur un *thali*, le plat d'argent rituel, les différents accessoires de la cérémonie : d'abord, le feu purificateur qui brûlait dans une coupelle de terre cuite pleine d'huile, puis des pétales de rose, quelques boulettes de pâte sucrée, une poignée de grains de riz et enfin le *sindoor*, un petit tas de poudre écarlate. Agitant énergiquement sa clochette, le pandit vint bénir la collection d'outils disposés par les ouvriers. Une voix retentit alors, aussitôt suivie de centaines d'autres. *Vishwakarma-kijai!* « Vive Vishwakarma ! » C'était le signal. La cérémonie était terminée mais les festivités pouvaient commencer. La direction de l'usine avait fait préparer dans un atelier voisin un banquet de curry de viande et de légumes, de lassi, de *puri*[1]. La bière et le vin de palme coulèrent à flots. Les haut-parleurs du système d'alarme déversèrent une marée tonitruante d'airs populaires, des pétards éclatèrent de tous côtés. Employeurs et employés se donnaient à la fête.

*

Warren et Betty Woomer, comme la plupart des responsables de la belle usine, ignoraient qu'une même ferveur unissait autour du dieu des Outils les habitants des bastis voisins. Ces quartiers n'abritaient-ils pas aussi une fantastique concentration de travailleurs ? Les ateliers du cordonnier Iqbal, du brodeur de saris Ahmed Basi, du réparateur de bicyclettes Salar, étaient trois petits maillons dans une chaîne de chantiers où les dévots de Vishwakarma assuraient leur survie. À Jai Prakash et à Chola, des enfants découpaient des feuilles de laiton pour en faire des ustensiles, ou trempaient des capuchons de stylos dans des bains de chrome aux vapeurs délétères. Ailleurs, pour aider leurs familles, d'autres jeunes s'empoisonnaient lentement en fabriquant des allumettes et des pétards, manipulant pour cela du phosphore, de l'oxyde de zinc, de la poudre d'amiante. Dans l'obscurité de *workshops*[2] mal aérés, des hommes émaciés laminaient, sou-

---

1. Beignet léger de pâte feuilletée gonflée.
2. Ateliers.

daient, ajustaient des pièces de ferronnerie dans une odeur d'huile brûlée et de métal surchauffé. À quelques pas de la spacieuse maison de l'usurier sikh Pulpul Singh, une dizaine d'hommes assis en tailleur confectionnaient des bidis. C'étaient presque tous des tuberculeux qui n'avaient plus la force de pédaler sur un cyclopousse ou de tirer un *tilagari* [1]. À condition de ne pas s'arrêter une minute, ils parvenaient à rouler jusqu'à mille trois cents cigarettes par jour. Un tharagar venait chaque soir de la ville pour ramasser leur production. Pour mille bidis, ils recevaient douze roupies, le prix de deux kilos de riz.

Quelle surprise auraient éprouvée le président Anderson et son directeur Warren Woomer s'ils avaient pu découvrir ces lieux où tant d'hommes et d'enfants passaient leur vie à forger des ressorts, des pièces de camions, des axes pour métiers à tisser, des boulons, des réservoirs de voitures et même des engrenages de turbines au dixième de micron. Des hommes et des enfants qui, avec une dextérité, une inventivité et une débrouillardise surprenantes savaient fabriquer, copier, réparer, rénover n'importe quelle pièce, n'importe quelle machine. Ici, le moindre morceau de métal, les plus infimes débris étaient réemployés, transformés, adaptés. Ici, rien n'allait jamais à la casse. Tout renaissait toujours comme par miracle.

En prévision de la fête, le travail avait cessé depuis la veille dans les ateliers et chacun s'était empressé de les nettoyer, de les repeindre, de les décorer avec des guirlandes de feuillages et de fleurs. Les travailleurs de l'Orya basti, de Chola et de Jai Prakash faisaient eux aussi la fierté du dieu des Outils.

Au cours de la nuit, toutes ces antichambres de l'enfer s'étaient transformées en lieux de culte ornés de reposoirs somptueusement décorés et fleuris. Les traditionnels chromos du dieu à quatre bras juché sur son éléphant trônaient partout. Les esclaves d'hier avaient revêtu des che-

---

1. Char à bras.

mises rutilantes et des longhi tout neufs; leurs épouses avaient sorti leur sari de fête préservé de la voracité des cancrelats dans le coffre familial. Les enfants resplendissaient dans leurs habits de petits princes. La population entière se pressait derrière la fanfare des cuivres et des tambours dont les éclats retentissaient dans les ruelles. Le parrain Munné Babba était présent, entouré de ses deux épouses parées comme des reines dans les saris de soie qu'Ahmed Ali avait brodés et incrustés de perles. Le tailleur musulman était là lui aussi, sa petite calotte sur la tête : car la fête transcendait toutes les appartenances religieuses. Son compère le mullah à barbiche à ses côtés, le sorcier Nilamber qui faisait office de pandit entraîna le cortège d'atelier en atelier pour y psalmodier des mantras et bénir les outils avec la flamme du feu purificateur. Derrière lui, Padmini marchait fièrement, vêtue d'une longue robe de coton écarlate, cadeau de sœur Felicity. La jeune Indienne avait convaincu la religieuse écossaise de se joindre à la fête. Apercevant la croix qui pendait à son cou, de nombreux ouvriers lui demandèrent de venir bénir leurs outils, au nom de son dieu à elle. « Sois loué, ô Dieu de l'univers qui donnes le pain car Tes enfants de l'Orya basti, de Chola et de Jai Prakash T'aiment et croient en Toi, répéta sœur Felicity avec ferveur dans chaque atelier. Et réjouis-Toi avec eux de ce jour de lumière dans la difficulté de leur vie. »

23

« Un demi-million d'heures de travail sans une journée perdue »

La cité des bégums ne pouvait que bénir le président de Carbide. Aucune entreprise industrielle venue s'installer dans ses antiques murailles ne se montrait aussi soucieuse de la qualité de son image, aucune ne manifestait autant de sollicitude envers son personnel. Les exemples abondaient. Les travailleurs musulmans disposaient dans l'usine d'un espace de prières tourné vers La Mecque, les hindous de petits autels consacrés à leurs principaux dieux. Lors de la fête hindoue honorant la déesse Dourga, la direction procurait aux ouvriers un groupe électrogène pour illuminer sa statue richement décorée. Les avantages matériels n'étaient pas moins nombreux. Une caisse spéciale permettait de prêter de l'argent pour les mariages et les fêtes. Le système de couverture sociale et de retraite plaçait l'usine en tête de la plupart des entreprises indiennes. Une cantine accessible à tous distribuait des repas au prix symbolique de deux roupies.

Mais, conformément à ce qu'on leur avait enseigné à Institute, c'était avant tout la sécurité de leur personnel qui préoccupait les responsables de l'usine. Carbide offrit au principal établissement médical de la ville, le vénérable hôpital Hamidia où le lépreux Ganga Ram et sa femme Dalima avaient été guéris, un équipement de réanimation ultramoderne permettant de traiter simultanément plusieurs victimes de contaminations gazeuses. L'événement donna lieu à une manifestation largement rapportée par les journaux. Une infirmerie-hôpital équipée de tout le matériel de secours respiratoire, d'un équipement radiologique et d'un laboratoire fut par ailleurs édifiée à l'entrée même du site. « Nous étions persuadés que toutes ces précautions étaient superflues, dira Kamal Pareek, mais elles faisaient partie de la *safety culture* qu'on nous avait inculquée. » Cette culture de la sécurité s'accommodait pourtant de surprenantes lacunes. Le personnel médical engagé par Carbide ne bénéficia d'aucune formation spécifique sur la pathologie des accidents gazeux, en particulier ceux pouvant être causés par l'isocyanate de méthyle.

*

Transmettre l'enseignement reçu à Institute à plus d'un millier d'hommes presque inconsciemment confrontés aux plus extrêmes dangers, telle était la tâche du jeune responsable adjoint de la sécurité. « Faire comprendre le danger était quasiment impossible, racontera Pareek. Le propre d'une usine chimique est de rendre le danger invisible. Comment faire peur sans montrer le danger ? » Réunions d'information, exercices d'alerte, campagnes d'affichages, expositions sur la sécurité avec participation des familles, concours de slogans... Pareek et son supérieur inventaient sans cesse de nouvelles occasions d'éveiller l'instinct de survie de chacun. Bientôt, Warren Woomer put envoyer un bulletin de victoire à sa direction en Amérique : « Nous vous annonçons un demi-million d'heures de travail sans une seule journée perdue. »

La sécurité, Pareek le savait, reposait aussi sur un certain nombre d'équipements spécifiques comme, par exemple, le puissant système d'alarme dont l'usine était dotée. Au moindre début d'incendie, à la plus petite émission de gaz toxique, le superviseur de quart dans la salle de contrôle avait l'ordre de déclencher une sirène d'alerte générale. En même temps, des haut-parleurs informaient les personnels, d'abord en anglais puis en hindi, sur la nature précise du gaz incriminé, sur la localisation exacte de la fuite, sur la direction dans laquelle soufflait le vent. Cette dernière information était fournie par une manche à air flottant au bout d'un mât devant l'unité du Mic. Dans le cas d'une fuite majeure, les personnels recevraient l'ordre d'évacuer les lieux. L'abandon de l'usine se ferait sans panique, comme pendant les exercices que l'ingénieur Pareek organisait régulièrement

Ce système d'alarme ne s'adressait toutefois qu'aux équipes travaillant sur le site de l'usine. Aucun haut-parleur n'était orienté vers l'extérieur, c'est-à-dire en direction des bastis où s'entassaient des milliers de victimes potentielles. « Dès mon arrivée, la proximité de tous ces gens fut un de mes soucis majeurs, avouera Warren Woomer. Tous les soirs, je faisais déloger par nos gardiens ceux qui installaient leurs campements contre le mur même de notre enceinte. Parfois, certains n'hésitaient pas à passer par-dessus la clôture et l'on avait toutes les peines du monde à les faire déguerpir. L'usine était un tel pôle d'attraction ! Tant de gens espéraient y trouver un travail ! C'est pour cela qu'ils s'en approchaient toujours de plus près. » Un jour, Woomer décida d'intervenir personnellement auprès des responsables de la municipalité pour qu'ils obligent la population « à s'écarter le plus loin possible » de ses installations. Sa démarche échoua. Aucune autorité ne paraissait disposée à lancer une nouvelle opération d'éviction contre les squatters de l'Esplanade noire. Woomer proposa de mettre sur pied un plan d'évacuation de la population en cas d'accident majeur. L'idée même d'un tel plan suscita une hostilité immédiate, jusque dans les sphères les plus hautes du gouvernement du Madhya

Pradesh. Ne risquait-on pas d'affoler les gens, de provoquer le départ de quelques-uns? Un danger qu'Arjun Singh, le Premier ministre de l'État, ne voulait courir à aucun prix. Les élections approchaient et il avait besoin de toutes les voix, d'où qu'elles viennent. Le gros Munné Babba, son agent électoral dans les trois bastis, était déjà en campagne. L'astucieux politicien avait tout prévu pour assurer sa réélection. Non seulement il empêcherait l'expulsion de ses électeurs, mais il s'attacherait leurs votes en leur faisant le plus beau cadeau de leur existence.

*

La scène qu'imagina un jour l'ingénieur Kamal Pareek paraissait extraite d'un film d'horreur. Le métal d'une canalisation s'était fendu, laissant échapper un flot d'isocyanate de méthyle. L'accident n'étant pas dû à une banale fuite comme celle que les équipements de sécurité étaient propres à contenir, la tragédie était imparable. Un nuage mortel de Mic allait se répandre dans l'usine puis dans l'atmosphère. Ce scénario catastrophe, Pareek en eut l'idée en voyant un train bondé de voyageurs s'arrêter sur la voie ferrée qui passait entre l'usine et les bastis. Était-il possible qu'un nuage de Mic poussé par le vent vienne s'abattre sur ces centaines de malheureux pris au piège dans leurs wagons? L'ingénieur voulut le savoir. Il se rendit à Nagpur, l'ancienne capitale des Provinces centrales, et se présenta au siège de l'Observatoire central de la Météorologie nationale indienne. L'établissement conservait dans ses archives les relevés des observations météorologiques effectuées dans les principales villes de l'Inde depuis un quart de siècle. Températures, pressions hygrométriques et barométriques, densité de l'air, intensité et direction des vents, etc. Toutes les informations se trouvaient enregistrées sur de volumineux rouleaux de papier. En huit jours de compilation, l'ingénieur put dégager de cet océan de données une masse de renseignements sur les conditions météorologiques particulières à Bhopal. Par exemple, dans soixante-quinze pour cent des cas, les vents soufflaient du nord vers le sud à une vitesse de dix à trente kilomètres à l'heure. La température moyenne en décembre était de quinze degrés le jour mais seulement de sept degrés la nuit.

Pareek rangea cette documentation dans un carton qu'il expédia au département de sécurité d'Union Carbide à South Charleston pour faire réaliser une simulation sur ordinateur. Celle-ci devait dire si le nuage toxique de son scénario, compte tenu des conditions météorologiques prévalant à Bhopal, risquait de s'abattre ou non sur le train arrêté devant les bastis. La réponse arriva trois jours plus tard sous la forme d'un court télex. *It is not possible, even under the worst conditions, that the toxic cloud will hit the railway line. It will pass over it* [1].

« Il passera au-dessus... », répéta plusieurs fois l'ingénieur, le souffle coupé. Une vision d'horreur traversa son regard. « Mon Dieu, songea-t-il, c'est donc sur les bastis qu'irait s'abattre le nuage. »

*

Les parties de tennis acharnées que disputait chaque matin Warren Woomer avant de gagner son bureau révélaient un moral au beau fixe. Le patron de la « belle usine » avait toutes les raisons d'être satisfait. Après une première année médiocre, la production et les ventes du Sevin s'étaient envolées pour atteindre deux mille sept cent quatre tonnes en 1981. La moitié de la capacité de

---

1. « Il est impossible que le nuage toxique, même dans les pires conditions atmosphériques, s'abatte sur la ligne de chemin de fer. Il passera au-dessus. »

l'usine mais trente pour cent de plus que les prévisions les plus optimistes formulées par Eduardo Muñoz avant son départ. Cependant, en dépit de ce succès, la « belle usine » donnait de graves soucis à l'ingénieur américain. Le plus sérieux venait de l'unité de fabrication de l'alpha-naphtol. L'installation conçue par des ingénieurs indiens n'avait jamais pu, malgré plusieurs modifications, fournir un produit d'une pureté satisfaisante. Il fallut se résoudre à importer l'alpha-naphtol directement d'Institute, aux États-Unis. Ce fiasco coûtera finalement huit millions de dollars à Carbide, soit quarante pour cent du budget de toute l'usine approuvé en 1973 par la direction de Park Avenue.

Pour comble de malheur, en 1978, un incendie avait partiellement ravagé l'installation. La gigantesque colonne de fumée noire, qui avait caché le soleil avant de répandre une pluie de particules nauséabondes sur les toits et les terrasses, avait été la première signature de Carbide dans le ciel de Bhopal. Apercevant de sa maison l'incroyable spectacle, un jeune journaliste du nom de Rajkumar Keswani s'était précipité sur les lieux du sinistre, mais toute la zone était déjà ceinturée par des centaines de policiers. Personne ne pouvait approcher.

Quatre ans après cet accident, l'étoile de Carbide continuait cependant de resplendir au firmament de la cité des bégums. Sur les collines de Shamla, les savants du centre de recherches venaient de découvrir une nouvelle molécule encore plus efficace sur les prédateurs du riz et du coton de la région. Et le restaurant panoramique surplombant la ville était devenu le lieu de rendez-vous favori de l'establishment politique et mondain local. Ceux qui y ont assisté n'oublieront jamais les spectacles extravagants qui animaient certains dîners, comme ces ballets nautiques organisés dans la piscine par l'épouse du directeur général de la filiale indienne de Carbide, elle-même danseuse et nageuse accomplie. Les initiés savaient que cette

luxueuse résidence servait aussi à des rencontres plus privées. Carbide y avait mis une suite à la disposition permanente d'Arjun Singh, le Premier ministre du Madhya
Pradesh. À Bhopal comme ailleurs, l'argent et le pouvoir
faisaient bon ménage.

24

Des racines pour toujours dans la terre de l'Esplanade noire

L'appel avait couru de hutte en baraque, de boutique en atelier, comme une traînée de poudre. Il intimait à la population des trois bastis de se rassembler sur l'esplanade de la tea-house pour une communication de la plus haute importance.

— Ça y est, Carbide nous engage tous ! claironna Ganga Ram qui n'avait pas digéré d'avoir été rejeté à cause de ses mains mutilées.

— Pauvre pomme, tu rêves ! lui lança le cordonnier Iqbal, toujours pessimiste. C'est pour nous annoncer qu'on va être expulsés. Et cette fois, ce sera pour de bon !

L'arrivée de Dalima sur ses béquilles interrompit l'échange. Un œillet jaune dans les cheveux, des bracelets de verre tintinnabulant à ses poignets, la jeune infirme arborait un air conquérant.

— C'est pour nous dire qu'ils vont installer une fontaine d'eau potable avec des robinets ! annonça-t-elle.

— Pardi, ils ont besoin de nous pour les élections, commenta aussitôt la vieille Prema Bai.

En Inde comme ailleurs, c'étaient les femmes qui montraient le plus de lucidité.

Tout à coup, une voix sortie d'un haut-parleur déchira le ciel.

189

— Habitants de l'Orya basti, de Jai Prakash, de Chola, dépêchez-vous! commandait-elle.

Le peuple des bastis jaillit des ruelles comme les affluents d'un fleuve roulant vers la mer. Sœur Felicity, qui était en train de vacciner les enfants contre la polio, confia sa seringue à Padmini.

— Je me croirais chez moi en Écosse quand un orage éclate, dit-elle. Tous les moutons se mettent à courir vers la voix qui les appelle.

Padmini fit un effort pour imaginer la scène. Elle n'avait jamais vu de moutons. C'est alors qu'apparut Rahul, le cul-de-jatte.

— Padmini, cours à l'usine prévenir ton père et les autres. Dis-lui de rameuter tout le monde. – Prenant soudain l'air mystérieux de celui qui en sait plus, il chuchota : — Je crois que le bien-aimé Premier ministre de notre État veut nous faire une surprise.

La jeune Indienne rendit sa seringue à la religieuse, et partit en courant vers l'usine. Partout les esclaves des ateliers-bagnes abandonnaient leurs outils et leurs machines pour converger vers le grand rassemblement. À mesure qu'ils arrivaient, Belram Mukkadam les faisait asseoir d'un mouvement de sa canne. Bientôt, l'esplanade entière fut recouverte d'une mer humaine.

Un camion déboucha alors. Il était chargé d'affiches que Mukkadam fit aussitôt placarder tout autour de la tea-house. Sur la plupart d'entre elles, les gens reconnurent le front dégarni, les lèvres charnues, les grosses lunettes du Premier ministre du Madhya Pradesh. D'autres affiches représentaient une main ouverte. De même que le dieu Shiva avait pour emblème un trident, Vishnou une roue, l'islam un croissant, le parti du Congrès dont Arjun Singh était l'un des caciques avait choisi pour symbole la paume d'une main grande ouverte. Le camion transportait aussi une collection de petites pancartes que Rahul, Ganga Ram et d'autres s'employèrent à distribuer. WE LOVE YOU,

190

ARJUN! disaient-elles. ARJUN, YOU ARE OUR SAVIOUR!, ARJUN, BHOPAL NEEDS YOU [1]! Certaines pancartes allaient même jusqu'à proclamer : ARJUN, INDIA WANTS YOU [2]!

Retenu à New Delhi auprès d'Indira Gandhi, l'organisateur de cette incroyable mise en scène avait donné tout pouvoir à son représentant officiel dans les bastis de l'Esplanade noire pour que la manifestation serve au mieux ses intérêts électoraux. Le spectacle n'en fut que plus pittoresque, car c'est par l'arrivée solennelle d'un fauteuil vide que commencèrent les réjouissances. Porté par deux serviteurs en dhoti, l'auguste siège venait directement du salon de la résidence de Munné Babba. Incrusté de nacre et d'ivoire, il ressemblait plus à un trône qu'à un fauteuil. Quelques minutes plus tard, une étincelante Ambassador amenait le représentant du Premier ministre de l'État. Pour l'occasion, Munné Babba s'était coiffé de la couronne la plus légendaire de l'histoire indienne, le calot blanc des combattants de l'indépendance. Trente-huit ans après la mort du Mahatma Gandhi, le parrain des bastis savait que ce calot blanc restait un signe magique de ralliement.

Derrière le vieil homme, marchait à distance respectueuse son fils Ashoka, un grand gaillard au crâne rasé que les habitants des bastis avaient appris à craindre et à respecter. Gérant des débits de boisson clandestins contrôlés par son père, il ne transportait aujourd'hui ni alcool ni herbe à fumer, mais un petit coffret en bois d'ébène fermé par une serrure en cuivre. À l'intérieur de cette cassette se trouvait un trésor, le plus inestimable peut-être que pouvaient espérer recevoir les habitants de l'Orya basti, de Chola et de Jai Prakash.

Munné Babba s'installa sur son trône devant lequel Mukkadam avait placé une table recouverte d'une étoffe,

---

1. « Nous t'aimons, Arjun! Arjun, tu es notre sauveur! Arjun, Bhopal a besoin de toi! »
2. « Arjun, l'Inde te réclame. »

avec un bouquet de fleurs et des bâtonnets d'encens. À cause de l'ardent soleil, les yeux du parrain étaient dissimulés par des lunettes fumées, mais on pouvait deviner ses pensées au froncement plus ou moins saccadé de ses sourcils. Mukkadam fit apporter un micro dont le visiteur s'empara de ses doigts boudinés bagués d'or et de rubis.

— Mes amis ! s'écria-t-il d'une voix vigoureuse que quarante années de cigares n'avaient pas réussi à érailler, je suis venu vous distribuer, de la part de notre vénéré Premier ministre Arjun Singh...

À ce nom, la voix fit une pause, ce qui secoua d'un frémissement l'assemblée hérissée de pancartes. Quelqu'un lança : « Arjun Singh, *ki-jai* ! », mais le cri ne fut pas repris, la foule guettant impatiemment la suite du discours.

— À la demande de notre Premier ministre, reprit le parrain, je suis venu vous distribuer vos *patta*[1] !

L'écho de ce mot incroyable, surnaturel, inespéré, flotta dans l'air surchauffé pendant de longues, interminables secondes. Contemplant cette foule soudain incapable de réagir, sœur Felicity songea à une phrase de l'écrivain catholique Léon Bloy : « On n'entre pas au paradis demain, ni dans dix ans. On y entre aujourd'hui quand on est pauvre et crucifié. »

Depuis l'aube de l'histoire indienne, ce mot mythique de « patta » hantait les rêves des millions d'hommes auxquels un karma défavorable avait enlevé le droit élémentaire de posséder un toit ; il avait enfiévré les espérances de tous ceux qui, pour survivre, n'avaient d'autre recours que de planter leur hutte n'importe où, se condamnant ainsi eux-mêmes à une précarité permanente. Les naufragés de l'Esplanade noire faisaient partie de ces malchanceux. Eux, que le fils d'Indira Gandhi avait tenté de chasser par la force, eux qu'un directeur d'usine américain redoutait de voir camper sous les murs de son

---

1. Titres de propriété.

usine, s'accrochaient désespérément depuis des années au pitoyable carré de poussière que leur avait tracé un jour la canne de Belram Mukkadam. Et voilà que soudain le parrain leur apportait un titre de propriété officiel octroyé par le gouvernement du Madhya Pradesh leur reconnaissant le droit d'occuper leur misérable morceau de squat.

C'était trop beau. Tant pis s'il fallait renouveler ce titre au bout de trente ans, tant pis s'il fallait acquitter une taxe annuelle de trente-quatre roupies, tant pis s'il était théoriquement interdit de le mettre en gage ou de le revendre. Une folle clameur surgit de la foule qui se leva d'un seul mouvement. Les gens scandaient le nom d'Arjun Singh, de Munné Babba, d'Indira Gandhi. Ils dansaient, riaient, se congratulaient. Prise dans un remous, Padmini se trouva soudain soulevée au-dessus des têtes telle une figure de proue, emblème fragile d'un peuple qui brisait ses chaînes et conquérait un début de dignité. Pour ces hommes, ces femmes et ces enfants qui ne savaient pas lire, les morceaux de papier qui sortaient du coffre de Munné Babba étaient un cadeau des dieux. Ils feraient taire à jamais leurs peurs et planteraient pour toujours leurs racines dans cette terre d'accueil sur laquelle flottait le drapeau au losange bleu et blanc.

Chaque fois que Munné Babba invitait un bénéficiaire à venir chercher le document revêtu de son nom et de la désignation de son lot, un personnage barbu assis à l'arrière hochait la tête en frottant ses énormes sourcils. Pour le sikh Pulpul Singh, l'usurier du quartier, cette distribution était une aubaine mirobolante, une chance de multiplier sa fortune à l'infini, fût-ce en violant la loi. Pulpul Singh voyait déjà chaque papier sortant du coffret du parrain prendre le chemin de son coffre-fort à lui. Le jour où ces pauvres gens auraient besoin de lui emprunter de l'argent, quelle meilleure garantie pourrait-il exiger que le dépôt de ce titre magique qu'il trouverait toujours le moyen de revendre avec profit?

Deuxième partie

Une nuit bénie par les astres

25

Un gaz qui fait rire avant de tuer

Avec ses épaisses moustaches, ses sourcils broussailleux et ses joues rondes, le musulman Mohammed Ashraf, trente-deux ans, était le sosie de l'acteur Shashi Kapoor, l'idole du cinéma indien. Cette ressemblance lui valait d'être le travailleur le plus populaire de l'usine. Responsable d'une équipe de l'unité de fabrication du phosgène, Ashraf devait accomplir, ce 23 décembre 1981, une banale opération d'entretien. Il s'agissait de remplacer une collerette défectueuse entre deux éléments d'une tuyauterie.

— Pas besoin d'enfiler ce barda aujourd'hui, annonça-t-il à son camarade Harish Khan en montrant le lourd manteau de caoutchouc accroché à une patère du vestiaire. L'installation ne tourne pas. Y a pas de risque de fuite.

— Les gaz, ils se baladent même quand tout est arrêté, rétorqua vivement Khan. Vaut mieux faire gaffe. Quelques gouttes de ce maudit phosgène sur ton pull-over, ça peut faire mal. C'est pas comme le *bangla*[1] de la tea-house de Mukkadam !

Les deux hommes éclatèrent de rire.

— Je parie que le tord-boyaux de Mukkadam est encore plus dangereux que ce foutu phosgène, conclut Ashraf, pressé de mettre son masque.

---

1. Alcool distillé à partir de boyaux d'animaux fermentés.

Jamais personne n'avait eu à reprocher à l'opérateur musulman la moindre entorse aux consignes de sécurité. Ashraf était l'un des techniciens les plus sûrs de l'entreprise, même s'il abandonnait son poste de travail cinq fois par jour pour aller dans la cour faire sa prière sur son petit tapis tourné vers La Mecque, ou s'il arrivait en titubant à l'embauche du matin parce qu'il avait pêché à la ligne toute la nuit au bord du lac supérieur. Ce fils d'un petit commerçant du bazar devait tout à Carbide, à commencer par son mariage avec la fille d'un marchand de tissus de Kanpur, honoré d'avoir pour gendre un employé même subalterne de la prestigieuse multinationale. Diplômée d'économie, Sajda Bano était une belle jeune femme au teint clair. Elle lui avait donné deux fils, Arshad et Soeb, en qui il voyait déjà deux futurs « Carbiders ».

Le démontage de la collerette ne prit que quelques minutes. Mais, à l'instant du remontage de la nouvelle pièce, Ashraf vit à travers son masque une petite giclée de phosgène liquide jaillir du bord supérieur de la tuyauterie. Quelques gouttes atteignirent son chandail. Conscient du danger, il se précipita dans une cabine de douche pour rincer le vêtement. Il commit alors une erreur fatale. Au lieu d'attendre que le puissant jet d'eau ait achevé son œuvre de décontamination, il retira son masque. Aussitôt, la chaleur de sa poitrine vaporisa vers ses narines les quelques gouttes de phosgène encore nichées dans la laine du chandail. Sauf une légère irritation des yeux et de la gorge qui disparut rapidement, Ashraf ne ressentit aucun trouble sur le moment. Il ignorait que le phosgène a une façon machiavélique de tuer ses victimes. Il leur procure d'abord une sorte d'euphorie. « Je n'avais jamais vu mon mari aussi volubile, racontera Sajda Bano. Il semblait avoir oublié l'accident. Il nous emmena en auto visiter une petite maison de campagne qu'il voulait acheter au bord de la Narmada. Il était aussi gai qu'aux premiers jours de nos fiançailles. » Puis, soudain, il s'effondra, les poumons noyés par un afflux brutal de sécrétions. Il se mit à vomir un flot de fluide transparent mêlé de sang. Affolée, Sajda appela l'usine qui le fit transporter en ambulance jusqu'à l'unité de soins intensifs de l'hôpital Hamidia offerte par Carbide. On le plaça sous respiration artificielle. L'agonie se prolongea. Il rejetait de plus en plus de sécrétions, jusqu'à deux litres par heure. Bientôt, il n'eut même plus la force d'expectorer.

Sajda dut bousculer les membres de sa belle-famille pour se frayer un passage jusqu'au chevet de son mari. « Il était blanc comme un linge, dira-t-elle, mais quand il a senti ma présence, il a ouvert les yeux et arraché son masque à oxygène. " Je veux dire adieu aux enfants. Va les chercher ! " a-t-il murmuré. »

Quand la jeune femme revint avec les deux garçons, le mourant prit le plus jeune dans ses bras. « Fils, tu es d'accord pour une partie de pêche ? » demanda-t-il en se forçant à sourire. L'effort déclencha une violente quinte de toux. Puis il y eut une succession de râles et un dernier soupir. C'était fini. La « belle usine » de Bhopal conçue par les ingénieurs de South Charleston avait fait sa première victime. C'était le jour de Noël. Pour la jeune femme venue de sa lointaine province épouser un homme de Carbide, un deuil de trois mois et treize jours commençait.

*

L'usine entière pleura son martyr. L'un des plus affectés par cet accident fut son directeur. « Nous n'avions rien à nous reprocher, dira Warren Woomer. Mohammed Ashraf avait été parfaitement formé aux dangers de sa profession. En négligeant de mettre son manteau de caoutchouc et en retirant son masque trop tôt, il a commis deux fautes gravissimes. C'était la première fois de ma vie d'ingénieur que je perdais un de mes hommes. J'avais eu des blessés, mais jamais de mort. C'était le genre de situation où vous avez absolument besoin de comprendre ce qui s'est passé parce qu'il ne faut pas que cela se reproduise. Quelles qu'aient pu être les circonstances de l'accident. »

*

Deux employés entreprirent de répondre à l'interrogation du directeur américain. L'hindou Shankar Malviya, trente-deux ans, et le musulman Bashir Ullah, trente et un ans, dirigeaient le principal syndicat de l'entreprise. Tous deux venaient de familles très pauvres des bastis de Bhopal. Leur énergie et leur volonté de se mobiliser au service de leurs camarades leur valaient une immense popularité. Dans une lettre d'une extrême violence, ils accusèrent formellement la direction d'être responsable de la mort de leur compagnon. En effet, une norme de sécurité interdisait tout stockage de phosgène lorsque l'unité le fabriquant n'était pas en production. Ce qui était le cas au moment de l'intervention d'Ashraf. Aucune trace de ce gaz n'aurait dû se trouver à l'intérieur des tuyauteries. Pourtant, en dépit du règlement, une certaine quantité de phosgène avait été laissée dans les réservoirs. Aucun responsable n'en avait averti le malheureux opérateur, ce qui engageait la responsabilité de l'entreprise. Selon les deux chefs syndicalistes, cet accident indiquait une incontestable dégradation de la sécurité chez Carbide. Ils allaient donc demander au gouvernement du Madhya Pradesh de placer immédiatement l'usine dans la catégorie des entreprises fabriquant des produits à haut risque, ce qui la soumettrait à des obligations de sécurité beaucoup plus strictes.

« Pour la première fois, les gens prirent conscience d'une réalité que toutes nos campagnes pour la sécurité n'avaient pu leur faire comprendre : les substances qu'ils manipulaient étaient mortelles, dira Kamal Pareek. Mais, cette fois, le danger avait un visage. »

Le 10 février 1982, un peu plus d'un mois après la mort de Mohammed Ashraf, un nouvel accident se produisit, entraînant l'intoxication de vingt-cinq ouvriers qu'il fallut hospitaliser d'urgence. Heureusement, on ne déplora aucun décès. Il y avait eu une fuite de gaz sur une pompe de phosgène. Le fait qu'aucune des victimes n'ait reçu l'ordre de porter un masque protecteur en évoluant dans cette zone sensible exacerba la colère des deux syndica-listes. La direction se défendit en affirmant que les fuites résultant de défaillances mécaniques ne dépassaient jamais le *toxicity level*, le niveau de toxicité au-delà duquel ce type de problème risque d'être fatal. Malviya et Ullah cherchèrent en vain à savoir comment et en vertu de quels critères avait été déterminé ce « niveau » qui ne figurait dans aucun manuel ou document officiel de la société. « Cela faisait partie des nombreux mystères qui entou-raient les opérations de Carbide à Bhopal », constateront-ils.

Leur rage ne risquait pas de s'apaiser. Le 5 octobre de la même année, un nouvel accident frappa l'usine en pleine nuit. Cette fois, il se produisit dans l'unité qui fabri-quait l'isocyanate de méthyle. Alors qu'un opérateur ouvrait une vanne sur une canalisation de Mic, la colle-rette qui la réunissait à plusieurs autres tuyaux se rompit brutalement, ce qui provoqua le dégagement d'un énorme nuage de vapeurs toxiques. Avant de s'enfuir, l'opérateur déclencha la sirène d'alarme. Quelques secondes plus tard, selon la procédure mise au point par Kamal Pareek, la voix du superviseur de la salle de contrôle ordonna l'évacuation de l'usine. La position de la manche à air au sommet du mât indiquait un vent modéré de secteur nord-nord-est. Tous ceux qui se trou-vaient présents dans l'usine s'enfuirent donc à toutes jambes dans la direction opposée, c'est-à-dire vers les bas-tis de l'Esplanade noire.

*

Le Mangala Express arrachait régulièrement à leur sommeil les habitants de ces quartiers. Chaque soir, tout le monde redoutait le fracas de son passage. Seule la vieille accoucheuse Prema Bai n'en souffrait pas : elle était sourde. Les voisins disaient que le vacarme d'un troupeau d'éléphants piétinant les baraques de sa ruelle ne la réveillerait pas. Ce fut pourtant elle qui donna l'alerte cette nuit-là.

— Debout! Debout, tout le monde! Il y a du grabuge chez Carbide! criait-elle en courant de hutte en hutte, enveloppée dans son sari blanc de veuve.

Prema Bai était la première à avoir entendu les hurlements lointains de la sirène. Ameutés par ses cris, les voisins se levèrent les uns après les autres en bougonnant, furieux d'avoir été arrachés pour la deuxième fois à leur sommeil. Tout le monde tendit l'oreille vers les rugissements assourdis provenant de l'usine.

— C'est peut-être parce que quelqu'un a mis le feu quelque part, ricana Ganga Ram qui vouait une haine à mort à Carbide.

— Calmez-vous, les amis! intervint Belram Mukkadam. On l'entend presque tous les jours leur sirène. C'est pas pour nous qu'elle sonne, mais pour les gars qui travaillent à l'intérieur.

— Peut-être même qu'elle se met en marche toute seule, hasarda le tailleur Ahmed Bassi.

— N'empêche qu'elle sonne, coupa Salar, le réparateur de vélos. Il faut se renseigner.

— Tu as raison, Salar, approuva le sorcier Nilamber en tripotant nerveusement sa barbiche.

Une voix monta alors du sol. Le cul-de-jatte Rahul venait d'arriver sur sa planche à roulettes. Il avait pris le temps d'arranger son chignon et de mettre ses colliers.

— Voyons, mes amis, mais pourquoi cette sirène vous fait-elle peur ? demanda-t-il. On l'entend presque tous les jours !

— Oui mais, cette nuit, elle sonne sans s'arrêter, intervint Sheela, la mère de Padmini, visiblement inquiète.

L'assistance grossissait de minute en minute. Des gens mal réveillés, hirsutes, pieds nus, arrivaient de Chola et de Jai Prakash. L'appel de la vieille Prema Bai s'était propagé de ruelle en ruelle.

Ratna Nadar, le père de Padmini, se pencha vers le cul-de-jatte.

— Tu le sais, toi, ce qu'elle fabrique l'usine de Carbide ? interrogea-t-il.

Rahul parut surpris par la question.

— C'est à toi qu'il faut le demander, puisque ça fait deux ans que tu y travailles tous les jours.

Le petit homme fit mine de réfléchir, puis haussa les épaules en signe d'impuissance.

— Non, j'en sais rien. Personne ne nous l'a jamais dit.

Rahul avança sa planche vers le centre de l'assistance qui forma un cercle autour de lui. Sa réputation d'homme le mieux informé des bastis commandait l'attention.

— Eh bien moi, je vais vous le dire ce que fabrique Carbide à l'Esplanade noire, déclara-t-il dans le silence général. J'ai interrogé des gros bonnets et je peux vous assurer que vous n'avez pas à avoir peur. Carbide fabrique des médicaments pour les plantes malades. Des petites graines blanches pour les débarrasser des insectes qui les attaquent et volent leurs récoltes aux pauvres types qui les ont plantées. Et des petites graines blanches, c'est dangereux pour personne. Sauf pour les maudites petites bêtes dans les plantes.

Ratna Nadar se rappela les hordes de pucerons noirs qui dévoraient son champ de Mudilapa.

— Tu veux dire que tous ces tuyaux, toutes ces machines, tous ces sacs de poudre qui s'en vont chaque jour sur des camions, c'est seulement pour tuer les sales petites...

L'émotion étranglait sa gorge.

— Tu as compris, mon frère, approuva Rahul. — Montrant de sa main droite aux doigts couverts de bagues l'usine illuminée, il prit une voix solennelle : — Vous pouvez aller vous recoucher, les amis. Cette sirène n'est pas pour nous ! »

À peine le cul-de-jatte avait-il fini de parler que cinq hommes surgirent de la nuit au bord des voies ferrées. Hagards, livides, les yeux exorbités, à bout de forces, ils ressemblaient à des spectres sortis d'un film d'horreur. L'un d'eux traînait un camarade inanimé. D'autres fuyards arrivaient derrière ce premier groupe.

— Foutez le camp ! Il y a eu un accident, hoqueta l'un d'eux qui s'était arrêté pour reprendre son souffle. L'usine est pleine de gaz. Si le vent se met à souffler par ici, vous risquez tous d'y passer.

Belram Mukkadam leva sa canne au-dessus des têtes. Il y avait noué sa *gamcha* [1] et la brandissait comme un fanion de ralliement.

— On se tire ! cria-t-il. Suivez-moi ! Vite !

Un semblant de cortège se forma derrière lui. Il n'y avait pas d'affolement car, malgré la sirène qui rugissait toujours, il était difficile de croire au danger. Avant de partir, la vieille Prema Bai alluma de l'encens devant l'effigie du dieu sur le petit autel au bout de la ruelle. C'est alors que survint un gros poussah à la barbe hirsute et au turban écarlate. Aidé par ses deux fils, l'usurier Pulpul Singh emportait son bien le plus précieux. Jamais il n'aurait quitté sa maison sans le coffre-fort dont il était le seul à connaître la combinaison.

---

1. Pièce de coton servant de serviette pour s'éponger ou de foulard pour se protéger du froid.

*

Les déclenchements répétés de la sirène d'alarme n'entamèrent en rien la confiance des responsables de l'usine. Quant aux autorités gouvernementales locales, elles se contentèrent d'écrire aux deux chefs du syndicat pour les assurer que la sécurité des travailleurs de Carbide « ferait l'objet d'une enquête attentive au moment opportun ».

À l'exception du malheureux Ashraf, les accidents n'avaient pas fait de victimes, ni dans l'usine ni à l'extérieur. Chez Carbide, on estima donc qu'ils étaient la rançon du rodage de toute nouvelle installation. Les deux syndicalistes n'étaient pas de cet avis. Ils firent imprimer six mille affiches que leurs adhérents s'empressèrent d'aller placarder sur les murs de l'usine et dans toute la ville. BEWARE ! BEWARE ! BEWARE ! ACCIDENTS ! ACCIDENTS ! ACCIDENTS ! [1] clamaient-elles en énormes lettres rouges sous lesquelles on pouvait lire : « La vie de milliers d'ouvriers et de centaines de milliers d'habitants de Bhopal est en péril à cause des gaz toxiques fabriqués par l'usine chimique de Carbide. » Les affiches énuméraient tous les accidents qui s'étaient produits, les violations répétées des lois du travail, les entorses dans l'application des normes de sécurité. Mais, pour vraiment mobiliser l'opinion, le syndicaliste hindou Malviya comptait sur une arme bien plus efficace. Le Mahatma Gandhi l'avait utilisée avec succès pour contraindre les colonisateurs britanniques à accepter ses exigences. Elle consistait à offrir sa vie à son adversaire. Malviya annonça qu'il allait entamer une grève de la faim.

---

1. Attention ! risques d'accidents !

26

« Vous serez tous réduits en poussière »

Le frêle petit homme à peau noire avait donc osé. Depuis une semaine, il s'était allongé sur un morceau de toile de *khadi*[1] devant le portail de l'usine. La nuque posée sur une pierre, un pichet d'eau à côté de lui, il incarnait la révolte des travailleurs de Carbide contre les conditions de travail qui avaient conduit l'un de leurs camarades à la mort. Chaque matin à l'aube, cinq ouvriers prenaient place aux côtés de Malviya pour jeûner avec lui durant vingt-quatre heures. Avant de rejoindre leurs postes de travail, les autres employés se rassemblaient autour des grévistes pour manifester leur solidarité. « *Har zor zulm key takkar mein sangharsh hamara nara hai !* – Contre toutes les formes d'oppression, battons-nous ! » criaient en chœur des centaines de voix.

Pour la multinationale qui avait bâti une grande part de sa réputation sur sa devise « *safety first* – la sécurité d'abord », ces grèves de la faim et les manifestations qui les accompagnaient constituaient un chantage inacceptable. La réaction fut immédiate et radicale. Toutes les réunions politiques et syndicales à l'intérieur de l'usine furent interdites. D. S. Pandé, l'énergique chef du personnel, n'hésita pas à venir sur le terrain pour mettre le feu

---

1. Tissu de coton brut filé au rouet.

à la tente qui servait de permanence au principal syndicat. La bagarre qui s'ensuivit fit plusieurs blessés, dont Pandé lui-même, ce qui valut aux responsables syndicalistes d'être immédiatement licenciés. Sans renoncer au combat, ils continuèrent leur action à l'extérieur. Meetings et cortèges dénonçant la mort de Mohammed Ashraf et réclamant un renforcement de la sécurité se succédèrent à travers la ville, écornant sérieusement dans l'opinion l'aura d'une société unanimement respectée. Curieusement, ni l'Américain Woomer ni aucun de ses adjoints indiens ne parurent s'alarmer de cette brutale explosion de mécontentement. Ce genre d'effervescence ouvrière n'était-elle pas habituelle dans les entreprises indiennes où les travailleurs n'hésitaient pas à séquestrer les patrons dans leurs bureaux pendant des semaines ? Mais chez Carbide, le fait qu'un simple ouvrier pût se coucher sur un trottoir pour défier la troisième société mondiale de produits chimiques fut ressenti comme un crime de lèse-majesté. Un crime qui portait injustement atteinte à l'idéal de « cette main tendue aux paysans de l'Inde » dont on avait rêvé à New York. Un crime qui détruisait le mythe selon lequel appartenir à Carbide était le meilleur signe d'un karma prospère. Un crime qui dépréciait le prestige de l'uniforme au losange que rêvait de porter toute une génération de jeunes Indiens sortant des écoles techniques. « Je savais que l'usine n'était pas parfaite, dira Warren Woomer, mais nous lui apportions sans cesse de nouvelles améliorations. Jusqu'à la mort d'Ashraf, nous avions réalisé un palmarès de sécurité unique dans l'histoire de l'entreprise. » L'Américain ne voyait aucune raison pour que cette situation se dégrade. Il avait une confiance aveugle en ses collaborateurs. Après tout, c'était lui qui les avait formés à cette *safety culture* dont Carbide faisait son credo. Il savait que les quatre cents pages de notes qu'ils avaient rédigées à leur retour d'Institute était leur bible. Si la mort d'un homme était un coup dur, elle ne devait pas jeter l'opprobre sur l'ensemble d'un système. En dépit des économies réalisées sur certains équipements au moment de sa construction, Woomer était convaincu de commander l'un des navires les plus sûrs de la flotte industrielle mondiale. À la tête de l'usine, personne n'en doutait, à commencer par Woomer : ces manifestations n'étaient qu'une campagne d'agitateurs en vue d'obtenir de plus hauts salaires et moins d'heures de travail.

*

C'était l'un des milliers de journaux que l'Inde publiait chaque semaine dans ses innombrables langues. Le *Rapat Weekly* de Bhopal paraissait en hindi, et son modeste tirage – six mille exemplaires, – ne lui donnait guère d'audience dans une ville à majorité musulmane où la langue prédominante était l'ourdou. Mais la précision de ses enquêtes et l'indépendance de ses commentaires valaient à l'hebdomadaire un lectorat marginal friand de découvrir les nombreux scandales qui éclaboussaient leur cité. L'étalage au grand jour de ces derniers était le créneau journalistique qu'avait choisi le fondateur et unique rédacteur du *Rapat Weekly*.

Fils et petit-fils de journalistes, l'hindou Rajkumar Keswani, trente-quatre ans, appartenait à une famille originaire de la province du Sindh venue à Bhopal après la partition de l'Inde en 1947. À seize ans, il avait quitté le collège pour collaborer à un journal de sports, puis était entré à la rubrique des faits divers du *Bhopal Post.* Pendant des années, cet infatigable enquêteur décrivit les petits et grands événements de la cité des bégums. Après la faillite du *Post*, Keswani avait englouti ses économies dans la création d'un petit hebdomadaire au service des vrais intérêts de ses concitoyens. Pour ce fou de poésie, de botanique et de musique – jamais il ne voyageait en voiture sans une mallette pleine de cassettes –, les menaces que les nouvelles industries faisaient peser sur la sécurité de la ville étaient un danger bien réel. La découverte d'attributions irrégulières de licences industrielles le poussa à rechercher des complicités entre Carbide et les autorités locales. Le mystérieux incendie de l'unité d'alpha-naphtol avait déjà piqué sa curiosité. L'empoisonnement de Mohammed Ashraf fut un événement déterminant. Il se lança dans une enquête qui aurait fait de lui un sauveur si on l'avait écouté.

« Le hasard voulait que je connaisse Ashraf, racontera-t-il. Il habitait juste à côté de la caserne de pompiers où j'avais installé mon bureau. Il recevait souvent des camarades de travail. Ensemble, ils évoquaient les dangers de leur profession. Ils parlaient de gaz toxiques, de fuites mortelles, de risques d'explosion. Certains ne cachaient pas leur intention de démissionner. Pour moi qui croyais que cette usine fabriquait une innocente poudre blanche comme celle qui me servait à protéger des pucerons les rosiers de ma terrasse, c'était terrifiant. »

À peine avait-il porté en terre son ami Ashraf que le journaliste se précipita chez les camarades du défunt. « Je voulais savoir si cette mort était un accident isolé, ou si elle était le résultat d'une défaillance propre à l'usine. »

Keswani récolta suffisamment de témoignages pour mettre Carbide en accusation. Bashir Ullah, l'un des responsables syndicaux licenciés, parvint même à introduire le journaliste de nuit à l'intérieur du site. En parcourant les différentes unités de fabrication, il put respirer à pleins poumons l'odeur d'herbe fraîchement coupée du phosgène, ou celle de chou bouilli de l'isocyanate de méthyle.

N'ayant aucune formation scientifique, il rendit ensuite visite au doyen du département de chimie d'un important collège technique et consulta tous les ouvrages spécialisés de sa bibliothèque. Les conclusions auxquelles il aboutit le glacèrent d'effroi. « Le seul fait de comprendre que l'isocyanate de méthyle et le phosgène sont deux fois et demie plus lourds que l'air, et qu'ils ont une propension à se déplacer par petits nuages au ras du sol, m'a immédiatement conduit à penser qu'une fuite massive de ces gaz serait catastrophique, expliquera-t-il. Après l'examen approfondi des systèmes de sécurité en place dans l'usine, je compris que la tragédie n'était qu'une question de temps. »

*

Une visite inopinée allait fournir à Rajkumar Keswani les arguments techniques qui lui manquaient pour faire éclater sa bombe journalistique. Au mois de mai 1982, trois ingénieurs américains du centre technique de la division des produits chimiques et des matières plastiques de South Charleston débarquèrent à Bhopal. Ils étaient chargés d'expertiser la bonne marche de l'usine afin de confirmer que tout s'y déroulait conformément aux normes édictées par Carbide pour ce type d'installation. Il s'agissait d'une simple procédure de routine dont personne n'attendait la moindre révélation.

La centaine d'entorses aux règles de fonctionnement et de sécurité relevées par les enquêteurs pouvait à première vue paraître peu de chose dans une usine aussi vaste et d'une telle complexité.

Grâce à des complicités dans l'usine, Keswani parvint à se procurer le texte de l'audit. Il ne put en croire ses yeux. Le document décrivait les abords du site «jonchés de vieux bidons graisseux, de tuyaux usagés, de mares pleines d'huile de vidange et de détritus chimiques susceptibles de provoquer des incendies ». Il dénonçait le bricolage de certains branchements, la déformation de pièces d'équipement, la corrosion de plusieurs circuits, l'absence d'extincteurs automatiques dans les zones de production du Mic et du phosgène, les risques d'explosion de la torchère d'évacuation des gaz. Il mettait en question l'emplacement mal choisi de certains appareils qui risquaient de piéger leurs opérateurs en cas d'incendie ou de fuites toxiques. Il critiquait le manque d'indicateurs de pression et l'identification insuffisante d'innombrables pièces d'équipement. Il constatait des fuites de phosgène, de Mic et de chloroforme, des ruptures de canalisations et de joints d'étanchéité, l'absence d'une ligne de terre sur un des trois réservoirs de Mic, l'impossibilité d'isoler de très nombreux circuits à cause de la détérioration de leurs vannes, le mauvais réglage de certains appareils dont l'excès de pression risquait de faire entrer de l'eau dans les circuits. Il s'étonnait que l'aiguille du manomètre de pression d'un réservoir de phosgène, pourtant rempli de gaz, soit immobilisée sur le chiffre zéro. Il s'alarmait du mauvais état et de l'emplacement inapproprié de certains équipements de secours devant être utilisés en cas de fuites ou d'incendie, et de l'absence de vérification périodique du bon fonctionnement des instruments les plus perfectionnés et des systèmes d'alarme.

C'était toutefois dans le domaine humain que le rapport apportait les plus surprenantes révélations. Ainsi s'inquiétait-il d'une rotation alarmante de personnel insuffisamment formé, de méthodes d'instruction insatisfaisantes, d'un manque de rigueur dans les comptes rendus des opérations d'entretien. Trois lignes des cinquante et une pages révélaient une faute particulièrement grave : le nettoyage d'une tuyauterie avait été effectué sans que le responsable chargé de l'opération ait pris la précaution d'obstruer les deux extrémités de la conduite avec un disque spécial destiné à empêcher que l'eau de rinçage ne s'infiltre dans d'autres parties de l'installation. Une négligence qui serait un jour le détonateur d'une tragédie.

*

« DE GRÂCE, ÉPARGNEZ NOTRE VILLE ! » s'écria Rajkumar Keswani dans le titre du premier article qu'il publia le 17 septembre 1982. Démontrant avec de nombreux exemples les risques que faisait courir l'usine, le journaliste interpellait d'abord ses dirigeants. « C'est toute l'agglomération que vous mettez en péril, à commencer par les quartiers de l'Orya basti, de Chola et de Jai Prakash agglutinés contre les murs de vos installations. » S'adressant ensuite à ses concitoyens, Keswani les adjurait de prendre conscience de la menace qu'Union Carbide faisait peser sur leurs vies. « S'il arrive malheur un jour, les avertissait-il, ne dites pas que vous ne saviez pas. »

Pauvre Keswani ! Telle Cassandre, il avait bien reçu le don de prédire les catastrophes, mais non celui de convaincre. Son premier article passa presque inaperçu. Carbide était trop bien installée sur son piédestal pour que quelques médisances dans un journal à sensation puissent la déboulonner.

Sans se décourager, deux semaines plus tard, le journaliste repartit à la charge. « BHOPAL : NOUS SOMMES TOUS ASSIS SUR LE CRATÈRE D'UN VOLCAN », annonçait en caractères d'affiche toute la une du *Rapat Weekly* du 30 septembre 1982. « Le jour n'est pas loin où Bhopal sera une ville morte, où seuls des pierres éparses et des débris pourront témoigner de sa fin tragique », prophétisait cette fois l'auteur. Les révélations contenues dans l'article auraient dû précipiter la ville entière vers l'Esplanade noire pour exiger la fermeture immédiate de l'usine. Il n'en fut rien. Le *Rapat Weekly* prêchait dans le désert.

La semaine suivante, un troisième article intitulé « SI VOUS REFUSEZ DE COMPRENDRE, VOUS SEREZ RÉDUITS EN POUSSIÈRE » décrivait en détail la fuite qui, quatre jours plus tôt, avait entraîné l'évacuation de l'usine en pleine nuit et provoqué le sauve-qui-peut général chez les habitants de l'Orya basti et des quartiers voisins.

Tant d'indifférence, tant d'aveuglement finirent par écœurer le journaliste. Puisque les Bhopalis préféraient croire les mensonges distillés par la propagande de Carbide, il les abandonnerait à leur sort. Il saborda son journal, mit sa collection de disques et de cassettes dans deux valises et prit un billet de chemin de fer pour Indore où un grand quotidien lui offrait un pont d'or. Mais, avant de quitter Bhopal, il souhaita répondre au ministre du Travail de l'État du Madhya Pradesh qui venait de déclarer à la tribune de l'assemblée : « Il n'y a aucune raison de s'inquiéter de la présence de l'usine de Carbide car le phosgène qu'elle fabrique n'est pas un gaz toxique. » Dans deux longues lettres, Keswani résuma les conclusions de son enquête personnelle. Il adressa la première à la plus haute autorité de l'État, le Premier ministre Arjun Singh, dont personne n'ignorait les liens avec les dirigeants de Carbide. Et la seconde, au président de la Cour suprême sous la forme d'une pétition réclamant la fermeture de l'usine. Aucun des deux destinataires de ces courriers ne prendra la peine de répondre à leur auteur.

27

Un trésor d'Ali Baba
pour les héros de l'Esplanade noire

— Tous à la tea-house ! Ganga veut nous faire une surprise !

Rahul filait comme l'éclair sur sa planche à roulettes pour annoncer la nouvelle de ruelle en ruelle. L'Orya basti, Chola et Jai Prakash se vidèrent aussitôt de leurs habitants. Cette disponibilité, cette incroyable aptitude à se mobiliser, cette vitalité étaient la marque de ces quartiers déshérités. À chacune de ses visites hebdomadaires, sœur Felicity s'en convainquait un peu plus : les pauvres qu'elle venait secourir n'avaient en réalité besoin de rien. Ils étaient plus forts que le malheur. Celui qui leur promettait aujourd'hui « une grande surprise » était l'un des personnages les plus respectés des trois bastis. Au fil des ans, l'ancien lépreux Ganga Ram était devenu, comme Belram Mukkadam et le parrain Munné Babba, une figure marquante de l'Esplanade noire. Son rejet par le tharagar de Carbide quelques années plus tôt n'avait pas entamé sa capacité de résistance. Cette année-là, quelques jours avant Diwali, la fête des lumières et de la prospérité, époque où tous les hindous repeignent leur maison, Ganga s'était improvisé peintre en bâtiment. Pour s'acheter une échelle, un seau et quelques pinceaux, il avait rendu visite à un autre rescapé de la lèpre qu'il avait jadis aidé à l'hôpital Hamidia. Accueilli tel le dieu Rama en personne, Ganga avait pu emprunter l'argent nécessaire. Deux ans plus tard, son entreprise comptait six employés. Mais le succès ne lui était pas monté à la tête. Ganga Ram n'avait pas quitté le quartier où quatre traits de canne tracés dans la poussière lui avaient un jour offert un abri, ainsi qu'à son épouse Dalima et au fils adoptif de cette dernière. La communauté entière appréciait cette lumineuse jeune femme aux yeux verts et aux mains tatouées qui se déplaçait sur ses béquilles sans jamais se plaindre, toujours souriante. Pudique à l'extrême, elle n'avait jamais relevé le pan de son sari pour laisser voir les horribles cicatrices qui marquaient ses jambes, ni les fractures osseuses qui saillaient sous sa peau. Dalima était une miraculée. Effaré par la gangrène qui gagnait ses jambes, le chirurgien de l'hôpital Hamidia avait voulu l'amputer. La réaction de la jeune femme fut si violente qu'elle ameuta tout l'hôpital. « Plutôt mourir que perdre mes jambes ! » avait-elle déclaré au chirurgien. Celui-ci tenta de lui poser une nouvelle vis, puis un greffon. Dalima garda donc ses jambes, mais elles étaient inertes. Toute sa vie, la malheureuse devrait se traîner sur des béquilles, ou se laisser porter par l'ancien lépreux auquel elle avait eu la chance d'unir son destin.

Ganga Ram organisa la « surprise » de la tea-house comme une fête. Il avait troqué ses sandales et sa vieille chemise bleue de peintre contre des mules en forme de gondole et une magnifique kurta de coton blanc brodé. Donnant libre cours à ses talents de comédien, il dénicha un gibus qui lui donnait l'apparence d'un M. Loyal de quelque Magic Circus. Coiffés de shakos de carton rouge et vêtus de gilets jaunes à brandebourgs sur des pantalons blancs, six musiciens l'entouraient. Deux d'entre eux tenaient des baguettes de tambour entre leurs phalanges rongées d'anciens lépreux, deux des cymbales, les deux derniers des trompettes cabossées. Santosh, l'un des trompettistes, petit homme jovial à la face grêlée par la petite vérole, était le père de Dalima. Il arrivait de l'Orissa où sévissait cette année-là une sécheresse plus sévère encore que celles dont Padmini et sa famille avaient souffert.

Comme le jour de la distribution des titres de propriété, Ganga Ram, Mukkadam, le réparateur de vélos Salar et tous les membres de l'équipe habituelle firent asseoir les arrivants en arc de cercle autour de la tea-house. Quand il n'y eut plus de place, Ganga salua la foule et fit signe aux musiciens d'attaquer le premier morceau. Partie obligée de toute manifestation indienne, un tintamarre enveloppa aussitôt l'assistance à la plus grande joie de tous. Au bout de quelques minutes, Ganga leva son gibus. La musique se tut.

— Mes amis ! s'écria-t-il, je vous ai réunis pour partager un événement si heureux que je ne pouvais le garder pour moi seul. Maintenant que vous êtes tous là, je vais aller chercher la « surprise » que je vous réserve.

Il fit signe aux musiciens de lui ouvrir un chemin. Quelques instants plus tard, le petit cortège était de retour dans une cacophonie de trompettes, roulements de tambours et coups de cymbales. Derrière les musiciens, l'ancien lépreux avançait avec la majesté d'un empereur moghol. Il portait son épouse Dalima drapée dans un sari de mousseline bleue brodé de motifs dorés. Ses poignets tatoués et ses oreilles ornées de pendentifs, la jeune femme souriait et saluait avec une grâce de princesse. Quand le cortège arriva devant la tea-house, Ganga et les musiciens firent demi-tour pour se présenter face à la foule. Le vacarme des trompettes et des cymbales monta encore de quelques décibels.

D'un signe de tête, Ganga fit arrêter la musique. Alors, bombant le torse comme un athlète de foire, il souleva sa femme à bout de bras comme pour la présenter en cadeau à la foule. Puis, le visage illuminé de fierté, il laissa doucement glisser Dalima vers le sol. Dès que ses pieds touchèrent terre, elle se redressa d'un coup de reins et, avançant prudemment, commença à marcher. Médusées, bouleversées, les personnes présentes n'en croyaient pas leurs yeux. Cette femme dont chacun avait suivi le supplice silencieux pendant tant d'années était là, devant eux, fragile et chancelante, mais debout. Les gens se levèrent pour voir de près la miraculée. Son mari avait pensé à tout : des guirlandes d'œillets jaunes à l'odeur suave firent leur apparition. Padmini et Dilip, le fils de Dalima, lui passèrent autour du cou des colliers de fleurs. Bientôt, la jeune femme disparut sous l'amoncellement des guirlandes qui l'emprisonnait des épaules jusqu'au sommet de la tête. Ganga pleurait comme un enfant. Il brandit son gibus pour s'adresser de nouveau à l'assistance.

— Frères et sœurs, la fête ne fait que commencer, s'écria-t-il, la voix étranglée par l'émotion. J'ai une deuxième surprise pour vous.

Cette fois, c'est le jeune Dilip qui partit avec la fanfare chercher la nouvelle « surprise » de Ganga Ram. Dilip ne « faisait » plus les trains. C'était maintenant un solide gaillard de dix-huit ans qui travaillait comme peintre avec son beau-père adoptif. On ne lui connaissait qu'une passion : le cerf-volant. Chaque jour, ses aéronefs de papier et de chiffons faisaient monter vers le ciel les rêves d'évasion et de liberté de tout un peuple d'emmurés.

L'évasion que voulait offrir aujourd'hui l'ancien lépreux à ses compagnons était d'une tout autre nature. Précédé des six musiciens qui beuglaient un hymne triomphal, Dilip revint en portant sur la tête une masse rectangulaire dissimulée sous un tapis de soie rouge. Dalima suivait la progression de son fils avec une inquiétude complice. Ganga ordonna au jeune homme de déposer l'objet sur la table préparée par Mukkadam. Son sourire malicieux disait combien il savourait la situation. Il fit taire la musique et, reprenant son gibus, interpella l'assistance.

— Mes amis ! Est-ce que l'un d'entre vous peut me dire ce qu'il y a sous ce tapis ? demanda-t-il.

— Un coffre pour ranger les vêtements, s'écria Sheela Nadar, la mère de Padmini.

Pauvre Sheela ! Comme la majorité des familles du basti, la sienne ne possédait aucun meuble. Une malle en fer-blanc rongée par la rouille, souvent envahie de cancrelats, était le seul abri pour son sari de mariage et les quelques vêtements de la famille.

Une petite fille s'approcha et posa l'oreille contre la « surprise ».

— Je parie que tu as enfermé un ours dans une cage sous ton tapis.

Ganga éclata de rire, tandis que l'assemblée restait dans l'expectative. L'hypothèse de l'enfant n'étonnait personne. Dans l'Orya basti comme dans tous les quartiers, pauvres ou riches, les montreurs d'animaux et autres saltimbanques n'étaient pas rares. Dresseurs de singes, de chèvres, de mangoustes, de rats, de perroquets, de scorpions ; charmeurs de vipères et de cobras... À tout instant, une sonnette, un gong, un coup de sifflet, une voix annonçait le passage de tel ou tel spectacle. La palme du succès revenait au montreur d'ours, surtout auprès des jeunes. Offrir un ours aux enfants de l'Orya basti aurait été certes une idée magnifique. Mais Ganga Ram en avait eu une bien meilleure. Avec la précision d'un prestidigitateur prêt à faire jaillir des colombes, il posa son gibus sur l'objet mystérieux. Puis, tapant dans ses mains, il donna le signal à la fanfare. Les tambours et les cymbales se mêlèrent aux trompettes dans une cacophonie assourdissante. Comme pour un rituel, l'ancien lépreux invita alors Dalima à faire trois fois le tour de la table où reposait sa « surprise ». Fière et droite sous son voile de soie bleue bordé d'une frange dorée, la jeune femme s'avança avec précaution. Sa démarche restait incertaine, mais chacun était hypnotisé par cette femme qui incarnait, à cet instant, la volonté des pauvres de triompher du malheur.

Dès que Dalima eut accompli ses trois révolutions, Ganga reprit son gibus et l'agita pour faire taire les musiciens.

— Et maintenant, mes amis, c'est Dalima elle-même qui va dévoiler ma deuxième surprise, annonça-t-il.

Lorsque la jeune femme tira sur le tapis, un « Oh ! » de stupeur jaillit de toutes les gorges. Près de dix ans après que leur pays eut envoyé un satellite dans l'espace, six ans après qu'il eut fait éclater une bombe atomique, des dizaines de millions d'Indiens ignoraient l'existence de cet appareil. Sur la table de la tea-house trônait le premier poste de télévision des bastis de l'Esplanade noire.

*

Les responsables de la « belle usine » s'assirent autour de la longue table en teck de leur salle de conférences pour examiner le rapport accablant des trois enquêteurs de South Charleston. Kamal Pareek, le responsable adjoint de la sécurité, se sentait particulièrement concerné par certaines observations. Il n'était pas le seul. « Les anomalies révélées dans ce rapport faisaient sans doute partie des couacs habituels d'une grande usine, dira-t-il, mais leur gravité demeurait. » C'était aussi l'avis de l'Américain qui la dirigeait. Warren Woomer appartenait à cette race d'ingénieurs pour qui une seule vanne défectueuse est une atteinte à l'idéal de rigueur et de moralité qui régissait sa vie professionnelle. « Mal serrer un boulon est une faute aussi grave que de laisser s'emballer un réacteur de phosgène », aimait-il répéter à ses opérateurs. De sa voix tranquille et légèrement traînante, il énuméra les observations contenues dans le rapport. Avant de rechercher les coupables et de les sanctionner, il fallait remédier à toutes les anomalies. Cette tâche prendrait des semaines, voire des mois. Un calendrier des réparations et des modifications nécessaires de l'installation devrait être envoyé au centre technique de South Charleston et approuvé par ses ingénieurs.

Mais c'est à un nouveau capitaine qu'il incomberait de remettre l'usine de Bhopal aux normes. Désireux de procéder à l'indianisation complète des entreprises étrangères implantées dans le pays, le gouvernement de New Delhi n'avait pas accepté de renouveler le permis de séjour de l'Américain. En face de lui se trouvait déjà son remplaçant, un brahmane de quarante-cinq ans au teint basané des gens du Sud, doté d'un palmarès universitaire et professionnel impressionnant. Le président de Carbide et son état-major avaient approuvé sans réserve la nomination de ce surdoué. Pourtant, Jagannathan Mukund n'allait pouvoir empêcher l'usine de marcher au désastre.

*

Une fois de plus, le peuple des bastis prouva sa débrouillardise. Il fallut moins d'une heure pour que le téléviseur de Ganga Ram commence à diffuser ses premières images. Faute d'électricité dans leur quartier, les amis de Ganga Ram avaient tendu un fil jusqu'à la ligne qui alimentait l'usine. Salar, le réparateur de vélos, avait bricolé une antenne avec une roue montée sur la fourche d'une bicyclette. L'installation pirate avait fière allure : on aurait dit une station d'écoute de satellites.

Soudain une image illumina l'écran. Des centaines d'yeux exorbités virent une présentatrice annoncer en hindi le programme de Doordarshan, la télévision nationale. L'apparition avait d'un coup chassé la grisaille, la boue, la puanteur, les mouches, les moustiques, les cafards, les rats, la faim, le chômage, la maladie, la mort. La peur aussi, qu'inspirait dorénavant la grande usine dont les guirlandes d'ampoules illuminaient la nuit.

C'est par le nouvel épisode d'un film-fleuve que commençait chaque soir le programme de l'unique chaîne de la télévision indienne. L'épopée du *Rāmāyana* est à l'Inde ce que *La Légende dorée, La Chanson de Roland* et la *Bible* étaient pour les foules des parvis des cathédrales en Occident. Grâce à Ganga Ram, les habitants de l'Esplanade noire allaient découvrir en images les mille drames et féeries de leur légende populaire. Chaque soir pendant une heure, ils vivraient la plus merveilleuse des histoires d'amour avec le prince Rāma et sa divine Sītā. Ils allaient rire, pleurer, souffrir, s'exalter avec eux. Beaucoup en connaissaient par cœur des passages entiers.

Padmini se souvenait que, dans son enfance, sa mère lui chantait les aventures mythiques du général des Singes. Plus tard, chaque fois que des conteurs traversaient le village, sa famille et les voisins se réunissaient sur la place pour écouter les récits fantastiques qui, depuis la nuit des temps, donnaient une dimension sacrée à la vie quotidienne. Pas un bébé ne s'endormait sans entendre sa sœur aînée lui psalmodier quelque épisode du grand poème épique. Les jeux des enfants s'inspiraient des affrontements entre bons et méchants, les livres d'école exaltaient les exploits des héros, les cérémonies de mariage donnaient en exemple la fidélité de Sītā. Sois béni, Ganga Ram. Grâce à toi, le rêve était revenu. Devant ta lucarne magique, les hommes et les femmes de l'Esplanade noire allaient puiser de nouvelles forces pour surmonter les épreuves de leur karma.

28

Le parachutage d'un financier
amateur de bon whisky

Quatorze ans, six mois et dix-sept jours après qu'un maçon indien eut posé sur une chape de béton la première brique de l'usine de Carbide à Bhopal, son dernier capitaine américain la quittait. « Ce 6 décembre 1982 restera l'un des jours les plus nostalgiques de ma vie », dira Warren Woomer. La semaine précédant leur départ, un tourbillon de réceptions avait emporté les Woomer, chacun désirant dire adieu au *quiet American* qui avait su marier les différentes cultures de ses équipes indiennes avec les exigences d'une structure industrielle de haute technologie. Sans doute la mort de Mohammed Ashraf, l'agitation syndicale du début de l'année, les conclusions préoccupantes de l'audit de l'été révélaient-elles quelques fissures dans le navire. Mais *Sahb*, comme l'appelaient affectueusement ses ouvriers indiens, s'en allait la tête haute. Tous les problèmes seraient résolus, les malfaçons corrigées, les lacunes comblées. Il en était certain, aucun accident grave ne ternirait jamais la réputation de la « belle usine » implantée au cœur du sous-continent. Elle continuerait à produire en toute sécurité la précieuse poudre blanche indispensable aux paysans de l'Inde. C'est avec reconnaissance que Woomer accepta les cadeaux gravés à son nom.

Cependant, l'Américain savait qu'il y avait deux conditions pour que l'usine connaisse un avenir heureux.

D'abord, les faveurs du ciel indien. Sans de généreuses moussons favorisant des récoltes abondantes, les paysans ne pourraient pas acheter de Sevin. Il faudrait alors ralentir, peut-être cesser complètement la production pendant de longues périodes, et accepter les conséquences financières de ces décisions. Ensuite, le respect des règles de sécurité. Il s'en était longuement entretenu avec son successeur. Au cours de sa longue carrière au contact des substances chimiques les plus toxiques, Woomer n'avait cessé de prôner une philosophie fondée sur un principe essentiel : « Ne conserver sur place qu'un strict minimum de matières dangereuses. » Par cette profession de foi, l'ingénieur critiquait indirectement ceux qui avaient pris, contre l'avis d'Eduardo Muñoz, le risque d'installer à Bhopal trois énormes cuves pouvant contenir plus de cent vingt tonnes d'isocyanate de méthyle. « Je m'en allais avec l'espoir que ces cuves ne seraient jamais pleines, dira-t-il, et que le peu de gaz stocké en vue des besoins immédiats pour la fabrication du Sevin ferait toujours l'objet de la réfrigération rigoureuse que prescrivait le manuel rédigé par les spécialistes du Mic. »

Comme tous les amateurs de culture, d'art et de beauté, Warren Woomer et son épouse Betty avaient succombé à la magie de l'Inde. Ils s'étaient promis d'y revenir. L'Américain n'avait pas eu connaissance des articles du journaliste Rajkumar Keswani. Aucun des Indiens de son entourage ne lui en avait parlé. En regardant une dernière fois sa « belle usine » par la vitre arrière de la voiture qui l'emmenait à l'aéroport, Woomer lui souhaita « bonne chance ».

*

Le premier signe qu'une nouvelle sécheresse frappait les campagnes du Madhya Pradesh et des États limitrophes fut la soudaine apparition de familles très pauvres

Un pesticide miracle au secours des paysans du monde

Cet agent commercial de la multinationale américaine Union Carbide présente une boîte de Sevin à un pauvre paysan du Bengale dont les cultures sont régulièrement dévastées par les insectes.
« Chaque roupie que tu dépenseras pour acheter du Sevin t'en fera gagner cinq », l'assure-t-il. Cette promesse deviendra le slogan d'Union Carbide pour vendre son produit aux quatre cents millions de paysans indiens.

850 000 espèces d'insectes dévorent

C'est dans ce centre de recherches de la banlieue de New York que deux jeunes entomologistes et un chimiste découvrirent, en 1957, le Sevin, un pesticide miracle qui devait sauver les cultures des hommes en respectant l'environnement.

C'est au moyen d'un gaz appelé isocyanate de méthyle que la société américaine Union Carbide entreprit de fabriquer le Sevin dans son usine d'Institute en Virginie-Occidentale, avant de le produire à Bhopal. De tous les gaz imaginés par l'industrie chimique, l'isocyanate de méthyle (le Mic) est probablement le plus dangereux. Cette cuve en acier spécial de l'usine d'Institute (derrière Dominique Lapierre) pourrait, en cas d'accident, libérer assez de gaz pour tuer les milliers d'habitants de la Kanhawa Valley. C'est d'une cuve presque semblable qu'a jailli, le 2 décembre 1984, le nuage toxique qui fit entre 16 000 et 30 000 morts à Bhopal. À compter de cette tragédie, les systèmes de sécurité ont été considérablement renforcés.

la moitié de la nourriture des hommes

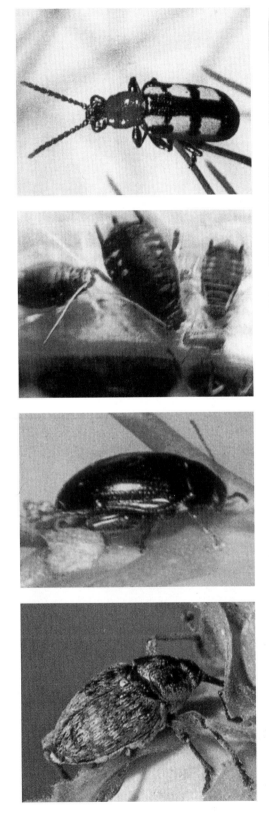

Depuis la nuit des temps, les hommes mènent une guerre sans merci contre ces petites bêtes qui s'attaquent à toutes les cultures. En haut, de gauche à droite et de haut en bas :
1. Le criocère de l'asperge
2. Le doryphore de la pomme de terre
3. Le puceron noir de la fève
4. L'altise du colza
5. Le charançon de la betterave
6. Le balanin des châtaignes

Le cadeau de l'Amérique à l'Inde : une usine de

Bill Sneath (*4e à partir de la gauche*), président d'Union Carbide, la troisième entreprise de produits chimiques du monde, atterrit avec un groupe d'ingénieurs, le 19 janvier 1976, au cœur de l'Inde pour inaugurer les premiers ateliers de l'usine qui doit libérer les paysans indiens de la malédiction des insectes.

La main du président sur un carton de Sevin. Celui-ci contient cent paquets de cent grammes d'insecticide. Mélangé à du sable ou à de la poudre de gypse, le produit sera épandu à la main ou pulvérisé par avion dans les grandes exploitations du Pendjab.

pesticides construite par ses meilleurs ingénieurs

Les noces de l'Occident avec l'Orient : le président d'Union Carbide, Bill Sneath, avec son épouse entre les colonnades de style moghol de la terrasse surplombant le lac Supérieur.

Un ingénieur indien soumet au président de la multinationale américaine des échantillons du produit qui va protéger les cultures indiennes des ravages des insectes.

C'est dans une des plus belles villes de l'Inde que

Avec ses sublimes mosquées, ses magnifiques palais et ses superbes jardins, la ville de Bhopal (six cent mille habitants) est, depuis des siècles, un haut lieu du patrimoine culturel indien. Toutes ces merveilles lui valurent d'être appelée la Bagdad de l'Inde.

Jusqu'à l'indépendance de l'Inde en 1947, des princes et des princesses régnèrent sur le royaume musulman de Bhopal. Le dernier nabab, Hamidullah Khan, aimait parader à dos d'éléphant au milieu de ses sujets.

l'Amérique choisit d'édifier son usine aux gaz mortels

Quatre générations de bégums éclairées firent de l'État de Bhopal l'un des plus modernes de l'Asie. Complètement dissimulée par sa *burqa*, la bégum Shah Jahan (*1er rang, au centre de la photo*) pose devant son palais avec les représentants de la puissance impériale britannique. Elle avait envoyé son fils combattre dans les tranchées de la Grande Guerre et offert tout son or pour la cause des alliés.

La bégum Sikandar regagne son carrosse après avoir inauguré la gare du chemin de fer qui désenclava le centre de l'Inde. Elle avait financé cette innovation de ses propres deniers. Elle institua aussi l'instruction publique obligatoire.

Ils avaient tous rêvé de faire briller

C'est à l'élite de ses ingénieurs qu'Union Carbide confia la construction de son usine de Bhopal. L'aventure fut pour chacun d'eux une extraordinaire croisade où se mêlaient, sous l'égide de la chimie, toutes sortes de cultures, de religions et de rites.

Eduardo Muñoz. Cet ingénieur agronome argentin avait vendu du Sevin dans toute l'Amérique du Sud. Avec ses 400 millions de paysans, l'Inde représentait pour lui un marché gigantesque.

Warren Woomer. Spécialiste des installations chimiques à haut risque, cet ingénieur américain imposa des mesures de sécurité très sévères à l'usine de Bhopal qu'il dirigea pendant deux ans.

John Luke Couvaras. Compte tenu des différentes cultures de ses cadres et de ses ouvriers, il considéra la construction de l'usine de Bhopal comme un véritable tour de force.

Kamal Pareek. Cet ingénieur indien essaya d'inculquer à tous les personnels une culture de la sécurité. Quand il découvrit que des mesures d'économies mettaient en danger l'usine, il donna sa démission.

Mohan Lal Verma. C'est l'ouvrier qu'Union Carbide accusa d'avoir provoqué la catastrophe en introduisant délibérément de l'eau dans la cuve E 610. Le prétendu sabotage ne fut jamais prouvé.

Shekil Qureshi. Pour ce technicien indien, il n'existait pas de plus bel uniforme que la combinaison de Carbide. Il risqua sa vie pour tenter d'empêcher la catastrophe et fut le dernier à quitter l'usine.

une nouvelle étoile dans le ciel de l'Inde

Voici la « belle usine » d'où s'échappèrent, durant la nuit du 2 au 3 décembre 1984, quarante-deux tonnes d'isocyanate de méthyle. Le vent soufflait vers les bidonvilles alentour. Le nuage toxique fit entre seize et trente mille morts. Pour des raisons d'économie, tous les systèmes de sécurité avaient été désactivés.

Sous l'effet de la chaleur causée par la réaction du gaz qu'elle contenait, la cuve E 610 a fait éclater son sarcophage de béton, mais elle ne s'est pas rompue. Elle gît, aujourd'hui, dans les herbes folles.

Dans les débris de l'usine, Javier Moro a retrouvé le cadran de température de la cuve E 610. L'appareil ne fonctionnait pas la nuit de la tragédie. Personne ne s'est rendu compte qu'une explosion de gaz allait se produire.

Une couronne de taudis
sous les murs mêmes de l'usine assassine

Attirés par le travail que procurait Union Carbide, des milliers de pauvres vinrent s'entasser dans une couronne de bidonvilles autour de l'usine. Chaque matin, les enfants ramassaient entre les rails de pitoyables trésors tombés des trains qu'ils revendaient à des chiffonniers. Les femmes mendiaient un peu d'eau chaude aux chauffeurs des locomotives.

L'ancien lépreux Ganga Ram et sa femme infirme, Dalima, formaient un des couples les plus populaires de l'Orya basti. Ganga Ram offrit au bidonville son premier poste de télévision. Ce fut une véritable révolution dans l'existence des habitants, qui purent ainsi découvrir qu'il existait un monde au-delà des murs de leurs taudis.

Munné Babba. Il était le parrain des bidonvilles qui s'entassaient devant l'usine de Carbide. Mais c'était aussi une sorte de bon Samaritain. Chaque semaine, il conduisait les malades à l'hôpital et exigeait qu'ils fussent soignés.

Ils furent les acteurs et les victimes de la plus grande catastrophe industrielle de l'histoire

Sajda Bano. Deux ans avant la catastrophe, son mari fut la première victime des gaz de l'usine. Le 2 décembre 1984, Sajda revenait en train à Bhopal avec ses deux enfants. Les vapeurs mortelles qui avaient envahi la gare tuèrent immédiatement son fils aîné.

Sœur Felicity. Cette religieuse écossaise anime à Bhopal un foyer qui reçoit des enfants handicapés physiques et mentaux. La nuit de la tragédie, elle recueillit des dizaines d'enfants abandonnés dans les couloirs de l'hôpital Hamidia.

Rajkumar Keswani. Journaliste, Keswani avait annoncé la catastrophe dans quatre articles publiés deux ans avant qu'elle se produise. Mais ce Cassandre visionnaire prêcha dans le désert. Personne ne prit au sérieux ses prédictions.

Pulpul Singh. Il était l'usurier des quartiers pauvres autour de l'usine. Il prêtait l'argent pour les mariages et exigeait, en caution, les titres de propriété des huttes. Son taux, usuraire, dépassait vingt pour cent par mois.

Nul ne saura jamais le nombre exact de ceux qui périrent au cours de la nuit tragique et dans les jours qui suivirent. Le Dr Satpathy, médecin légiste, a fait afficher les photos d'un grand nombre des victimes. Quatre cents n'ont jamais été réclamées. Des familles entières ont été exterminées et beaucoup de morts étaient sans domicile fixe.

Le Dr Deepak Gandhé était de garde à l'hôpital Hamidia la nuit de la catastrophe. C'est lui qui apporta les premiers soins aux victimes avant d'être submergé par le flot des mourants qui déferlait de toute la ville. Il est resté à son poste pendant trois jours et trois nuits.

entre 16 et 30 000 morts

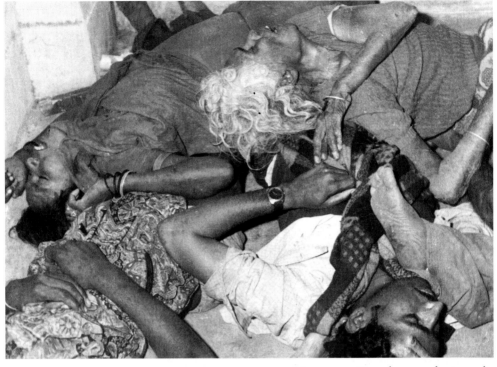

Aux premières heures du jour, le 3 décembre, l'hôpital Hamidia était devenu un gigantesque mouroir. Il fallut creuser des fosses communes pour enterrer les musulmans et faire venir de toute la région des camions de bois pour brûler les hindous. La plupart des victimes ont succombé à des arrêts cardiaques et respiratoires foudroyants.

Plus de 500 000 habitants meurtris

Détresses respiratoires, toux persistantes, troubles de la vue, cataractes juvéniles, anorexies, fièvres récurrentes, états de faiblesse, dépressions, cancers, tuberculoses, les séquelles de la tragédie n'ont pas cessé d'accabler les survivants.

Pour les victimes de Carbide, réclamer la mort de Warren Anderson, le président de l'entreprise au moment de la catastrophe, est une piètre consolation. Mais ces graffitis vengeurs qui ornent les murs de Bhopal rappellent qu'aucun procès n'a encore jugé et châtié les responsables de la tragédie.

HANG ANDERSON
BGPM.U.S.

à vie par le nuage apocalyptique

Tandis que, par centaines, les morts sont alignés sous les murs de l'hôpital Hamidia (*photo du haut*), les survivants gravement touchés attendent les secours sous les tentes d'un hôpital de fortune. Les yeux brûlés par les gaz, beaucoup ne recouvreront jamais la vue (*photo du bas*). Des centaines de médecins venus de l'Inde entière ont tout tenté pour sauver ces malheureux. Union Carbide n'ayant pas révélé la composition du gaz toxique, il a été impossible de leur administrer des antidotes.

Le massacre des innocents

Ce père est allé porter son enfant dans les bras du docteur Gandhé en lui criant : « Sauvez-le ! » « Hélas ! il est mort », lui répondit le médecin. Le pauvre homme n'a pas voulu le croire. Il s'est enfui en abandonnant l'enfant dans les bras de celui dont il attendait l'impossible.

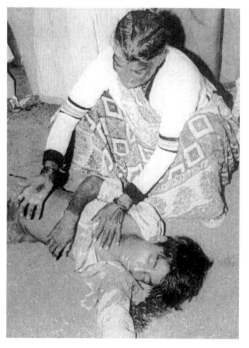

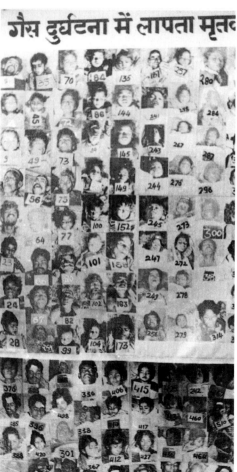

Une mère avec son fils foudroyé et une page de l'album tragique : deux images d'une ville martyrisée par la folie des apprentis sorciers qui, par souci d'économies, avaient désactivé tous les systèmes de sécurité de leur dangereuse usine.

aux abords des bastis de Bhopal. Cet afflux massif d'« intouchables », ces hors-castes que Gandhi avait baptisés les « *Harijans* – les Enfants de Dieu », laissait prévoir qu'il n'y aurait pas un seul épi de riz ou de blé à glaner cette année dans les champs.

Belram Mukkadam, les membres des comités d'entraide et tous les habitants se mobilisèrent pour les accueillir, apportant qui une couverture, qui un vêtement, une bougie, du riz, de l'huile, du sucre, une bouteille de pétrole, des allumettes. Ganga Ram, Dalima et son fils Dilip, Padmini et ses parents, la vieille sage-femme Prema Bai, le parrain Munné Babba, ses deux épouses et ses fils, le sorcier Nilamber, le cordonnier Iqbal, le tailleur Bassi, le cul-de-jatte Rahul furent, comme toujours, les premiers à montrer leur solidarité. Même les fils de l'usurier Pulpul Singh apportèrent de la nourriture aux réfugiés. En voyant tous ces gens partager ce qu'ils possédaient, sœur Felicity, accourue avec sa trousse de secours, songea : « Un pays capable de tant de générosité est un exemple pour le monde. » L'aspect des enfants qui arrivaient frappa la religieuse : tous avaient des ventres vides, mais gonflés comme des ballons par une avitaminose grave, à cause surtout des vers qui les infestaient.

Quelques jours après les intouchables sans terre, ce fut au tour des paysans eux-mêmes de venir chercher refuge à Bhopal. La famille Kumar, originaire d'un petit village sur la route d'Indore, comptait huit enfants. Tous étaient affligés d'un ventre proéminent, sauf Sunil, l'aîné de douze ans. Les récits de famine de ces pauvres gens faisaient partie du quotidien de l'Inde. Le riz en était toujours l'acteur principal. Ce riz qu'ils avaient planté, puis repiqué avec amour, ce riz qu'ils avaient caressé, palpé, ausculté ; ce riz vert émeraude que le manque d'eau avait bientôt fait virer au vert-de-gris, puis au jaunâtre. Ce riz qui s'était courbé, ratatiné, desséché et qui, finalement, était mort. Presque tous les habitants de l'Esplanade noire étaient d'anciens paysans. Presque tous avaient vécu la tragédie de ces réfugiés aux maigres baluchons qui venaient chercher asile chez eux.

Pour la monumentale usine qui se dressait à quelques centaines de mètres, cet exode était de mauvais augure. Les espoirs de Warren Woomer ne se concrétiseraient pas. Dix ans plus tôt, Eduardo Muñoz avait tenté de faire comprendre aux dirigeants de Carbide cette dimension essentielle de la réalité indienne : les caprices de ses moussons. Mais les interlocuteurs de l'Argentin avaient balayé ses mises en garde en lui opposant un chiffre. Pour un fabricant de pesticides, l'Inde représentait un demi-milliard de clients ! Compte tenu de la crise économique que connaissait le pays en ce début de 1983, ce chiffre n'avait plus aucun sens.

À ces conditions défavorables s'ajoutait l'échec relatif de la campagne d'information lancée par Muñoz. Carbide avait eu beau inonder le pays d'affiches montrant un sikh qui tenait une boîte de Sevin et expliquait à un paysan : *Mon rôle est de t'apprendre à gagner cinq roupies avec chaque roupie que tu dépenseras pour acheter du Sevin,* c'était à l'achat de semences et d'engrais que les agriculteurs consacraient la majeure partie de leurs ressources. En outre, il était plus difficile que prévu d'obliger les paysans à changer leurs habitudes ancestrales pour adopter des méthodes de culture impliquant l'usage intensif de pesticides. De nombreux agriculteurs s'étaient aperçus qu'on ne peut pas lutter isolément contre l'invasion des insectes prédateurs. Ceux-ci migrent des surfaces traitées vers d'autres champs qui ne le sont pas, avant de revenir au point de départ dès que les traitements qui les en avaient chassés perdaient de leur efficacité. Ces va-et-vient frustrants contribuaient largement au déclin de la vente des pesticides. Durant l'année 1982, les représentants de Carbide dispersés à travers le pays n'avaient pu écouler que 2 308 tonnes de poudre blanche. C'était moins de la moitié de la capacité

226

de production du bijou industriel conçu par les jeunes loups de South Charleston. Les prévisions pour 1983 étaient plus pessimistes encore.

*

Tandis que les nuages s'accumulaient sur l'avenir de l'orgueilleuse usine, un événement survint un jour dans une hutte de l'Orya basti. Il allait bouleverser le cours de la vie de Padmini. En se réveillant ce matin-là sur le charpoy qu'elle partageait avec ses parents et son frère, elle constata qu'une tache de sang marquait sa culotte. Ses premières règles étaient arrivées. Pour une jeune Indienne, cette transformation intime est encore plus importante qu'elle peut l'être ailleurs. Il signifie qu'elle est prête pour le seul grand événement de son existence : le mariage. Sans doute la coutume veut qu'une fille soit mariée dès l'enfance, mais il ne s'agit là que d'un rite, la véritable union ne venant qu'après la puberté. Comme toutes les fillettes de son âge, même issues des plus humbles familles d'adivasis, Padmini avait été préparée à ce moment solennel qui, durant une longue journée, ferait d'elle le point de mire de tous. Dès sa petite enfance à Mudilapa, puis plus tard à Bhopal, elle avait appris tout ce qu'une bonne épouse et une mère de famille doit connaître. Quant à ses parents, ils savaient qu'ils seraient jugés sur la manière dont leur fille se comporterait dans la maison de son mari. Mais, contrairement à ce qui valait pour les jeunes filles de stricte obédience hindoue, la soumission ne serait pas l'unique critère de sa conduite. Chez certains adivasis où la société est de nature matriarcale, les femmes jouissent de prérogatives ailleurs réservées aux hommes. L'une d'elles est de trouver un mari à leurs filles. La principale obligation découlant de cette responsabilité – réunir une dot acceptable – leur est toutefois épargnée car c'est le fiancé qui apporte une dot à sa promise.

La fille d'un manœuvre, même employé par Union Carbide, n'était pas le plus brillant des partis. Trouver un mari prendrait donc quelque temps. Mais comme le voulait la tradition, ce matin-là Padmini troqua sa jupe et sa chemisette d'enfant pour son premier sari. Il n'y eut aucune fête chez les Nadar. Sa mère enveloppa seulement dans une feuille de journal la culotte qui avait recueilli le premier sang. « Quand nous célébrerons ton mariage, nous irons porter ce linge à la Narmada, annonça-t-elle à sa fille. Nous le remettrons à l'eau sacrée pour qu'elle te bénisse et t'apporte la fertilité. »

*

C'est bien connu, l'amour est aveugle. Surtout quand l'objet de la passion est un monstre industriel comme une usine de produits chimiques. Warren Woomer avait toujours refusé d'imaginer que l'unique considération qui devait déterminer le sort de l'usine de Carbide à Bhopal serait sa rentabilité. Aucune entreprise capitaliste ne pouvait pourtant accepter de perdre des millions de dollars. Les projections établies sept ans plus tôt qui prévoyaient des bénéfices annuels de sept à huit millions de dollars n'avaient plus aucune chance de se réaliser. L'ingénieur indien aux allures d'étudiant appliqué qui avait remplacé Woomer pourrait-il renverser la situation ? Fils d'un ancien gouverneur de la Reserve Bank of India dont la signature figurait encore sur les billets de deux roupies, Jagannathan Mukund avait beaucoup de cordes à son arc, mais il n'était pas sorcier. Après de brillantes études de chimie à Cambridge, il avait obtenu un doctorat au Massachusetts Institute of Technology de Boston. Aussitôt engagé par Carbide, il avait passé deux ans au Texas, puis deux autres à diriger l'usine pétrochimique de l'île de Trombay, et enfin trois ans à Institute en Virginie-Occidentale, pour y apprendre à maîtriser les techniques compliquées de la fabrication du Mic. Marié à la fille du secrétaire général adjoint des Nations unies, une économiste distinguée et professeur d'université, Mukund était le père d'une petite fille que des chirurgiens américains avaient sauvée d'une malformation cardiaque grâce à une opération qu'ils étaient, à l'époque, les seuls à réaliser. Mettre un homme aussi expérimenté à la tête de l'usine était, en théorie, un nouveau cadeau de Carbide à son joyau de Bhopal. En théorie seulement. Car les dirigeants de la filiale indienne de la multinationale s'empressèrent de coiffer le nouveau directeur par un contrôleur financier investi d'une seule et unique mission : réduire coûte que coûte les pertes de l'usine.

Cultivé, raffiné, toujours suprêmement élégant dans ses costumes coupés à Londres, ce superdirecteur, un patricien bengali du nom de D. N. Chakravarty, était âgé de cinquante-deux ans. Ce grand amateur de poésie, de bonne chère, de whisky écossais et de jolies femmes était certes un chimiste distingué, mais il était aussi un personnage complètement anachronique dans l'environnement très spécial d'une usine manipulant des matières chimiques dangereuses. Toute sa carrière s'était écoulée à la tête d'une industrie où la pire calamité à craindre était une panne de tapis roulant. La division des piles électriques qu'il dirigeait était en effet une sinécure qui rapportait sans aucun risque des profits colossaux. La nomination à Bhopal de ce gestionnaire intraitable se révélerait être une fatale erreur.

29

« Ma belle usine était en train de perdre son âme »

Le jeune ingénieur qui avait convoyé au péril de sa vie les premiers barils de Mic de Bombay à Bhopal n'en revenait pas. « Quand on nous a demandé de faire visiter l'usine au nouveau "superdirecteur", nous avions l'impression de promener un touriste à Disneyland », racontera Kamal Pareek.

Le Bengali Chakravarty ignorait tout du fonctionnement d'une installation de ce type. Il ne connaissait pas la fonction de la plupart de ses organes. Il les confondait : ce qu'il appelait un mixeur était en fait un mélangeur. En anglais, les deux mots ont peut-être la même signification mais, dans le jargon technique de Bhopal, ils désignaient des pièces différentes. « Nous avons tout de suite compris que le sauveur qu'on nous avait parachuté ne partageait par notre mystique de fabricant de produits chimiques, ajoutera Pareek. Seuls l'intéressaient les chiffres et les bilans. »

Le fait aurait pu se révéler positif si ce nouveau superdirecteur avait admis qu'une pareille usine ne pouvait être dirigée comme une fabrique de piles électriques ; s'il avait bien voulu reconnaître que, dans ce type d'entreprise, les décisions devaient procéder de tous les échelons, chacune impliquant la vie de milliers de personnes ; s'il avait compris que les situations apparemment les plus favorables pouvaient basculer d'un coup, que le niveau des réservoirs montait et baissait sans cesse, que la combustion des réacteurs variait à tout moment ; bref, qu'il était impossible de diriger une telle usine par le seul envoi de notes de service ou d'oukases depuis son fauteuil directorial. « Quand on dirige une usine de pesticides, dira Pareek, il faut parfois sortir de son bureau, enfiler une combinaison de travail et rejoindre les ouvriers sur le terrain pour respirer avec eux les odeurs d'herbe et de chou bouilli. »

La grande réussite de Carbide avait été d'intégrer un vaste échantillonnage de cultures différentes et de garantir au plus humble de ses ouvriers son droit à la différence et à la parole. Malheureusement, ni Jagannathan Mukund, le successeur de Woomer, pourtant imprégné d'une longue expérience américaine, ni son supérieur venu de Calcutta ne semblaient enclins au dialogue. Leur vision des relations humaines paraissait fondée sur un concept de caste, non pas au sens religieux, mais au sens hiérarchique. L'instauration de ces clivages allait, peu à peu, corrompre, diviser, démotiver. « Dès lors qu'une politique drastique d'économies devenait le seul objectif, et le fait du prince le seul critère d'autorité, nous savions irrémédiable la descente aux enfers de l'usine », confirmera Kamal Pareek.

*

C'est encore une fois le cul-de-jatte Rahul qui apporta la nouvelle. En quelques minutes, elle fit le tour des bastis.

— Carbide vient de virer trois cents coolies. Et il paraît que ça ne fait que commencer.

— Les syndicats n'ont pas réagi ? questionna vivement Ganga Ram.

— On ne leur a pas laissé le choix, expliqua Rahul.

— Est-ce que ça veut dire qu'ils vont fermer toutes les installations ? s'inquiéta Sheela Nadar, qui avait peur que son mari fasse partie du lot des licenciés.

232

— Pas obligatoirement, assura le cul-de-jatte avec autorité. Mais il paraît que la vente des médicaments pour les plantes ne marche plus tellement bien.

— Pas étonnant, observa Belram Mukkadam, les pluies ne sont pas venues cette année et les gens quittent les campagnes.

Sunil, le fils aîné de la famille Kumar, qui venait d'abandonner ses rizières anéanties par la sécheresse, prit la parole.

— Les médicaments pour les plantes, c'est bon quand tout va bien, déclara-t-il. Mais quand il n'y a plus d'eau pour faire boire le riz, ça ne sert à rien.

Cette logique juvénile recueillit l'adhésion de tous. L'attroupement autour de la planche à roulettes s'était agrandi. La nouvelle apportée par Rahul causait la consternation générale. Après avoir vécu si longtemps sous les murs de l'usine, brûlé tant de bâtonnets d'encens pour s'y faire embaucher, avoir été si souvent réveillé en sursaut par les hurlements de ses sirènes; après tant d'années de vie commune sur ce coin de terre, comment imaginer que ce temple de l'industrie puisse se vider des forces qui l'animaient?

— Cette année, les pluies vont venir très fort, assura le sorcier Nilamber dont les prédictions étaient toujours optimistes. Carbide reprendra alors ceux qu'elle chasse aujourd'hui.

Sheela Nadar adressa un sourire reconnaissant au petit homme à barbiche. Tous remarquèrent que sa fille Padmini ne portait plus sa tenue habituelle, mais un sari de coton.

— Les stagiaires de l'usine ont cessé de venir à la Maison de l'Espoir, intervint Padmini, faisant allusion au centre d'instruction que Carbide avait installé dans une partie de l'immeuble occupé par les enfants handicapés de sœur Felicity. Les salles de classe sont fermées depuis quelques jours. Je crois que personne ne reviendra plus parce qu'ils ont emporté tout leur matériel.

De nouveau, une expression de désolation assombrit les visages. Chacun contemplait en silence les orgueilleuses constructions qui barraient l'horizon.

— Moi, je vous dis que c'est pour s'engraisser encore plus sur le dos de nos hommes qu'ils les ont virés, décréta Prema Bai, la vieille sage-femme qui venait à l'instant même d'aider à naître un nouveau citoyen de l'Orya basti. Ne vous faites pas de soucis : Carbide est là pour toujours.

*

La ville entière faisait sien ce pronostic. Ni la mort d'un ouvrier, ni l'agitation syndicale qui s'était ensuivie, ni les prédictions apocalyptiques du journaliste Rajkumar Keswani n'avaient pu ternir le prestige de l'usine aux yeux des Bhopalis. « L'Étoile », qu'Eduardo Muñoz et un groupe d'ingénieurs passionnés avaient construite, appartenait au patrimoine de la cité des bégums tout comme ses mosquées, ses palais et ses jardins. Elle constituait le fleuron d'une culture industrielle complètement nouvelle en Inde. Les habitants de Bhopal ne savaient toujours pas à quoi servaient exactement les cheminées, les réservoirs, les tuyauteries qu'ils apercevaient. Mais ils continuaient à participer avec ferveur à toutes les manifestations organisées par l'usine, qu'il s'agisse d'événements sportifs ou culturels. Certains signes annonçaient pourtant en ce début de 1983 que la lune de miel allait vers son déclin. Pressés par la haute direction d'Union Carbide, Chakravarty et Mukund consacraient toute leur énergie à réaliser des économies supplémentaires. « En Inde, comme partout dans le monde, la seule façon de réduire les coûts est de réduire les dépenses de fonctionnement, dira Kamal Pareek. Ces dépenses, à Bhopal, c'étaient d'abord les salaires. » Après les trois cents coolies dont le licenciement avait bouleversé les familles des bastis, plus de deux cents ouvriers spécialisés et techniciens furent à leur tour mis à pied. Dans la seule unité pourtant essentielle où se fabriquait l'isocyanate de méthyle, les effectifs de chaque équipe furent diminués de moitié. Dans le poste vital que constituait la salle de contrôle, il ne resta qu'un seul agent pour surveiller les quelque soixante-dix cadrans, compteurs et indicateurs qui transmettaient entre autres les températures et les pressions des trois réservoirs contenant le Mic. Les équipes d'entretien subirent les mêmes amputations. Sur un total de presque mille employés, l'usine n'en compta bientôt plus que six cent quarante-deux. Par ailleurs, cent cinquante ouvriers se virent retirés de leurs postes de travail pour constituer un « pool » de main-d'œuvre affecté ici ou là, selon les besoins. Il en résulta une dégradation dans la qualité du travail, de nombreux spécialistes se trouvant assignés à des tâches pour lesquelles ils n'avaient pas été formés. Des départs anticipés à la retraite de personnels qualifiés et leur remplacement par des manœuvres permirent de réaliser de nouvelles économies, au risque de voir des postes clés tenus par des travailleurs inexpérimentés. Ces derniers ne parlaient souvent que le hindi, alors que les manuels d'instructions étaient rédigés en anglais, ce qui accroissait la confusion.

Kamal Pareek n'oublierait jamais « ces pénibles réunions au cours desquelles les responsables de chaque secteur furent contraints de présenter des plans d'économies ». Les plus chevronnés hésitaient à proposer des solutions risquant de compromettre la sécurité de leurs installations. Mais les pressions étaient trop fortes, notamment celles qui venaient du siège central de Danbury, aux États-Unis. C'est ainsi qu'on décida de ne plus changer certaines pièces tous les six mois mais seulement une fois par an. Et de remplacer les tuyaux en acier inoxydable endommagés par des tuyaux en acier ordinaire. Tout était à l'avenant. Chakravarty, le principal responsable de cette frénésie d'économies, ne semblait connaître qu'un seul métal, le fer-blanc des piles électriques. Il affectait d'ignorer la corrosion et l'usure d'appareils soumis à des températures extrêmes. « En quelques semaines, je vis s'envoler tout ce que j'avais appris sur les bords de la Kanhawa River, concluait Pareek. Ma belle usine était en train de perdre son âme. »

Pauvre Pareek! Comme tant d'autres jeunes Indiens que le mythe de la science avait arrachés aux pesanteurs ancestrales de leur pays et propulsés dans le xxᵉ siècle, il avait cru aux nouvelles valeurs prêchées par une grande multinationale. Ce superbe édifice, découvrait-il soudain, ne reposait en réalité que sur une seule et unique religion, le profit. Le losange bleu et blanc n'était pas un symbole de progrès, mais un simple logo commercial.

*

Il n'y eut aucune cérémonie lors du départ de D.N. Chakravarty, en juin 1983. Il quittait Bhopal satisfait d'avoir pu juguler une partie de l'hémorragie que l'usine faisait subir aux finances d'Union Carbide India Limited.

Jagannathan Mukund demeura seul capitaine à bord mais avec la mission de poursuivre la politique de restrictions initiée par l'envoyé de Calcutta. Il quittait rarement la tour d'ivoire climatisée de son bureau et attendit cinq mois avant de répondre aux trois inspecteurs de South Charleston qui avaient constaté de multiples entorses à la sécurité. Il les assura que « tous les défauts seraient dûment corrigés », mais le calendrier qu'il proposait pour les remises aux normes les laissa perplexes. C'est ainsi que certaines vannes défectueuses dans les unités du phosgène et du Mic ne pourraient être remplacées avant plusieurs mois. Quant au système de détection automatique d'incendie dans l'atelier de fabrication de l'oxyde de carbone, il ne pourrait être installé avant un an au plus tôt. Ces manquements graves aux sacro-saints principes de sécurité ne tardèrent pas à arracher un nouveau cri d'alarme au journaliste Rajkumar Keswani. L'usine ne cessait de se dégrader. Les agents chargés de la maintenance manquaient de vannes de rechange, de brides, de collerettes, de rivets, de boulons et même d'écrous. Ils se trouvaient contraints de remplacer des indicateurs défectueux par des appareils qui ne correspondaient pas aux normes. Les petites fuites dans les circuits n'étaient colmatées que lorsqu'elles devenaient vraiment dangereuses. De nombreuses opérations d'entretien furent peu à peu supprimées. Les contrôles de qualité des substances fabriquées devinrent de moins en moins fréquents, de même que les vérifications des équipements les plus sensibles.

« *Produce when required* – Fabriquer quand c'est nécessaire »... Bientôt la marche de l'usine fut limitée aux seules périodes où il fallait approvisionner en Sevin le réseau de vente. Cette méthode était exactement celle qu'Eduardo Muñoz avait tenté de faire accepter sans succès dix ans auparavant aux ingénieurs de South Charleston pour éviter de stocker les énormes quantités de Mic exigées par une production en continu. À présent que l'usine tournait au ralenti, Mukund fit stopper la fabrication de Mic afin de vider progressivement les cuves. Bientôt, ces dernières ne continrent plus qu'une soixantaine de tonnes. C'était une quantité minime d'après les standards américains d'Institute, mais suffisante pour, en cas d'accident, voir se réaliser les prédictions apocalyptiques du journaliste Rajkumar Keswani.

À l'automne 1983, Mukund prit une décision qui devait se révéler lourde de conséquences. Négligeant l'avertissement de son prédécesseur, il ordonna la mise en sommeil des principaux systèmes de sécurité. À ses yeux, ces systèmes n'avaient plus de raison d'être puisque l'usine qu'ils devaient protéger n'était plus en activité. Aucun incident ne pouvait se produire dans une installation qui n'était pas en fonctionnement. Ce raisonnement oubliait de tenir compte des soixante tonnes d'isocyanate de méthyle qui se trouvaient dans les cuves. L'interruption de la réfrigération de ces réservoirs allait peut-être permettre d'économiser chaque jour quelques centaines de roupies de courant électrique, et peut-être autant en gaz fréon. Mais elle violait une règle fondamentale établie par les chimistes de Carbide, spécifiant que l'isocyanate de méthyle doit être conservé en toutes circonstances à une température voisine de zéro degré centigrade. Or, à Bhopal, la température ne descend jamais au-dessous de quinze ou vingt degrés centigrades, même en hiver. Enfin, pour économiser quelques kilos de charbon, on éteignit la flamme qui brûlait jour et nuit au sommet de la torchère. Cette flamme avait pour fonction d'incinérer en altitude les gaz toxiques rejetés dans l'atmosphère en cas d'accident. Par la suite, on désactiva d'autres équipements essentiels, en particulier l'énorme cylindre de la tour de lavage censée décontaminer d'éventuelles fuites de gaz dans un bain de soude caustique.

*

De nombreux ingénieurs ne purent supporter la dégradation du bijou qu'ils avaient vu construire. La moitié d'entre eux quittèrent l'usine avant la fin de l'année 1983. Le 13 décembre, le plus ancien partit à son tour. Pour celui qui avait si souvent risqué sa vie en convoyant de Bombay à Bhopal des camions remplis de Mic, ce départ serait à la fois un déchirement et une libération.

Avant de quitter sa belle usine, Kamal Pareek voulut démontrer à ses camarades qu'en cas de danger tous les systèmes de sécurité si imprudemment arrêtés pouvaient être remis en marche. Comme un matelot grimpant au sommet du grand mât de son navire pour allumer le feu de vigie, il escalada l'échelle de l'immense torchère et ralluma la flamme. Puis il se dirigea vers les trois réservoirs contenant l'isocyanate de méthyle et déverrouilla les vannes alimentant en fréon les serpentins qui assuraient leur réfrigération. Il attendit que l'aiguille de l'indicateur de température soit redescendue à zéro degré centigrade. Se tournant alors vers l'ingénieur K. D. Ballal de garde ce soir-là dans l'unité, il fit un salut militaire et annonça :

— *Temperature is at zero Celsius, Sir! Good bye and good luck! Now let me run to my farewell party* [1] *!*

---

1. La température est à zéro centigrade, monsieur! Au revoir et bonne chance! Et maintenant, laissez-moi courir à ma soirée d'adieu!

30

Les fiancés de l'Orya basti

— Ne pleure pas, l'ami. Je vais t'emmener chez le Bihari. Il a déjà une centaine de gars dans son troupeau. Peut-être qu'il voudra bien en prendre un de plus.

Satish Lal, un petit bonhomme maigre et voûté, aux muscles saillants, était, après Belram Mukkadam, l'un des plus anciens du bidonville. Il occupait la hutte en face de celle de la famille de Padmini. Il avait quitté son village de l'Orissa afin de trouver en ville un travail qui lui permette de rembourser les dettes contractées pour la crémation de son père. Un camarade de jeunesse revenu au village à l'occasion des fêtes de Dourga l'avait attiré à Bhopal où il était devenu porteur à la gare centrale. « Viens avec moi, lui avait-il dit. Je t'obtiendrai un badge de coolie et tu t'achèteras un uniforme. Tu te feras quinze à vingt roupies par jour. » Depuis trente ans, Satish Lal travaillait donc à la gare de Bhopal. Son ancienneté lui conférait un certain prestige au sein du syndicat des porteurs dirigé par un homme appelé le Bihari parce qu'il venait de l'État du Bihar. Satish Lal espérait que sa notoriété de syndicaliste lui permettrait d'aider son voisin Ratna Nadar, le père de Padmini licencié par Carbide avec trois cents autres manœuvres.

— Le Bihari, on ne le voit jamais, expliqua Satish Lal. On ne sait même pas où il crèche. C'est un caïd. Il s'en fiche pas mal que ce soit toi ou Indira Gandhi qui porte les bagages sur les quais, pourvu que chaque soir on lui verse la comptée, c'est-à-dire une partie de nos pourboires. C'est un employé à lui qui s'occupe de ce travail. Seul cet homme-là peut t'obtenir le badge t'autorisant à travailler comme coolie. Mais n'imagine pas qu'on l'approche plus facilement que son patron. Il faut lui être présenté par quelqu'un qu'il apprécie. Quelqu'un qui va lui dire qui tu es, d'où tu viens, quelle est ta caste, ta lignée, quel est ton clan. Et tu as intérêt à le saluer de ton plus beau namasté, et à lui balancer du *sardarji*[1] en veux-tu en voilà. Et à invoquer sur sa personne la bénédiction du grand dieu Jagannath et de toutes les divinités.

— Ne faut-il pas aussi lui faire un cadeau ? s'inquiéta l'ancien manœuvre de Carbide, qui avait toujours dû graisser la patte des tharagars pour se faire embaucher.

— T'as raison, l'ami ! Tu peux sortir cinquante roupies, quelques pan et une bonne dizaine de paquets de bidis. Une fois qu'il t'aura accepté, la police fera une enquête pour savoir si t'as pas eu de problèmes dans le passé. Là encore, il faudra prévoir quelques petits bakchichs. – Les yeux de Ratna Nadar s'arrondissaient à mesure que s'alourdissaient les sommes à débourser pour obtenir cet emploi. — Et il y a encore le *P.A.*[2] du chef de gare. C'est lui qui transmet le feu vert des flics à son patron qui, lui, te remet ton badge. Ton badge, c'est un talisman. Quand tes os te feront trop mal pour porter les valises et les caisses, tu pourras le transmettre à ton fils. Mais attention, si tu refuses de t'occuper des bagages d'un ministre ou d'une huile quelconque sous prétexte qu'ils ne donnent jamais de pourboire, le chef de gare peut te le retirer.

Depuis le temps qu'il travaillait à la gare, Satish Lal connaissait toutes les combines. Il disait même avoir porté sur sa tête les énormes malles d'Hamidullah Khan, le der-

---

1. *Sardar* : chef ; *sardarji* : terme de respect exprimé par la finale *ji*.
2. *Private Assistant*, assistant personnel.

nier nabab. Elles étaient très lourdes : leurs serrures étaient en argent massif.

La ceinture de son longhi gonflée des liasses de roupies destinées aux différents intermédiaires, Nadar prit le chemin de la gare en compagnie de son voisin. Avant d'entrer dans le petit bureau qu'occupait le syndicat des coolies, près du vestiaire, les deux hommes s'arrêtèrent devant l'autel qui abritait, à côté d'un tulsi, une statuette orange du dieu Ganesh. Ratna Nadar agita la clochette posée devant la divinité pour solliciter sa protection et plaça une banane et quelques pétales de jasmin dans la coupelle des offrandes.

Ganesh exauça les vœux du père de Padmini. Quelques jours plus tard, son voisin fit irruption devant sa hutte.

— Tu as gagné, l'ami ! annonça-t-il triomphalement. Tu es le cent et unième coolie de la gare de Bhopal. Va vite t'acheter une tunique et un turban rouges. Et une provision de friandises et de bonbons. Le chef de gare t'attend pour te décorer de ton badge.

*

C'était un rite. À chaque retour de la pleine lune, les anciens de l'Esplanade noire prenaient place sur des nattes de sisal mises bout à bout, les hommes d'un côté, les femmes de l'autre, pour discuter des affaires de leur communauté. Les hommes échangeaient des chiques de bétel et des bidis, les femmes des sucreries. L'un des objectifs de ces rencontres était de passer en revue les jeunes du quartier en âge d'être mariés. On énumérait des noms. Aussitôt, s'engageait une discussion. Bientôt, certains noms de garçons et de filles se trouvaient accolés l'un à l'autre. Les commentaires redoublaient sur les mérites et les inconvénients de ces alliances imaginaires. L'affaire se prolongeait parfois jusqu'à la rencontre suivante, tant les habitants des bastis prenaient au sérieux la descendance de leurs familles. Un jour, la voix rauque de la vieille Prema Bai, l'accoucheuse, s'éleva du petit groupe.

— Nous devons trouver un bon mari pour Padmini, énonça-t-elle avec autorité.

— Prema Bai a raison, acquiesça aussitôt la belle Dalima, l'épouse de Ganga Ram.

Une discussion s'engagea. On mentionna plusieurs garçons parmi lesquels Dilip, le fils adoptif de Dalima. Cette dernière suivait la conversation avec une attention passionnée. À son habitude, Belram Mukkadam essaya de calmer le jeu.

— Il n'y a pas le feu, déclara-t-il. D'après ce que je crois savoir, Padmini Nadar est encore trop jeune.

— Tu es mal informé, mon frère, répliqua aussitôt la mère de la jeune fille, elle a bien l'âge d'être mariée. Et nous souhaitons lui trouver le meilleur mari possible.

L'intervention de la douce Sheela Nadar ne surprit personne. Chez ces adivasis, c'étaient les femmes qui négociaient les mariages.

— Il n'y aurait pas de meilleur mari pour ta fille que mon fils Dilip, lança Dalima à la cantonade. C'est un garçon exceptionnel et je veux pour lui une épouse qui ne le soit pas moins.

Personne ne se méprit sur le sens de cette déclaration. Elle avait moins pour objet de vanter les qualités du garçon que de réduire au départ les prétentions financières de la famille de la jeune fille.

— Ma fille est tout aussi exceptionnelle que ton fils, renchérit Sheela. Et si ton fils est un tel joyau, tu as certainement prévu de le doter généreusement.

— J'ai prévu de faire mon devoir, répondit Dalima, soucieuse d'éviter tout affrontement à ce stade de la négociation.

Ce genre d'échange s'inscrivait dans le cadre d'un rituel très précis qu'aucune des deux parties ne pouvait bousculer. Il fallut encore deux assemblées de pleine lune et de nombreux palabres pour aboutir à un accord sur l'union de Dilip et Padmini. La tractation put dès lors se poursuivre par le *manguni*, c'est-à-dire la demande officielle en mariage de la jeune fille. Pour respecter la tradition, les parents du garçon invitèrent quelques anciens du quartier à les représenter dans cette formalité primordiale. Mais, comme toujours en Inde, aucune cérémonie ne pouvait avoir lieu sans l'intervention préalable d'un *jyotiji*, un astrologue chargé de voir dans les astres si les destinées des fiancés étaient compatibles et quelle était la date la plus propice pour le manguni. Dans le bidonville voisin de Chola vivait un vieil homme à barbe blanche nommé Joga qui, depuis quarante ans, exerçait la profession de diseur de bonne aventure dans les rues de la vieille Bhopal. Sa tâche n'était pas toujours facile, surtout quand les parents des futurs mariés ignoraient la date exacte de la naissance de leurs enfants, ce qui était le cas de Dalima et des Nadar. Le vieux Joga se contenta de suggérer que la demande en mariage ait lieu durant un mois qui soit sous l'influence bénéfique de la planète Vénus, et un jour de la semaine qui ne soit ni un vendredi, ni un samedi, ni un dimanche, les trois jours néfastes du calendrier lunisolaire indien.

*

Un cortège de rois mages s'arrêta devant la hutte des Nadar. De mémoire d'Orya basti, on n'avait jamais vu un tel manguni. Ganga Ram avait fait cuire un chevreau, et les anciens qui l'accompagnaient arrivaient les bras chargés de victuailles, de friandises, de bouteilles de bière et de *country liquor*.

Ce fut un vrai *barakanna*[1], un festin comme les habitants du basti n'en avaient jamais connu. L'homme qui

_____

1. Littéralement : « grande bouffe ».

avait vaincu la lèpre, qui avait remis sur ses jambes sa femme mutilée, qui avait offert à la communauté une lucarne magique pour rêver chaque soir devant les contes épiques de l'Inde, Ganga Ram s'était montré le plus généreux des beaux-pères. La mère de Padmini accepta, au nom de sa fille, le *pindhuni,* la parure de soie ornée de fils d'or qu'il lui apportait pour concrétiser officiellement la promesse d'union. Les fiancés n'assistaient pas à la cérémonie. Tous les préparatifs de leur mariage se déroulaient sans eux. L'usage voulait qu'ils ne fassent connaissance que le soir de leurs noces, quand Dilip écarterait le voile du visage de sa fiancée pour apposer sur la raie de ses cheveux la poudre rouge de *sindur,* symbole du mariage. Mais évidemment, Dilip et Padmini se connaissaient depuis longtemps.

Les agapes terminées, le moment vint de passer à la chose la plus sérieuse, la négociation de la dot. C'est à la vieille Prema Bai que la mère de Padmini avait confié le soin de négocier cette importante formalité. Avec l'aide d'autres femmes, elle avait élaboré la liste des objets et des cadeaux que la famille de Dilip devait offrir à sa future épouse. Cette liste comprenait deux saris de coton, deux corsages, un châle et divers ustensiles de ménage. Elle comprenait aussi des bijoux, certains de pacotille, d'autres en or véritable, en l'occurrence deux bagues d'orteil, une broche de nez et un *matthika* [1]. Quant aux présents destinés à la famille de la mariée, ils devraient comporter pour son père deux dhotis, autant de maillots de corps et de panjabis, cette longue tunique boutonnée du cou jusqu'aux genoux. Sa mère recevrait deux saris de soie et une paire de sandales incrustées de petites pierreries ornementales. Prétentions de pauvres, certes, mais qui représentaient quelque trois mille roupies, une somme fabuleuse même pour le propriétaire d'une petite entreprise de peinture.

---

1. Bijou de forme allongée qui se porte sur le front.

Belram Mukkadam, le cordonnier Iqbal et le cul-de-jatte Rahul, qui tous les trois représentaient la famille de Dilip, avaient écouté sans broncher la voix rauque de la vieille accoucheuse. Une négociation de mariage étant par tradition une affaire de longue haleine, l'usage voulait que le clan de la famille du fiancé se concerte avant de donner son accord. Mais Dalima était si désireuse que son fils épouse Padmini que les trois envoyés dodelinèrent de la tête en même temps, signe qu'ils acceptaient toutes les conditions de la famille de la jeune fille.

C'est alors que le vieux Joga, l'astrologue à barbe blanche qui avait assisté en silence à tous les échanges sortit brutalement de sa réserve.

— Avant que vous finissiez vos marchandages, j'aimerais bien qu'on se mette d'accord sur la rétribution de mes services, déclara-t-il vivement.

— Nous avons prévu deux dhotis pour vous et un sari pour votre femme, répondit Mukkadam.

— Deux dhotis et un sari ! s'écria le jyotiji outré. Vous plaisantez !

De l'embrasure des huttes, la ruelle entière suivait avec passion ce rebondissement inattendu.

— Si vous n'êtes pas satisfait, nous chercherons un autre jyotiji, menaça le cul-de-jatte Rahul.

L'astrologue éclata de rire.

— C'est moi qui ai tiré les horoscopes ! Personne n'acceptera de choisir à ma place la date du mariage !

La réplique déclencha des gloussements. Des femmes s'interpellèrent : « C'est un vrai fils de putain, ce jyotiji ! » ricana l'une d'elles. « C'est surtout un malin », répliqua une autre. Puis, la voix de Dalima fusa comme l'éclair. Ses beaux yeux verts étaient injectés de sang. Elle fulminait.

— Espèce d'ordure ! cria-t-elle. Si tu fais échouer le mariage de mon petit, je te fais la peau !

L'astrologue feignit de se lever pour partir. Le cordonnier Iqbal le rattrapa par le bras.

— Restez, supplia-t-il.

— Uniquement si vous me versez tout de suite un acompte de cent roupies.

Les regards des participants se croisaient, exprimant leur impuissance. Mais soudain la silhouette trapue de Ganga Ram apparut. Il serrait une liasse de billets entre les moignons de sa main droite.

— Voilà, dit-il sèchement, en jetant les billets sur les genoux du petit homme. Maintenant, dites-nous quel jour nous devons célébrer le mariage de nos enfants.

L'astrologue fit mine de réfléchir. Il avait déjà fait son calcul. Il avait éliminé tous les jours où le soleil passait dans le neuvième et le douzième signe du zodiaque, et choisi celui où le soleil était favorable au fiancé alors que la planète Jupiter offrait à la fiancée son influence la plus bénéfique.

— Le 2 décembre, entre dix heures et minuit, sera le moment propice à l'union de vos enfants, déclara-t-il.

31

Fin de rêve pour un jeune Indien

Le document portait le cachet BUSINESS CONFIDENTIAL et la date du 11 septembre 1984. Adressé au responsable du département d'Ingénierie et de sécurité d'Union Carbide à South Charleston, il était signé J. M. Poulson, du nom de l'ingénieur qui, deux ans plus tôt, avait dirigé l'audit sécurité de l'usine de Bhopal. Cette fois, Poulson et les cinq membres de son équipe venaient d'enquêter sur les conditions de stockage de plusieurs centaines de tonnes d'isocyanate de méthyle à Institute, au cœur même de la Kanhawa Valley, là où vivaient plus de deux cent cinquante mille Américains.

Le document révélait que l'installation d'Institute souffrait d'un certain nombre de défauts et de dysfonctionnements : des vibrations susceptibles d'entraîner la rupture de tuyauteries sensibles ; des fuites potentiellement dangereuses sur différentes pompes et autres appareils ; des corrosions sur des gaines de câbles électriques ; l'orientation défectueuse de plusieurs jets d'extinction automatique d'incendie dans des secteurs primordiaux ; des défauts dans le système de remplissage des réservoirs de Mic, etc. Bref, des lacunes qui prouvaient que la sécurité de la grande sœur de l'usine de Bhopal laissait beaucoup à désirer. Le document affirmait aussi que la santé même du personnel travaillant à Institute était menacée. Car

Poulson et son équipe avaient noté que les ouvriers de l'unité du Mic étaient souvent amenés à respirer des vapeurs de chloroforme, notamment lors des opérations de maintenance. Aucun système de contrôle ne mesurait la durée de ces expositions, alors que le chloroforme est une substance hautement cancérigène. Le rapport précisait qu'un laps de temps de quinze minutes constituait une surexposition dangereuse. Ces risques apparaissaient toutefois mineurs aux enquêteurs en regard du danger « qu'une réaction d'emballement se produise dans l'une des cuves de Mic et que la réponse à cette situation ne puisse être ni assez rapide ni assez efficace pour empêcher une catastrophe ». Le document énumérait en détail les circonstances qui rendaient possible un tel drame. Le fait que les cuves servent à des stockages prolongés favorisait des contaminations internes susceptibles de passer inaperçues jusqu'à ce que survienne précisément une réaction chimique soudaine et dévastatrice. Les enquêteurs avaient en effet constaté que le système de réfrigération de ces cuves permettait l'intrusion de minuscules impuretés capables de devenir les redoutables catalyseurs d'une telle réaction. Ils avaient découvert que ceux-ci pouvaient aussi provenir de la torchère devant brûler les gaz toxiques à quarante mètres de hauteur. Bref, l'installation la plus moderne, la plus sûre de toute l'industrie chimique des États-Unis paraissait à la merci de quelques gouttes d'eau ou de quelques copeaux de limaille. *The potential hazard leads the team to conclude that a real potential for a serious incident exists* [1], concluait le document. Dans sa lettre d'accompagnement, Poulson donnait les noms des seize responsables de Carbide auxquels devait être communiquée une copie de son rapport. Curieusement, cette liste ne mentionnait pas l'homme que celui-ci concernait en priorité. Jagannathan

---

1. « Les risques potentiels nous amènent à conclure qu'il existe une réelle possibilité d'un incident sérieux. »

Mukund, le directeur de l'usine de Bhopal où trois cuves contenaient en permanence plus de quarante tonnes de Mic, ignorera les angoisses des ingénieurs américains et surtout leurs recommmandations pour conjurer les risques d'une catastrophe.

*

L'usine de l'Esplanade noire était un peu son enfant. Il en avait conçu le premier atelier de formulation. Il avait acheté le splendide palais du frère du dernier nabab pour en faire le Centre de recherche agronomique. Avec Eduardo Muñoz et quelques autres pionniers fanatiques, Ranjit Dutta avait lancé l'aventure de la belle usine au cœur de la cité des bégums. Pour cet ingénieur à la carrure de joueur de rugby, Bhopal et son usine avaient été une étape magique dans une carrière riche de succès. Parti d'Inde en 1976 pour prendre la direction des opérations américaines de Carbide, Dutta n'avait cessé de revenir sur les lieux de ses premières amours. Chaque année, il s'y rendait en vacances avec sa famille pour canoter sur les eaux du lac Supérieur, pour écouter chanter les poètes les soirs des mushairas sur la place des Épices, pour rêver devant les structures illuminées du paquebot dont il avait dessiné les premières cheminées [1].

À présent, âgé de cinquante-quatre ans, Dutta occupait, au siège de la société, le poste de vice-président de la division des produits agricoles. En cet été 1984, alors que l'équipe d'enquêteurs dirigée par Poulson rédigeait son rapport sur les dangers des installations d'Institute, l'ingénieur indien revenait de son pèlerinage à Bhopal. Mais cette fois, l'amoureux de la vieille cité rentrait triste et

---

1. Bien qu'originaire de la région qui deviendrait le Bangladesh, et qu'il ait vécu une partie de sa vie aux États-Unis, en Europe et dans les plus grandes villes de l'Inde, c'est à Bhopal que Ranjit Dutta est revenu pour y prendre sa retraite.

déçu. « Au cours de cette visite, je n'ai pas aimé ce que j'ai vu, racontera-t-il douloureusement. J'ai vu les abords de l'usine envahis de détritus et d'herbes folles. J'ai vu des ouvriers désœuvrés discourir durant des heures autour de leurs tasses de thé. J'ai vu des piles de dossiers jonchant les bureaux de la direction. J'ai vu des pièces d'équipement démontées traînant un peu partout. J'ai vu des gens désorientés, démotivés. Même si l'usine était provisoirement arrêtée, tous auraient dû se trouver à leur poste en train de procéder à des opérations de maintenance... C'est étrange, j'ai ressenti une impression d'abandon. »

Dès son retour à Danbury, Dutta chercha à communiquer cette impression à ses supérieurs mais, curieusement, il ne trouva chez eux aucune écoute. « Sans doute croyaient-ils que je nourrissais quelque animosité envers les responsables locaux, dira-t-il, ou que je cherchais à reprendre le contrôle de l'usine. Mais je voulais seulement les prévenir qu'il se passait de drôles de choses à Bhopal, et que les gens là-bas ne faisaient pas leur travail comme ils auraient dû. »

*

L'homme qui avait porté l'usine de Bhopal sur les fonts baptismaux ne tardera pas à recevoir l'explication de cette indifférence. Si personne au sommet d'Union Carbide ne semblait accorder cet été-là le moindre intérêt à « l'abandon » dont l'usine était victime, c'était pour une bonne raison : à Danbury, on avait déjà tiré un trait sur son existence. Dutta en aurait la confirmation formelle lors de la conférence qui réunissait chaque été dans la campagne du Connecticut les dirigeants de toutes les divisions agricoles de la société. Au cours de cette réunion se décidaient les stratégies de marketing adaptées aux produits fabriqués par Carbide dans le monde entier : prix de vente, problèmes de concurrence, recherche de nouveaux clients... Le destin de l'usine de Bhopal y avait déjà été étudié en long et en large. Dès 1979, la viabilité économique de l'installation avait fait l'objet d'un débat approfondi. Parmi les différentes options envisagées figurait l'arrêt pur et simple de sa construction. En raison de l'avancement des travaux, on y avait renoncé. Or, cinq ans plus tard, la situation s'était dégradée. L'entreprise perdait à présent des millions de dollars. Les perspectives de vente de Sevin pour 1984 ne dépassaient pas mille tonnes, soit la moitié du résultat de l'année précédente et un cinquième seulement de la capacité de production totale. Un désastre. Les participants approuvèrent un plan de liquidation. En réalité, la multinationale comptait se débarrasser de sa coûteuse usine indienne non par une simple liquidation, mais par un redéploiement de ses installations dans d'autres pays du tiers-monde. Le Brésil, par exemple, pourrait accueillir les unités de phosgène, d'oxyde de carbone et d'isocyanate de méthyle. Quant aux ateliers de formulation et de conditionnement du Sevin, l'Indonésie paraissait une terre tout à fait propice à leur réaménagement.

Le vice-président de Carbide pour l'Asie expédia un message ultrasecret à Bhopal. Il voulait savoir dans quelles conditions financières et matérielles un déménagement pourrait s'opérer « compte tenu des prix modérés de la main-d'œuvre en Inde ».

La tâche de rassembler les informations nécessaires fut confiée à l'ingénieur hindou Umesh Nanda. Neuf ans plus tôt, une petite annonce dans le *Times of India* avait permis à ce fils d'un modeste industriel du Panjab d'accomplir le rêve de tous les jeunes scientifiques indiens de sa génération : entrer dans une multinationale de renom. Et voilà qu'il se trouvait aujourd'hui chargé de mettre au point le démantèlement de son rêve. « Le démontage et l'expédition par bateau des ateliers de production du Sevin ne devraient poser aucun problème, répondra-t-il le 10 novembre dans un télex à sa direction. En revanche, il semble qu'il n'en serait pas de même pour l'unité du Mic à cause des nombreuses et sévères corrosions qui l'ont endommagée. » Nanda avertissait que le remontage de cette unité ne pourrait se faire qu'après une remise en état entraînant des frais importants. Le télex de l'Indien répondait aux interrogations de Carbide, mais confirmait aussi les pires inquiétudes du journaliste Keswani. La belle usine était bel et bien à l'abandon.

*

Après deux ans d'absence, Rajkumar Keswani était justement de retour à Bhopal. Il ignorait encore que Carbide avait décidé de faire une croix sur l'usine et se préparait à la transférer dans quelque pays du tiers-monde. Les renseignements de plus en plus alarmants reçus de ses informateurs au sein de l'entreprise l'incitèrent à lancer un quatrième cri d'alarme qu'il intitula « BHOPAL AU BORD DU DÉSASTRE ». Cette fois, il en était persuadé, son article allait soulever l'opinion publique et convaincre les autorités. *Jansatta*, le quotidien régional qui lui ouvrait ses colonnes, n'était pas une feuille confidentielle mais l'un des plus grands journaux de l'Inde, appartenant au prestigieux groupe de l'*Indian Express*. Une fois de plus, Keswani allait prêcher dans le désert. Ses nouvelles prédictions apocalyptiques ne soulevèrent pas le moindre intérêt dans l'opinion, pas plus qu'elles n'incitèrent les autorités municipales à prendre de quelconques mesures de sécurité. Le journaliste chercha une explication à ce nouvel échec. N'ai-je pas réussi à être assez convaincant ? s'interrogeat-il. Vivons-nous dans une société où l'on se méfie de ceux qui s'intéressent au bien public ? Ou bien pense-t-on tout simplement que j'essaie de faire chanter Carbide pour me remplir les poches ?

La roue du destin était en marche. Dans quelques semaines, le visage rond de Keswani apparaîtrait sur les écrans de toutes les télévisions du monde et il serait le plus jeune reporter à recevoir le Press Award of India, la plus haute distinction attribuée en Inde à un journaliste.

32

La vengeance du peuple
de l'Esplanade noire

Elle n'aurait pour rien au monde manqué son rendez-vous avec le petit peuple de l'Inde. Chaque matin, avant d'aller exercer ses écrasantes fonctions de Premier ministre de la démocratie la plus peuplée de l'univers, Indira Gandhi recevait dans le jardin débordant de roses et de bougainvillées de sa résidence de Safdarjang Road ceux qui venaient chercher un *darshan*, une communication visuelle avec la femme incarnant l'autorité suprême. Pour cette patricienne de soixante-sept ans qui régnait depuis dix-sept ans sur un cinquième de l'humanité, ces rencontres matinales étaient l'occasion de se plonger dans la réalité aux mille facettes de son immense pays. Drapée dans son sari, elle allait d'un groupe à l'autre, s'entretenant ici avec des paysannes au teint foncé originaires de l'extrême sud ; là, avec une délégation de travailleurs des chemins de fer du Bengale ; plus loin, avec une nuée de jeunes écolières à longues nattes ; plus loin encore, avec une escouade de balayeurs nu-pieds venus de leur lointaine province du Bihar. À chacun, la « mère de la nation » disait quelques mots ; elle lisait les pétitions qu'on lui tendait, répondait par une promesse, se prêtait gracieusement au rituel de la photo-souvenir. Comme au temps des empereurs moghols, l'Inde profonde accédait ainsi quotidiennement, l'espace d'un instant, aux sources du pouvoir.

Ce matin du mercredi 31 octobre 1984, une superbe journée d'automne, claire et lumineuse, s'annonçait. Une brise légère agitait les feuilles des margousiers du vaste jardin où l'attendaient les privilégiés du darshan matinal, ainsi qu'une équipe de télévision britannique venue l'interviewer. La veille au soir, Indira était rentrée d'une harassante tournée électorale en Orissa, l'État dont la plupart des réfugiés de l'Orya basti de Bhopal étaient natifs. Devant les milliers de fidèles venus l'écouter, elle avait terminé sa harangue par ces mots surprenants : « Je n'ai pas pour ambition de vivre une longue vie, mais j'ai la fierté de la vivre au service de la nation. Si je devais mourir aujourd'hui, chaque goutte de mon sang fortifierait l'Inde. »

À neuf heures et huit minutes, elle descendit les trois marches de sa résidence pour gagner le jardin. Elle portait un sari orange, l'une des trois couleurs du drapeau national. En passant devant les deux gardes en faction de chaque côté de l'allée, elle joignit les mains à la hauteur du cœur dans un cordial namasté. Les deux hommes portaient la barbe et le turban traditionnels des sikhs. L'un d'eux, Beant Singh, quarante ans, était un familier : depuis dix ans, il faisait partie de sa sécurité rapprochée. L'autre, Satwant Singh, vingt et un ans, n'avait que quatre mois de service. Quelques semaines plus tôt, le général Ashwini Kumar, un ancien haut responsable de la police, était venu voir Indira Gandhi pour lui exprimer son inquiétude. « Madame, ne gardez pas de sikhs dans votre service de sécurité. » Il avait rappelé que les extrémistes de cette communauté avaient juré de lui faire payer le bombardement et la prise sanglante par l'armée de leur sanctuaire le plus sacré, le Temple d'or d'Amritsar. Le 6 juin précédent, l'affaire avait causé la mort de six cent cinquante sikhs. Indira Gandhi sourit et rassura son visiteur. Désignant la silhouette du garde Beant Singh dans le jardin, elle répliqua : « Tant que j'aurai la chance d'avoir de

tels sikhs auprès de moi, je n'aurai rien à craindre. »
Incrédule, le général avait insisté. Elle mit fin à l'entretien
avec agacement : « *How can we claim to be secular if we go
communal*[1] ? »

Ce mercredi 31 octobre, à peine venait-elle de saluer les
deux gardes que le plus âgé brandit son P 38 et lui tira
trois balles en pleine poitrine. Aussitôt, son complice vida
sur le corps les trente balles du chargeur de sa mitraillette
Sten. Sept projectiles au moins perforèrent l'abdomen,
une dizaine la poitrine, plusieurs le cœur. La mère de
l'Inde n'eut pas le temps de pousser un cri. Elle mourut
sur le coup.

*

Comme trente-six ans plus tôt, lors de l'assassinat du
Mahatma Gandhi, la nouvelle plongea la nation dans la
stupeur et la douleur. Dès le milieu de l'après-midi, New
Delhi ainsi que les autres cités du pays étaient devenues
des villes fantômes. À Bhopal, on décréta un deuil de
douze jours. Toutes les cérémonies, réjouissances, célébrations furent annulées, tandis que cinémas, écoles, bureaux
et commerces fermaient leurs portes. Les drapeaux furent
mis en berne. Les journaux publièrent des éditions spéciales dans lesquelles ils invitaient leurs lecteurs à exprimer leur désespoir. « L'Inde est orpheline », proclamait
l'un d'eux ; un autre affirmait : « Dans un pays aussi diver-
sifié que le nôtre, seule Indira pouvait garantir notre
unité. »

« Nous n'entendrons plus l'irrésistible musique de son
éloquence... » se lamentait-on à Bhopal, au souvenir de sa
récente visite lors de l'inauguration de la maison des Arts
et de la Culture. « Cette réalisation fera de Bhopal la capitale culturelle du pays », avait-elle annoncé sous les

---

1. « Comment pouvons-nous prétendre faire de l'Inde un État laïc si
nous choisissons les gens en fonction de leur appartenance religieuse ? »

applaudissements et les acclamations de *Indira Ki Jai !* Les entreprises, les commerces, les associations de la ville remplirent les journaux de placards publicitaires exprimant leur chagrin et offrant leurs condoléances. L'un des messages portait la signature d'Union Carbide dont tout le personnel, assurait le communiqué, pleurait la mort du Premier ministre de l'Inde.

Dans l'après-midi, la voix brisée du gouverneur du Madhya Pradesh résonna sur les ondes d'All India Radio. « La lumière qui nous guidait s'est éteinte, déclara-t-il. Prions Dieu de nous donner la force de rester unis en cette heure de crise. » Un peu plus tard, le transistor du réparateur de vélos de Jai Prakash rassembla les habitants du quartier. Arjun Singh, le premier ministre du Madhya Pradesh qui les avait faits propriétaires en leur distribuant des patta, manifestait lui aussi sa peine. « Elle était l'espoir des millions de pauvres de ce pays. Qu'il s'agisse des adivasis, des harijans, des habitants des bastis, des tireurs de rickshaws, elle avait toujours du temps à leur consacrer, et une solution à offrir à leurs problèmes. [...] Que son sacrifice nous inspire pour continuer notre marche en avant... »

Mais c'est seulement le lendemain, à l'occasion des funérailles, que les habitants de Bhopal et tout le peuple de l'Inde prirent vraiment conscience de la tragédie qui venait de frapper le pays. Pour la première fois dans l'histoire, la télévision allait diffuser cet événement jusqu'au plus reculé des innombrables villages de ce pays-continent, partout où un téléviseur appartenant à quelque *zamindar* [1], quelque privilégié, quelque association ou club, pouvait transmettre les images en direct de New Delhi. Brusquement, une nation entière serait soudée par cette communion médiatique. Dès l'aube, à l'appel de Ganga Ram, propriétaire de l'unique téléviseur du quartier, les huttes de l'Esplanade noire s'étaient vidées de

---

1. Grand propriétaire terrien.

leurs occupants. L'ancien lépreux Mukkadam et le cordonnier Iqbal avaient empilé plusieurs tables de la tea-house et avaient recouvert le tout d'un grand drap blanc, symbole de pureté et de deuil, avant de le décorer de guirlandes d'œillets jaunes et de fleurs de jasmin. Puis ils avaient placé l'appareil assez haut pour que tout le monde puisse voir l'écran.

Dès les premières heures du jour, la foule s'était massée en silence devant la tea-house, les hommes d'un côté, les femmes et les enfants de l'autre. Avant que ne débute la cérémonie, ils regardèrent avec attention les représentants des différentes religions du pays se succéder pour réciter des prières et exhorter chacun au pardon et à la tolérance.

Soudain, une rumeur jaillit de l'assistance. Les yeux exorbités, les habitants de l'Esplanade noire étaient témoins d'un événement historique : la conduite au bûcher de celle qui, la veille encore, dirigeait le pays. La civière, recouverte d'un lit de pétales de roses, de fleurs de jasmin, de guirlandes d'œillets couleur safran, apparut sur toute la largeur de l'écran. Le visage d'Indira Gandhi, entouré du voile de son sari de coton rouge qui lui faisait comme une auréole, émergeait de cet océan de fleurs. Les yeux fermés, les traits détendus, elle irradiait une étrange sérénité. Le reportage montrait les centaines de milliers d'Indiens massés sur le parcours funèbre qui menait aux rives sacrées de la rivière Yamuna où aurait lieu la crémation. Les gros plans s'attardaient sur des visages en larmes, sur des gens agrippés à des réverbères, aux branches des arbres, juchés sur les toits. Comme les flots se refermant sur le sillage d'un navire, la multitude se précipitait derrière le char funèbre – ministres, coolies, employés de bureau, commerçants ; hindous, musulmans et même sikhs en turban –, représentants de toutes les castes, religions, races et couleurs de l'Inde, tous unis dans le même chagrin. Trois heures durant, l'interminable fleuve se gonfla de nouveaux affluents. Quand il atteignit enfin l'endroit où le bûcher avait été dressé sur une plate-forme de brique, les habitants de l'Esplanade noire eurent l'impression qu'une lame de fond soulevait tout à coup les centaines de milliers de personnes qui s'étaient groupées là. Pour Padmini, tous ces gens ressemblaient aux millions d'insectes d'une fourmilière. Pour la vieille Prema Bai qui se souvenait d'avoir vu des photos des funérailles du Mahatma Gandhi, c'était l'hommage le plus impressionnant rendu à un serviteur de l'Inde depuis la mort du libérateur de la nation. Dans la foule des téléspectateurs, une femme aux cheveux courts priait en égrenant un chapelet : sœur Felicity avait tenu à partager la tristesse de ses frères et sœurs des bastis.

Dès l'arrêt du char funèbre, une escouade de soldats s'empara de la dépouille d'Indira Gandhi et la porta jusqu'au bûcher. Les téléspectateurs virent alors apparaître un homme vêtu de blanc, coiffé du légendaire calot blanc des partisans du Congrès, un châle blanc doublé de rouge sur les épaules. Tous reconnurent Rajiv, le fils aîné de la défunte, son héritier spirituel et celui que le pays venait de se choisir comme chef. Selon la tradition, c'est à lui que revenait la responsabilité d'accomplir les derniers rites. Les caméras le montrèrent répandant sur le corps de sa mère un mélange de ghee, de lait de coco, d'essence de camphre et de poudres rituelles. Tandis que le téléviseur inondait l'esplanade de la tea-house des mantras védiques récités par un groupe de prêtres en robe couleur safran, on vit Rajiv s'emparer de la coupe contenant le feu sacrificiel. Le nouveau chef de l'Inde fit cinq fois le tour du bûcher, marchant de la gauche vers la droite dans le sens de la rotation de la Terre autour du Soleil. La foule vit apparaître près de lui son fils Rahul, ainsi que son épouse Sonia et sa fille Priyanka. Alors que traditionnellement les femmes n'assistent pas aux crémations, elles aidèrent à disposer les bûches autour du corps. Une caméra se posa alors sur la coupe enflammée que Rajiv éleva un moment au-dessus des têtes avant de la plonger dans le bûcher. Lorsque les premières flammes commencèrent à lécher les billots de santal, une voix entonna la prière védique que Belram Mukkadam avait prononcée à la mort de son père :

> *Conduis-moi de l'irréel au réel,*
> *Des ténèbres à la lumière,*
> *De la mort à l'immortalité...*

Une gigantesque clameur jaillit alors de la foule.

Ce cri lancé à mille kilomètres de distance agit comme un détonateur. Soudain, la voix du cul-de-jatte Rahul couvrit le son du téléviseur. « Nous devons venger Indira ! » vociférait l'infirme. Sa bouche d'ordinaire souriante était déformée par la fureur. « Rahul a raison, il faut venger Indira ! » reprirent de nombreuses voix. « Cette ville est pleine de sikhs. Allons brûler leurs maisons ! » lança quelqu'un. À ce cri, tous se levèrent, prêts à se précipiter vers Hamidia Road et le quartier autour de la principale *gurdwara*[1] de Bhopal. Monté sur l'estrade, Ganga Ram haranguait la multitude.

— Pas besoin d'aller jusqu'à Hamidia Road. Il suffit...

Il n'eut pas le temps d'achever sa phrase. Ratna Nadar avait sauté lui aussi sur l'estrade.

— Les amis, on vient de trouver Nilamber pendu à une poutre de sa hutte. Sur son charpoy, il y avait une image d'Indira et une guirlande de fleurs.

Nilamber, le sorcier que tout le monde aimait parce qu'il ne faisait que d'heureuses prédictions. La nouvelle de son suicide frappa l'assistance de stupeur. La mort était ici un événement familier mais, cette fois, c'était différent, Nilamber avait succombé au chagrin. À son tour, Belram Mukkadam monta sur l'estrade.

---

1. Temple sikh.

— Ganga a raison, lança-t-il. Ce n'est pas la peine d'aller jusqu'à Hamidia Road pour mettre le feu aux maisons des sikhs, il suffit de brûler celle de l'usurier, celui qui nous saigne à blanc. Tous chez Pulpul Singh !

Incendier la maison de Pulpul Singh, c'était faire payer par un sikh l'horrible meurtre qu'avaient perpétré deux de ses frères en religion, mais c'était aussi venger tous les crimes commis par l'usurier devant qui tous s'étaient, à un moment ou à un autre, humiliés. Son coffre-fort contenait déjà plusieurs titres de propriété hypothéqués contre un misérable prêt. Pulpul Singh était le bouc émissaire idéal. Incendier sa maison, l'obliger à fuir, le tuer peut-être, c'était venger Indira, c'était venger Nilamber, c'était se venger de toutes les injustices de l'existence.

Dès le premier appel à la vengeance, une femme s'était glissée hors de la foule. Son Dieu à elle était un Dieu d'amour et de pardon. Pour elle, le mot vengeance n'existait pas. Son devoir était d'empêcher que la colère de ses frères ne provoque une tragédie. Apercevant sa silhouette noire s'éloigner à pas pressés, Padmini l'avait rejointe. Devançant sa question, sœur Felicity prit le bras de la jeune Indienne et l'entraîna.

— Viens vite avec moi chez Pulpul Singh. Il faut le prévenir pour qu'il ait le temps de s'enfuir.

La résidence de l'usurier sikh était une solide maison de deux étages bâtie à l'entrée de Chola. Une véranda protégée par des grilles occupait toute la façade du rez-de-chaussée. C'est à l'abri de ces barreaux que Pulpul Singh tenait son commerce, trônant comme un bouddha sur un tabouret de velours entre son coffre-fort et un portrait du gourou Nanak, le fondateur de sa communauté. Derrière lui, étaient accrochés deux chromos représentant le Temple d'or d'Amritsar, ce sanctuaire dont la destruction avait provoqué l'assassinat d'Indira Gandhi.

L'usurier fut surpris par l'arrivée des deux femmes. Ni la religieuse ni la jeune Padmini ne faisaient partie de ses clients habituels.

— Quel bon vent vous amène ? demanda-t-il.

— Partez, pour l'amour de Dieu, partez immédiatement avec votre famille ! adjura la religieuse. Ils veulent se venger sur vous de l'assassinat d'Indira Gandhi.

À peine la sœur avait-elle parlé que les premiers manifestants arrivèrent. Ils étaient armés de barres de fer, de pioches, de briques, de boulons et même de bouteilles incendiaires. « Pour la première fois, je découvrais sur les visages un sentiment que je croyais absent chez les pauvres, racontera sœur Felicity. Je découvrais la haine. Les femmes étaient parmi les plus acharnées. J'en reconnus certaines dont j'avais soigné les enfants, encore que leurs traits convulsés les rendissent presque méconnaissables. Les habitants de l'Esplanade noire avaient perdu la raison. Je compris ce qui se passerait le jour où les pauvres d'ici se mettraient en marche vers les quartiers riches de New Bhopal. »

Affolés, Pulpul Singh et sa famille s'enfuirent par l'arrière de la maison mais, avant de partir, l'usurier perdit un temps précieux à vouloir pousser son coffre-fort jusqu'au fond de la véranda pour le cacher sous un tapis. Cela donna aux émeutiers le temps de lancer une première bouteille d'essence enflammée. Elle atterrit juste derrière sœur Felicity et Padmini restées dehors. L'effet de l'explosion fut si brutal qu'elles furent projetées l'une vers l'autre. Une épaisse fumée les enveloppa. Quand le nuage se dissipa, elles se trouvèrent au milieu de la populace déchaînée. Le cordonnier Iqbal avait apporté une poutre pour enfoncer les barreaux de la grille. Soudain, quelqu'un cria : « Rattrapez-les ! Ils se sont échappés par-derrière ! » Un groupe s'élança à la poursuite des fugitifs. Leur Ambassador n'ayant pu démarrer, ils tentaient de se sauver à pied. Empêtrées dans leurs saris, les femmes avaient du mal à courir. Bientôt la famille fut rattrapée et ramenée sans ménagement jusqu'à la maison. Dans sa fuite, Pulpul Singh avait perdu son turban.

— On va te tuer, déclara Ganga Ram en lui caressant la gorge avec la pointe d'un poignard. Tu es un salaud. Tous les sikhs sont des salauds. Ils ont assassiné notre Indira. Tu vas payer pour eux.

D'un coup d'épaule, l'ancien lépreux projeta l'usurier contre les barreaux de la terrasse.

— Et ouvre-la tout de suite, ta bicoque de merde, sinon on y fout le feu et à toi aussi.

L'usurier sortit en vitesse une clef de sa ceinture et déverrouilla le cadenas de la grille. Blotties l'une contre l'autre, sœur Felicity et Padmini observaient la scène. La religieuse se remémora ce que lui avait expliqué un jour un vieillard de l'Orya basti : « Tu baisses la tête, tu t'écrases, tu supportes tout, lui avait-il dit. Tu rengaines tes rancœurs contre l'usine qui empoisonne ton puits, l'usurier qui te saigne, les spéculateurs qui font monter le prix du riz, les gosses des voisins qui t'empêchent de dormir en crachant leurs poumons toute la nuit, les partis politiques qui te sucent et se foutent de toi, les patrons qui te refusent du boulot, l'astrologue qui te demande cent roupies pour te dire si ta fille peut se marier. Tu acceptes la boue, la merde, la puanteur, la chaleur, les moustiques, les rats, la faim. Et puis, un jour, bang ! Tu trouves un prétexte et l'occasion t'est donnée de crier, de casser, de cogner. C'est plus fort que toi : tu fonces ! » Sœur Felicity s'était souvent étonnée que, dans un tel contexte, les explosions de violence ne soient pas plus fréquentes et plus meurtrières. Combien de fois avait-elle vu dans les ruelles des bagarres sanglantes se désamorcer subitement pour se transformer en un torrent verbal d'insultes et d'invectives, comme si chacun voulait éviter le pire.

Une série de déflagrations secoua la maison de l'usurier. Aussitôt après, des flammes embrasèrent la véranda. Des voix crièrent : « À mort Pulpul Singh ! » D'autres : « Nous te vengeons, Indira ! » Soudain, apparut Salar, le

réparateur de vélos. Il brandissait un couteau. Il cria :
« Prépare-toi à crever ! » et s'avança vers le sikh terrorisé.
Encore une seconde et Salar allait se jeter sur l'usurier.
Mais à l'instant où il levait le bras, quelqu'un s'interposa.

— Mon frère, pose ton couteau, ordonna sœur Felicity
en saisissant fermement le poignet du jeune musulman.

Stupéfaits, les amis de Salar n'osèrent intervenir. Ganga
Ram s'avança, accompagné de sa femme Dalima. Malgré
sa démarche encore hésitante, l'ancienne infirme était
parvenue à rejoindre la foule. Elle venait de voir la religieuse s'interposer entre Salar et l'usurier.

— Tuer ce salaud ne servirait à rien ! cria-t-elle en se
tournant vers les manifestants. J'ai une meilleure idée ! –
À ces mots, elle sortit de la ceinture de son sari une petite
paire de ciseaux. — On va lui couper sa barbe à ce sikh !
C'est une vengeance bien pire que la mort !

Ganga adressa un sourire admiratif à son épouse.

— Dalima a raison, coupons la barbe de cette ordure et
jetons-la dans les flammes de sa maison.

Salar, le tailleur Bassi et le cordonnier Iqbal s'emparèrent de l'usurier qu'ils attachèrent au tronc d'un pal-
mier. Dalima tendit ses ciseaux à Belram Mukkadam.
Après tout, c'était au patron de la tea-house que revenait
l'honneur d'humilier celui qui l'exploitait depuis tant
d'années. Résigné, l'usurier se laissa faire. L'opération
prit un long moment. Chacun retenait son souffle. La
scène était à la fois pathétique et sublime. Quand il n'y
eut plus trace du moindre poil sur les bajoues, le cou et le
crâne de l'usurier, une ovation de joie monta vers le ciel
que la fumée de sa maison en flammes obscurcissait. On
entendit alors la voix profonde de Mukkadam.

— Indira, dors en paix ! Les pauvres de l'Esplanade
noire t'ont vengée.

*

La vengeance des habitants des bidonvilles contre l'usurier sikh ne fut qu'une minuscule étincelle de la terrible explosion qui souleva l'Inde contre les fidèles du gourou Nanak. À peine les flammes du bûcher d'Indira Gandhi s'étaient-elles éteintes qu'une orgie de violences, de meurtres, de pillages se déchaîna dans la capitale et les principales villes du pays. Partout des sikhs furent brutalement agressés, battus, poignardés ; leurs maisons, leurs écoles, leurs temples incendiés. Bientôt, les pompiers, les hôpitaux, les services d'urgence furent submergés par cette flambée de violence qui rappela à beaucoup les pires horreurs de la partition du pays en 1947. Malgré un couvre-feu rigoureux et l'intervention de l'armée, plus de trois mille sikhs furent immolés sur l'autel de la vengeance.

Le matin du 2 novembre, cette folie meurtrière frappa la cité des bégums d'une façon particulièrement horrible. Kuncharam Khanuja, quarante-cinq ans, l'officier sikh qui commandait l'unité du génie de l'armée indienne stationnée à Bhopal, sortit de sa caserne accompagné d'une escorte pour se rendre à la gare. Plusieurs membres de sa famille – ses deux frères, son beau-frère et des neveux – revenaient d'un pèlerinage au Temple d'or d'Amritsar. Quand Khanuja ouvrit la portière du compartiment réservé par sa famille, il n'y trouva que des corps carbonisés. Des assassins avaient arrêté le train à la sortie d'Amritsar, égorgé tous les voyageurs sikhs et mis le feu aux cadavres.

*

Cinq jours plus tard, sur ce même quai n° 1 de la gare de Bhopal, un train spécial décoré de drapeaux et de guirlandes de fleurs vint s'immobiliser. Il apportait à la population l'une des trente-deux urnes qui sillonnaient le pays avec les cendres de la grande prêtresse disparue. Une garde d'honneur formée par des militaires en grand uni-

268

forme, la crosse du fusil à l'envers, et une fanfare jouant la marche funèbre, attendaient la précieuse relique pour la porter jusqu'au reposoir dressé au cœur du Parade Grounds, l'esplanade où se tenaient d'habitude les soirées poétiques de la cité.

La ville entière s'était massée le long du parcours. Belram Mukkadam, Ganga Ram, Dalima et Dilip, Padmini et ses parents, Salar, tous les habitants de l'Esplanade noire, y compris la vieille Prema Bai et le cul-de-jatte Rahul sur sa planche à roulettes, étaient là pour rendre hommage à celle qui avait proclamé que l'éradication de la pauvreté devait être la première priorité de l'Inde. Deux jours durant, des milliers de Bhopalis de toutes castes, de toutes religions, de toutes origines vinrent jeter des fleurs au pied du reposoir décoré des drapeaux du pays et de l'État du Madhya Pradesh. Les banderoles qui hérissaient l'interminable défilé identifiaient les différents groupes. On y trouvait pêle-mêle des militants du parti du Congrès, des associations, des clubs de commerçants, de chômeurs avec ou sans diplômes, de jeunes artistes et même de piétons !

Après son escale à Bhopal puis un pèlerinage à travers différentes cités du Madhya Pradesh, l'urne regagna New Delhi où un avion militaire l'emporta avec les autres urnes au-dessus des plus hautes cimes de l'Himalaya. À bord de l'appareil escorté de deux Mig 23 se trouvait Rajiv, le fils de la disparue. Il vida chacun des récipients dans un panier qu'il recouvrit d'un voile de satin rouge. Quand l'avion survola les neiges éternelles où naît le Gange, le nouveau chef de l'Inde lança le panier dans l'air cristallin. Le voile se déchira. Les cendres d'Indira Gandhi se dispersèrent pour aller rejoindre le pays des dieux, ces hautes vallées du Cachemire qui étaient le berceau de sa famille.

33

Des fêtes qui embrasaient les cœurs

Novembre, le mois des fêtes. Alors que la direction d'Union Carbide abandonnait à son triste sort le fleuron de son aventure industrielle au cœur de l'Inde, l'insouciante cité des bégums se livrait aux joies et aux célébrations du calendrier le plus festif de l'univers. Nulle part cet appétit de réjouissances ne se manifestait avec autant d'intensité que dans les bastis de l'Esplanade noire. Ici, la fête arrachait les petites gens à la dure réalité de leur condition. Elle véhiculait la religion mieux qu'aucun catéchisme, elle embrasait les cœurs et les sens par la magie de ses chants et le rituel de ses longues et fastueuses cérémonies.

Les hindous inaugurèrent les festivités par une folle kermesse de quatre jours en l'honneur de Durga, la déesse victorieuse du démon-buffle qui dévastait le monde il y a cent mille ans. La ville entière se remplit de splendides *pandals*, ces temples éphémères construits pour abriter, le temps de la fête, les statues de la divinité habillées et parées de magnifiques bijoux. Deux de ces reposoirs éclairaient le sinistre décor des bastis de Chola et de Jai Prakash. Pendant quatre jours, la population défila devant eux sans distinction de confessions. Les hommes portaient des sherwanis de laine sur leurs pantalons ; les femmes des kurtas de soie et, aux oreilles, des pendentifs qui leur donnaient des airs de princesses.

Au crépuscule du quatrième jour, les statues de la déesse furent hissées sur un chariot à bagages emprunté par Ratna Nadar à la gare. Son épouse et Dalima l'avaient drapé d'un morceau d'étoffe chatoyant et décoré de fleurs. Les musiciens de Ganga Ram étaient revenus pour accompagner la procession. Au même moment, dans les autres quartiers de Bhopal, de semblables cortèges se mettaient en route. Ils se dirigeaient vers les rives du lac Supérieur au cœur de la cité, où les statues coiffées de leurs diadèmes dorés furent immergées dans les eaux sacrées, emportant avec elles les joies et les peines des Bhopalis.

Quelque temps plus tard, ce fut au tour des musulmans de célébrer l'anniversaire de la naissance du prophète Mahomet. Les familles de l'Esplanade noire badigeonnèrent à la chaux teintée de vert, couleur de l'Islam, l'extérieur et l'intérieur de leurs logis, ainsi que les vérandas, la margelle du puits, les devantures des échoppes. On tendit des guirlandes d'oriflammes multicolores en travers des ruelles. Prosternés en direction de la mystique et lointaine Kaaba, le réparateur de vélos Salar, le tailleur Bassi, le cordonnier Iqbal, ainsi que des centaines de fidèles se pressèrent pour une nuit de dévotions dans les deux petites mosquées de Chola et de Jai Prakash construites au bord de la voie ferrée. Le lendemain, un fleuve humain vibrant de foi, récitant les sourates à pleine voix, s'écoula dans les ruelles du quartier. « *Allah Akbar !* – Dieu seul est grand ! », scandait la multitude sous des banderoles représentant les dômes des saintes mosquées de Jérusalem, de Médine et de La Mecque, emblèmes magiques qui imprégnaient les lieux de foi, de piété et de rêve.

À peine les musulmans avaient-ils fini de commémorer la naissance de Mahomet qu'une myriade de serpents lumineux éclaboussa le ciel de l'Esplanade noire. Célébrée au cours d'une des nuits les plus longues de l'année, Diwali, la fête hindoue des Lumières, marque l'arrivée officielle de l'hiver et symbolise la victoire sur les ténèbres.

Les illuminations célébraient l'un des plus beaux épisodes du *Rāmāyana,* le retour de la déesse Sītā dans les bras de son divin époux Rāma après son enlèvement par le démon Rāvana. Les huttes des familles hindoues connurent cette nuit-là de furieuses parties de cartes car la fête perpétuait aussi la célèbre partie de dés au cours de laquelle le dieu Shiva avait regagné sa fortune perdue en jouant contre Parvati, son épouse infidèle. Pour arracher cette victoire, Shiva avait fait appel à son divin collègue Vishnou, lequel s'était fort opportunément incarné dans une paire de dés. Diwali était ainsi un hommage à la chance. Les habitants jouaient des billets de dix, cinq, une roupie, voire des piécettes de quelques paisas. Les plus pauvres mettaient en jeu une banane, une poignée de grains de riz soufflé, quelques sucreries. Chaque ruelle avait son flambeur. C'était souvent une femme. La plus acharnée était Sheela Nadar. Sous le regard effaré de Padmini, elle plumait sans vergogne la vieille Prema Bai.

— C'est de bon augure, ma fille ! expliquait-elle à chaque levée de cartes victorieuse. Le dieu de la chance est avec nous. Tu peux être rassurée : ton mariage sera une fête aussi belle que Diwali.

*

Dans une semaine exactement, le dimanche 2 décembre, la bienheureuse conjonction de Jupiter et du Soleil ferait de Padmini une princesse des Mille et Une Nuits. Ce jour-là, le dieu Jagannath, l'avatar glorieux de Vishnou que vénéraient les adivasis de l'Orissa, bénirait son mariage avec Dilip.

Un mariage adivasi implique un rituel aussi pointilleux que celui unissant les hindous des castes les plus hautes. Neuf jours avant la cérémonie, Padmini et Dilip durent se soumettre à toutes sortes d'ablutions au foyer de plusieurs familles de leurs quartiers, avant un repas et la remise des cadeaux destinés à l'équipement de leur ménage. Quatre jours plus tard, les matrones s'emparèrent des jeunes gens pour une séance de purification consistant à leur frictionner le corps avec de l'huile de ricin et autres onguents à forte odeur de safran et de musc. Leurs onctions terminées, elles procédèrent à la toilette des fiancés et aux essayages interminables des parures de mariage que le tailleur Bassi avait confectionnées. Le coût de ces parures avait fait l'objet d'âpres négociations. Pour un humble coolie de la gare de Bhopal, marier sa fille nécessitait de substantiels sacrifices.

Trois jours avant le mariage, Ratna Nadar et plusieurs de ses voisins entreprirent l'édification du *mandap*, la plate-forme où serait célébrée l'union. C'était une estrade d'une dizaine de mètres de côté, s'élevant à cinquante centimètres du sol, faite de terre battue recouverte d'une couche séchée et lissée d'un mélange de bouse de vache et d'argile. Des branchages de mahua et de jamun, deux des sept arbres sacrés de l'Inde, tapissaient le tour de la plate-forme tandis qu'au centre, sur un autel fleuri, était exposée l'image du dieu Jagannath. Des guirlandes d'ampoules complétaient la décoration. Le soir de la fête, elles seraient alimentées par un groupe électrogène loué pour l'occasion. Belram Mukkadam avait sélectionné un emplacement de choix. Padmini et Dilip se marieraient sur l'esplanade devant la tea-house, là où se déroulaient tous les grands événements de la communauté, face aux réservoirs et aux tuyauteries de l'usine qui incarnait pour tous ces pauvres l'espoir d'une vie meilleure.

34

Un dimanche pas comme les autres

La prière de l'aube. Chaque matin, Bhopal se réveillait à l'appel lancé par les muezzins du haut des minarets de ses mosquées. Mais ce dimanche 2 décembre 1984 n'était pas un jour ordinaire. Dans quelques heures, la cité des bégums célébrerait l'Ishtema, le grand conclave de prière qui rassemblait une fois l'an au cœur de l'Inde des milliers de pèlerins venus de tout le pays, ainsi que du Pakistan et de l'Afghanistan. Ratna Nadar avait dû délaisser provisoirement les préparatifs du mariage de sa fille pour accueillir, avec les autres porteurs de la gare, les passagers des trains spéciaux débordant de fidèles. Jamais il n'y aurait autant de monde à Bhopal qu'en ce dimanche. L'effervescence était déjà à son comble dans la Taj-ul-Masjid, la grande mosquée où des équipes d'électriciens installaient les projecteurs qui illumineraient le splendide édifice pendant une semaine. Des volontaires déroulaient des centaines de tapis de prière et branchaient les haut-parleurs qui, durant trois jours et trois nuits, résonneraient d'incantations célébrant la grandeur d'Allah.

Tout autour de l'édifice ainsi que des autres mosquées, mais aussi devant les hôtels d'Hamidia Road, la gare des autobus et la gare des chemins de fer, s'installèrent des centaines de marchands ambulants. L'Ishtema était pour tous les commerces de Bhopal l'occasion de réaliser de fructueuses affaires. Jovial et rubicond, la lèvre soulignée d'une fine moustache et le front orné du trident de Vishnou, Shyam Babu, un hindou de quarante-cinq ans, était le propriétaire du plus grand restaurant de la ville. Les multiples fêtes du calendrier indien, qu'elles soient musulmanes, hindoues ou profanes, faisaient sa fortune. Situé dans le vieux quartier, son établissement, l'Agarwal Poori Bhandar, servait jusqu'à huit cents couverts chaque jour et ne fermait jamais. « Nos repas sont les meilleurs et les moins chers de la ville », assurait-il. En effet, chez Shyam Babu, pour dix roupies, soit l'équivalent d'un franc cinquante, on mangeait à volonté légumes, curry de poulet ou de poisson et samosas, ces beignets triangulaires fourrés de viande ou de légumes hachés. Mais Shyam Babu n'était pas un simple commerçant, il était aussi un homme de bien. Les lépreux et les mendiants qui se traînaient sur les marches de la grande mosquée, les pèlerins sans ressources qui campaient dans les ruines du palais de la bégum Shah Jehan savaient qu'ils trouveraient toujours chez lui une assiette de riz et de légumes.

Shyam avait, comme chaque jour, commencé ce dimanche par sa prière matinale dans le petit temple consacré à Lakshmi, la déesse de la Prospérité. Il lui avait apporté des paniers de fruits et de fleurs. Il aurait particulièrement besoin de son soutien aujourd'hui. Pour lui, les veilles de fêtes étaient toujours des moments difficiles. L'arrivée massive de visiteurs obligeait les responsables de la sécurité publique à faire venir à Bhopal des renforts de policiers. Pour nourrir ces hommes, ils comptaient sur Shyam. C'était une tradition. Le restaurateur avait fait rentrer trois cents kilos supplémentaires de pommes de terre, autant de farine, et doublé les stocks de combustible devant alimenter ses quinze fourneaux. « Ne vous tracassez pas, je pourrais nourrir la ville entière », annonça-t-il au chef de la police venu s'assurer que ses troupes seraient rassasiées.

*

Non loin du restaurant de Shyam Babu, une enseigne signalait un commerce pittoresque, mobilisé lui aussi pour ce dimanche pas comme les autres. Depuis trois générations, le Bhopal Tent & Glass Store louait équipements et accessoires pour les mariages et les manifestations publiques de la cité. Petit-fils du fondateur, Mahmoud Parvez, cinquante-deux ans, un musulman aux airs de mullah avec sa barbichette et sa calotte brodée, dirigeait ses affaires par téléphone depuis sa table de travail installée dans la rue. L'entrepôt qui s'ouvrait derrière lui était une caverne d'Ali Baba dont il était le seul à connaître les secrets. On y trouvait pêle-mêle des piles d'assiettes, des caisses de verroterie, des tiroirs remplis de couverts, des chandeliers de toutes tailles, de vieux gramophones, d'antiques groupes électrogènes, des grelots d'éléphants, des fusils à pierre, des arquebuses. L'orgueil de Parvez était un flamboyant percolateur italien. « Je suis le seul dans cette ville, et même dans tout le Madhya Pradesh, à pouvoir servir un café *espresso*! » se vantait-il. Mais ce qui avait fait sa renommée, c'était une impressionnante collection de tapis et de shamianas, ces tentes multicolores qui sont utilisées dans les cérémonies publiques et privées. Il y en avait pour tous les goûts et toutes les bourses. Certaines pouvaient accueillir jusqu'à deux mille invités. D'autres, par leur ancienneté et le raffinement de leurs motifs, étaient d'authentiques pièces de musée. Parvez ne les louait qu'en des occasions très spéciales et seulement à des amis ou à des personnalités. Ce dimanche-là, ses employés préparaient la plus belle pour le mariage de la fille du contrôleur en chef des chemins de fer de Bhopal, l'hindou Ashwini Diwedi dont le frère Sharda dirigeait la centrale électrique de la ville. Deux hauts personnages à qui Mahmoud Parvez tenait à faire plaisir. Les autres tapis

277

et shamianas étaient destinés aux nombreux mariages du jour, ainsi qu'aux célébrations de la fête de l'Ishtema du lendemain, sans oublier la mushaira, le récital de poésie prévu à dix heures du soir sur la place des Épices, dans le quartier des eunuques. Pour cet événement, Parvez fournirait aussi des petits coussins afin de permettre aux poètes de se détendre entre deux récitations. Accessoire d'autant plus nécessaire que nombre de ces lettrés appartenaient au célèbre Cercle des poètes paresseux.

En voyant son entrepôt se vider, Mahmoud Parvez se frottait les mains. Ce dimanche serait une journée faste pour le Bhopal Tent & Glass Store.

*

La fébrilité des préparatifs avait gagné les deux principaux artisans de l'Esplanade noire. Le cordonnier Mohammed Iqbal était au travail depuis l'aube pour terminer les paires de chaussures en cuir d'Agra et les sandales incrustées de pierreries commandées par plusieurs invités des mariages du jour. Aidé de son jeune apprenti Sunil Kumar, ce fils de pauvres paysans nouvellement arrivés dans le basti, il coupait, taillait, cousait dans une suffocante odeur de colle et de vernis qui empuantissait la hutte où dormaient encore sa femme et ses trois enfants. En face, dans la baraque n° 240, son ami Ahmed Bassi était lui aussi au travail depuis l'aube afin de terminer les broderies des saris et des voiles que les familles aisées de l'Arera Colony lui avaient commandées pour le mariage de leurs filles. Bassi faisait venir de Bénarès des soiries si raffinées que son échoppe, bien que située dans un quartier ouvrier, attirait les élégantes de Bhopal. Cinq fois par jour, il remerciait Allah pour les bienfaits qu'Il lui prodiguait. Son carnet débordait de commandes. Dans deux semaines, ce serait l'Id, la plus grande fête musulmane de l'année. Sa machine à coudre à pédales assemblerait sans répit les kurtas de satin et les sherwanis en brocart de Lucknow.

*

À l'autre extrémité de la ville, dans la nef d'une église au clocher d'ardoises du quartier de Jehangirabad, commençait ce même 2 décembre l'une des cérémonies majeures du calendrier liturgique suivi par la petite minorité de chrétiens vivant à Bhopal. Le premier dimanche de l'Avent est un temps de prière et de recueillement qui annonce la plus grande fête chrétienne de l'année, l'anniversaire de la naissance de Jésus venu racheter les péchés des hommes. Une crèche de Noël aux personnages grandeur nature représentait la naissance du Messie sur la paille de l'étable de Bethléem. Une assistance bruissante et colorée – les femmes en saris superbes dont le pan brodé leur couvrait la tête, les hommes et les enfants vêtus comme des princes – remplissait la nef, rafraîchie par une batterie de ventilateurs. Majestueux dans son aube immaculée et ses ornements de soie rouge, Eugène de Souza, l'archevêque catholique originaire de Goa, récita le premier psaume avec ferveur. « Réveille ta puissance, Seigneur, implora-t-il, et viens à notre secours car le péché nous entraîne dans des périls imminents. »

Ce matin, l'un des prie-dieu était resté inoccupé. Sœur Felicity avait téléphoné au prélat pour le prier d'excuser son absence et demander à son vicaire, le père Lulu, de venir à l'Ashanitekan, la Maison de l'espoir, dire la messe aux enfants handicapés dans la petite chapelle de l'institution. Sur la droite de l'autel, un grand portrait de Jésus sous lequel était inscrite une simple phrase : « *I am with you always* – Je suis avec vous toujours. »

Une dizaine d'enfants étaient sagement assis sur des sacs de jute cousus bout à bout. Parmi eux se trouvait Raina, la fillette atteinte de paralysie cérébrale que la religieuse avait hébergée dans sa propre chambre pour mieux l'assister dans son agonie. Sa maladie la plongeait la plupart du temps, et notamment la nuit, dans un état semblable au coma qui faisait croire qu'elle était morte. La nuit précédente, Raina s'était brusquement réveillée en poussant des hurlements. « Ce type de malade jouit d'une sensibilité très spéciale, expliquera sœur Felicity. Raina ne se réveillait jamais la nuit, sauf quand il allait se produire un événement exceptionnel comme un orage, ou le début de la mousson. Mais il faisait si beau à Bhopal en ce deuxième jour de décembre que je ne comprenais pas pourquoi elle s'était soudain mise à hurler. »

La religieuse devait trouver dans l'évangile du jour une réponse à sa question. « Il y aura des signes dans le soleil, la lune et les étoiles, disait le texte de saint Matthieu de ce premier dimanche de l'Avent, et sur la terre une angoisse des nations affolées par le fracas de la mer et des flots. Les hommes suffoqueront de frayeur dans l'attente de ce qui vient sur le monde... »

*

Au nord de l'immense cité, près de la gare centrale, le ministre anglican de la petite église toute blanche du Saint-Sauveur bâtie au centre de la Railway Colony méditait lui aussi avec ses ouailles les sombres prédictions des Saintes Écritures. Petit, trapu, le visage rond, toujours souriant, le prêtre Timothy Wankhede, trente et un ans, était originaire du Maharastra. Avec son épouse et son bébé de dix mois prénommé Anuradh, ce qui signifie Joie, il habitait un modeste presbytère en brique rouge à côté de l'église. Comme l'archevêque de Souza, le saint homme déployait une énergie inlassable pour entretenir le flambeau de la foi chrétienne dans cette ville habitée par une majorité écrasante d'hindous et surtout de musulmans. Cette foi chrétienne, Timothy l'avait reçue un jour en écoutant la radio. Il avait vingt ans quand une annonce en marathi, sa langue maternelle, passa soudain sur les ondes. « Celui qui choisit de croire en Jésus-Christ sera sauvé avec tous les siens », disait le message. « J'ai été bouleversé, racontera Timothy. Je me suis précipité vers le seul téléphone public du village et j'ai appelé la station de radio car je voulais en savoir plus sur Jésus-Christ. » Après son baptême, « le plus beau jour » de sa vie, il avait parcouru l'Inde pendant trois ans pour y prêcher l'Évangile. Puis il avait passé quatre ans au séminaire pour obtenir le diplôme de théologie qui lui avait ouvert les portes de la paroisse de Bhopal.

L'apostolat, selon le prêtre Timothy, ne s'arrêtait pas à la direction du culte. Ce premier dimanche de l'Avent, il se préparait à emmener ses paroissiens dans les différents hôpitaux de la ville. « Notre devoir est de réconforter nos frères qui souffrent, leur déclara-t-il, et de leur dire que les mains de Jésus ont le pouvoir de guérir si l'on croit en lui. » Dans sa besace, il emporterait des exemplaires de la Bible traduite dans une dizaine de langues. Pour ce dimanche de l'Avent, il avait choisi de lire aux malades un verset qui allait se révéler dans quelques heures d'une tragique actualité. « Ô Dieu, pardonne à tes enfants, disait le texte de saint Paul, ils ont été trompés par ceux qui leur ont fait miroiter la richesse. »

*

Les deux hommes exerçaient la spécialité médicale qu'affectionnaient tout particulièrement les auteurs de romans policiers. Le professeur Heeresh Chandra, soixante-deux ans, et son jeune adjoint Ashu Satpathy, trente-quatre ans, autopsiaient les cadavres que les faits divers – accidents, crimes ou suicides – envoyaient à longueur d'année sur les tables d'examen du service médico-légal du Gandhi Medical College. Dans une ville de six cent mille habitants, les morts violentes sont fréquentes, y compris les dimanches et jours de fête. Faute de posséder une morgue convenablement réfrigérée, les deux médecins légistes devaient se rendre constamment disponibles pour commencer les autopsies dès l'arrivée des cadavres.

L'air majestueux, le professeur Chandra ressemblait à quelque maharaja de l'Empire rajpoute avec son imposante moustache blanche. Plus encore que ses exploits de découpeur de cadavres, une passion lui valait sa notoriété auprès des Bhopalis : il collectionnait les chiens et les vieilles voitures. Il possédait trois labradors couleur sable et une National des années 30, connue dans toute la ville pour les pétarades de son pot d'échappement. Comme chaque dimanche, l'excentrique professeur se préparait, ce 2 décembre, à prendre le volant de sa vénérable automobile pour une promenade avec ses labradors jusqu'au parc naturel de Delawari, l'endroit d'excursion préféré des Bhopalis.

Son jeune confrère Ashu Satpathy, toujours impeccablement vêtu et cravaté, consacrait ses loisirs à sa passion des roses. Faute de disposer d'un jardin assez grand devant son cottage d'Idgah Hills, il avait transformé les couloirs et les terrasses du département de médecine légale en roseraie. Des dizaines de jardinières et de pots de fleurs côtoyaient les rangées de bocaux où il conservait dans du formol les foies, les reins, les cœurs, les rates et les cerveaux qui lui permettaient de faire parler les cadavres apportés par la police. Ses moindres instants de temps libre, Satpathy les passait à arroser, tailler et traiter ses rosiers nains, pleureurs, sarmenteux. Les doigts qui plongeaient sans dégoût dans les viscères humains effectuaient des greffes délicates pour obtenir de nouvelles variétés dont il était le seul à connaître les secrets. Il leur avait donné les noms poétiques de « Diamant noir », de « rose Moschata », de « Chinensis », d'« Odorata », et de « Chrysler d'or ». Toutes ces merveilles, le médecin allait les présenter le surlendemain dans les serres de la monumentale exposition d'art floral qui, pendant huit jours, ferait de Bhopal la capitale indienne des roses.

Les événements de ce dimanche devaient, hélas ! contrarier les projets des deux médecins. Vers midi, un coup de téléphone du quartier général de la police les avertit de l'envoi au département médico-légal de deux cadavres, ceux d'un homme et d'une femme dont l'autopsie était souhaitée d'urgence pour connaître les causes de la mort.

Avant de commencer leur travail, les deux praticiens convoquèrent le complice de toutes leurs dissections. Avec son éternelle casquette beige vissée sur ses cheveux longs, le photographe Subash Godane, âgé de vingt-huit ans, ressemblait davantage à un artiste qu'à l'auxiliaire d'une enquête médico-légale. Il rêvait de s'imposer dans le monde de la photo de mode et de la publicité et avait rassemblé une impressionnante collection de portraits de femmes qu'il se préparait à exposer à la biennale de Delhi. En attendant, c'était en photographiant des cadavres lardés de coups de couteau, des enfants décapités, des femmes découpées en morceaux que son Pentax K-1000 le faisait vivre, lui, sa femme, et leurs trois enfants. Godane était absolument sûr d'avoir enregistré sur ses pellicules toute l'horreur que l'homme peut infliger à ses semblables. Il se trompait.

L'autopsie des deux corps dura trois heures. L'absence de traces de violence sur ce couple âgé d'une quarantaine d'années faisait penser à un double suicide par empoisonnement. L'analyse des viscères permit aux docteurs Chandra et Satpathy de confirmer leur hypothèse. Ils découvrirent dans l'estomac des victimes d'abondantes traces d'une poudre blanchâtre qui avait entraîné des dégâts considérables dans les appareils digestif et respiratoire. Les deux praticiens ne purent déterminer la nature exacte de cette substance, mais il s'agissait vraisemblablement d'un puissant pesticide de la famille du DDT ou d'un produit similaire. Les policiers de la brigade criminelle de Bhopal qui s'étaient rendus dans le village où l'on avait trouvé les corps apprirent que les victimes étaient de petits paysans que la dernière sécheresse avait acculés à la ruine. Incapables de rembourser les emprunts contractés pour l'achat des semences, des engrais et des insecticides de leur prochaine récolte, ils avaient décidé de mettre fin à leurs jours. Le cas était fréquent en Inde et tout aussi habituel le mode de suicide : l'absorption massive de pesticide. Ce dimanche 2 décembre, la belle usine de Carbide avait commencé à semer la mort. Dans la hutte des deux paysans, les policiers trouvèrent un paquet de Sevin vide.

*

Dimanche de prières et de deuil. Mais aussi dimanche de folie. Trois cents parieurs surexcités se pressaient autour d'un rond de poussière dans le vieux hangar accolé au Lakshmi Talkies, le plus ancien et le plus grand cinéma de la ville. Les cris, les interpellations, le vacarme des haut-parleurs faisaient vibrer l'édifice. Des hommes en chemise et longhi, les doigts serrés sur des liasses de roupies, se frayaient un passage au milieu de l'assistance survoltée pour ramasser les paris. Au premier rang du public au bord de l'arène, un vieillard au teint clair, habillé d'une kurta dont l'élégance tranchait sur le débraillé général, massait en silence les pattes d'un coq. Munné Babba, le parrain des bastis, ne parlait jamais avant un combat.

Autour de lui se pressaient, tels des gardes du corps, ses amis de l'Esplanade noire, Belram Mukkadam, Ganga Ram et le cul-de-jatte Rahul en tête. Tous avaient parié sur Yagu, le champion de Munné Babba, l'animal aux ergots assassins qu'il tenait sur son ventre et qui allait, cet après-midi, s'ouvrir par sa victoire la route des championnats d'Ahmedabad en janvier, puis de Bangalore en mars, et finalement de New Delhi en avril. Munné Babba massait délicatement les cuisses, les articulations, les pattes du volatile qui se laissait faire en gloussant de plaisir. Puis, à l'aide d'une lime, il entreprit d'affûter ses serres et son bec pour en faire autant de poignards mortels.

Un coup de gong annonça le début du combat. Munné Babba se leva et déposa délicatement Yagu devant son adversaire. Aussitôt, les deux coqs se jetèrent l'un sur l'autre avec une rage qui souleva l'enthousiasme de l'assistance. Becs et griffes virevoltèrent dans la lumière comme des flèches d'acier. Le sang giclait de tous côtés sans que la furie des deux combattants diminuât. La foule hurlait leurs noms, tapait des mains et des pieds. Quand l'un des volatiles roulait dans la poussière, c'était du délire. Munné Babba suivait le féroce corps à corps avec l'impassibilité d'un bouddha. Yagu saignait, titubait, tombait, mais il se relevait toujours pour frapper encore. D'un dernier coup de griffes, il parvint à crever l'œil de son adversaire qui s'écroula, frappé à mort. Un nouveau coup de gong annonça la fin du combat. Le parrain se leva et vint reprendre son coq, ensanglanté mais vainqueur. Présentant l'animal au-dessus de sa tête à la manière d'une coupe victorieuse, il salua la foule.

35

Une nuit bénie par les astres

Dimanche de frivolités, dimanche d'insouciance. Habituellement fermées ce jour-là, les boutiques du Chowk bazaar, éparpillées autour des minarets et des coupoles aux flèches d'or de la Jama Masjid, connaissaient un record d'affluence. Ce 2 décembre était avant tout le jour des mariages bénis par les astres. Les élégantes des quartiers chics accouraient en rangs serrés pour d'ultimes emplettes. On s'arrachait les colliers, les boucles d'oreilles, les gourmettes, les parures de toutes sortes, spécialités des joailliers bhopalis. On dévalisait les parfumeurs de leurs flacons de vétiver, de santal, d'essence de rose, de patchouli. On pillait les marchands de soieries, de rubans, de sandales. Comme si la fin du monde était proche.

Splendide institution héritée des Britanniques, l'Arera Club connaissait à l'autre bout de la ville l'affluence des dimanches de fête. Ses membres se retrouvaient autour du buffet abondamment garni de victuailles, sur les courts de tennis, dans la piscine de dimensions olympiques, les salons de lecture, au bord des pelouses impeccablement tondues.

Les cadres de Carbide et des autres sociétés implantées dans la ville étaient membres de droit de ce club blotti dans une oasis de bougainvillées mauves, rouge sang, orange ou blanches, de palmiers, de frangipaniers et de margousiers. Les soirées de gala, les bals, les tournois de tennis et de bridge, les concours de bingo de l'Arera Club avaient offert aux expatriés de South Charleston et à leurs jeunes collègues indiens un aperçu de la vie des administrateurs britanniques aux grandes heures de l'Empire. Les choses avaient changé ces derniers temps. Ce dimanche 2 décembre 1984, il n'y avait plus aucun Américain d'Union Carbide devant les marmites de poulet au curry et autres délices de la cuisine indienne du buffet. Il n'y avait même presque plus d'ingénieurs indiens, tant l'usine avait été désertée par nombre de ses cadres supérieurs autochtones. L'un de ses rares représentants, son directeur Jagannathan Mukund, était venu déjeuner avec son plus jeune fils de passage à Bhopal pour ses vacances universitaires. Mukund et sa femme l'emmèneraient ce soir à plusieurs célébrations de mariages. Et demain, ils lui feraient découvrir quelques sites pittoresques des environs de la cité des bégums. L'usine étant arrêtée, rien ne s'opposait à ce que son capitaine s'en éloignât un jour ou deux.

Non loin de la table des Mukund se déroulait une partie de bridge acharnée. L'un des joueurs était un jeune médecin en pantalon blanc et chemisette de sport. Champion de natation et de bridge, l'athlétique docteur L.S. Loya, trente-deux ans, avait été recruté au mois de mars par petite annonce pour prendre la direction du dispensaire-hôpital construit par Carbide sur le site même de l'usine. Pour ce fils d'un grainetier du Rajasthan qui avait durement peiné afin de conquérir son diplôme de toxicologie, travailler pour une firme internationale fabriquant des produits chimiques était une consécration. En huit mois, Loya n'avait été confronté à aucune urgence médicale grave. Heureusement, car la direction ne lui avait pas fourni la moindre information détaillée sur la composition du principal gaz le plus dangereux fabriqué par l'usine, et encore moins sur la façon de traiter ses effets en cas d'accident..

*

C'était le personnage qui aurait sans doute l'une des plus lourdes responsabilités à assumer en ce dimanche pas comme les autres. Sharda Diwedi, cinquante-deux ans, était le directeur de la centrale électrique de Bhopal. Ce soir, ses turbines devraient fournir suffisamment de courant pour éclabousser de lumière les multiples fêtes et célébrations de mariages. La plus grandiose se déroulerait dans la Railway Colony. Elle verrait les épousailles de Rinou, la fille cadette du contrôleur en chef des chemins de fer de Bhopal.

La Railway Colony était le quartier traditionnel que les Britanniques construisaient pour les employés des chemins de fer à proximité de toutes les grandes gares du pays. Une petite ville dans la ville, à l'image des cités du Sussex ou du Surrey, avec ses pelouses, ses cottages, son terrain de cricket, son salon de thé, sa banque, son église au clocher néogothique. Avec aussi cette institution qui ne manque jamais de voir le jour chaque fois que deux Anglais se rencontrent quelque part, son club. Ce dimanche-là, le bâtiment de style colonial du Club des cheminots accueillait les parents et au moins deux cents invités de la famille du fiancé. Dans la soirée, plus de mille personnes allaient se presser sous les immenses shamianas de Mahmoud Parvez dressées sur les pelouses, illuminées de guirlandes d'ampoules multicolores et éclairées par des projecteurs. Une seule inquiétude hantait le directeur de la centrale électrique : qu'une de ces pannes de lumière dont l'Inde était coutumière ne vienne brutalement plonger la fête dans le noir. Pour conjurer le sort, il fit installer un puissant groupe électrogène de secours derrière l'une des shamianas.

*

Une nuit d'hiver, fraîche et lumineuse, était à présent tombée sur la cité des bégums. Tandis que s'activaient les préparatifs dans la Railway Colony et sur tous les lieux où devaient se dérouler des mariages, les matrones de l'Orya basti achevaient de parer Padmini de ses vêtements de fête. Son père apparut sur le seuil de la hutte.

— Grande sœur Felicity, regarde comme ma fille est belle, murmura Ratna Nadar avec fierté à l'adresse de la religieuse venue accompagner la reine de la soirée dans les ultimes instants de sa vie d'adolescente.

— Oh oui, elle est belle, ta fille ! répondit l'Écossaise, car c'est la main amoureuse de Dieu qui l'a créée.

Drapée dans son sari écarlate semé de fils d'or, le visage dissimulé par un voile de mousseline, ses pieds nus peints en rouge, ses orteils, ses chevilles, ses poignets étincelants des bijoux de la dot apportée par les envoyés de son futur mari, Padmini, escortée par sa mère, s'apprêtait à prendre place sur la natte de paille de riz placée au centre du man-dap, la plate-forme rituelle édifiée devant la tea-house. C'est là, près du feu sacré qui brûlait dans un petit bra-sero, qu'elle attendrait l'arrivée de celui que le destin lui avait donné pour époux.

Les yeux brillants de bonheur, les lèvres ouvertes sur un sourire béat, Ratna Nadar ne parvenait pas à quitter son enfant du regard. C'était le plus beau spectacle de son existence, une vision féerique qui effaçait d'un coup tant d'images de cauchemar : Padmini pleurant de faim et de froid sur les quais de la gare de Bhopal, fouillant de ses petites mains les tas d'ordures entre les rails, mendiant quelques morceaux de charbon aux chauffeurs des locomotives... Pour cette enfant de pauvres, il n'y avait eu ni jeux ni école, uniquement la garde de ses frères, les corvées d'eau, les lessives, le ménage. Une vie de bagne

290

seulement adoucie par sa rencontre avec sœur Felicity. Aujourd'hui, habillée comme une princesse, Padmini savourait son bonheur, son triomphe, sa revanche sur la fatalité.

*

Un cri perçant puis des gémissements jaillirent tout à coup dans la nuit et une voisine accourut : « Venez vite ! C'est Boda qui accouche. » Sans se préoccuper de ses vêtements de noces, Padmini entraîna sœur Felicity vers la hutte où la femme du laitier Bablubai se tordait de douleur. La vieille Prema Bai était déjà là. Padmini éclaira avec une bougie le visage maigre et douloureux de la parturiente qui baignait dans son sang. Sœur Felicity vit pointer le crâne de l'enfant entre les cuisses de Boda. La jeune femme ne parvenait pas à l'expulser.

— Pousse, pressa la religieuse, pousse le plus fort possible.

Boda fit un tel effort que des larmes coulèrent sur ses joues.

— Non, pas comme ça, petite sœur ! Pousse vers le bas. D'abord, essaie de respirer à fond, pousse ensuite en crachant l'air de tes poumons. Fais vite !

Padmini alluma une deuxième bougie pour mieux éclairer le bas-ventre de Boda.

« Pour l'amour de Dieu, pousse plus fort ! » supplia la religieuse.

La femme du laitier se contracta de toutes ses forces. Sœur Felicity, qui avait participé à des dizaines d'accouchements chez les plus démunis, savait que c'était la dernière chance de faire sortir l'enfant.

— Mets-toi en face de moi, commanda-t-elle à la vieille sage-femme qui semblait dépassée par la situation. Pendant que je tente de redresser le bébé, toi, tu lui masses le ventre, de haut en bas.

Dès que la matrone passa à l'action, la sœur glissa délicatement sa main derrière la nuque de l'enfant. Boda poussa un gémissement.

— Respire à fond, ordonna la religieuse, et pousse régulièrement, sans à-coups.

Tous les muscles de la jeune femme se tendirent. La tête renversée, la bouche crispée, elle faisait un effort désespéré.

La religieuse ne pourrait jamais expliquer ce qui se produisit alors. Sa main venait d'atteindre les épaules du bébé quand deux rats tombés du toit passèrent devant ses yeux avant d'atterrir sur le ventre de la femme du laitier. Surprise, elle retira sa main. Fut-ce la brusquerie de son geste ou le choc provoqué par la chute des animaux ? Une chose était sûre : l'enfant était sorti d'un seul coup.

Prema Bai trancha le cordon avec son canif avant de le ligaturer avec un fil de jute. Le nouveau-né était un superbe garçon qui devait peser près de six livres. Padmini observa ses poumons se gonfler et sa bouche s'ouvrir sur un cri qui déclencha un formidable écho de joie à l'intérieur de la hutte et jusque dans la ruelle.

— Grande sœur, tu m'as donné un fils ! exultait le laitier Bablubai en apportant un bol plein de riz qu'il tendit à sœur Felicity. Dépose ce riz près de mon garçon pour que la déesse lui donne longue vie et prospérité.

Puis il réclama une lampe à huile. Selon la tradition, sa mèche devait brûler sans interruption jusqu'au lendemain. Si elle venait à s'éteindre, ce serait le signe que le nouveau-né de ce dimanche soir béni par les astres ne vivrait pas.

*

L'instant magique de la vie de Padmini était enfin arrivé. Une fanfare éclata, accompagnée de chants. Précédé par une troupe de danseurs outrageusement fardés de rouge et de khôl, le cortège du fiancé fit son entrée sur l'esplanade de la tea-house. À la vue du garçon chevauchant sa monture blanche, sœur Felicity eut l'impression « de voir apparaître un prince de quelque légende orientale ». Avec sa couronne de carton scintillante de paillettes, sa tunique de brocart sur des jodhpurs de soie blanche, ses mules incrustées de verroterie enfoncées dans des étriers étincelants, l'ancien petit chiffonnier des trains ressemblait à l'un de ces souverains de l'Inde popularisés par les gravures. Avant de monter sur le mandap, l'estrade où l'attendait sa fiancée auprès du feu sacrificiel, Dilip dut se soumettre au rite du pardah, la pose du voile afin que les yeux de sa promise ne puissent découvrir son visage avant l'instant prévu par la liturgie. Il fut alors invité à s'asseoir à côté de Padmini par le maître de cérémonie. Belram Mukkadam avait revêtu pour l'occasion un élégant panjabi blanc tout neuf. Avant le coucher du soleil, il avait tenu à accomplir en secret une célébration personnelle. Il avait attaché son taureau Nandi, acheté avec les indemnités de Carbide, au pied d'un acacia pour lui peindre les cornes en rouge et lui décorer le front d'un trident, l'emblème du dieu Shiva. Par cet hommage, Mukkadam souhaitait attirer la bénédiction de l'animal sacré sur l'union de Dilip et de Padmini.

*

« Dans le royaume des cieux, ils seront les plus beaux visages », songea sœur Felicity en découvrant le cercle des hommes, des femmes et des enfants en habits de fête qui entouraient les fiancés. La tête inclinée partiellement cachée par son voile, Padmini semblait abîmée dans une profonde méditation. C'est le moment que choisit la religieuse pour accomplir un geste qui lui tenait à cœur.

— Cette petite croix en or m'a été offerte par ma mère quand j'ai consacré mon existence à Dieu, dit-elle en passant autour du cou de la jeune fille la chaîne qui retenait le bijou. Elle m'a protégée. Je te la donne aujourd'hui en signe de mon affection pour qu'elle te protège à ton tour.

— Oh, merci, Grande sœur. Je la garderai toujours sur moi en souvenir de toi, murmura Padmini, les yeux brillants d'émotion.

Alors, commença le long rituel de ce mariage adivasi, scandé de mantras en sanskrit, langue des textes sacrés, que Mukkadam avait appris par cœur pour la circonstance mais que personne ici ne comprenait, pas même lui. Il commença par demander aux fiancés de plonger leur main droite dans une jarre de terre cuite remplie d'une purée de santal et de tubéreuses. Deux bagues y étaient cachées. Le premier qui trouverait l'un des bijoux avait le droit d'imposer un gage à l'autre. Après ce préambule, vint le *panigrahan*. Chez les adivasis comme chez les hindous, c'est un rite essentiel du mariage. L'officiant sortit de la poche de son panjabi une cordelette mauve et prit les mains droites des fiancés pour les lier ensemble en répétant leurs noms à haute voix. L'instant culminant était arrivé. La fanfare et l'assistance s'étaient tues. Mukkadam invitait maintenant les mariés à faire officiellement connaissance. Lentement, timidement, chacun écarta le voile de l'autre avec sa main libre. Le joyeux visage de Dilip apparut devant les grands yeux bridés de Padmini. Son cœur battait la chamade. Sa mère, son père et son frère l'observaient avec une émotion mal contenue. Dalima, de son côté, ne parvenait plus à retenir ses larmes. Déjà Mukkadam demandait aux mariés d'accomplir le dernier rite : leurs mains droites toujours unies par la cordelette, les époux firent sept fois le tour du feu sacrificiel.

Il était dix heures du soir et la fête ne faisait que débuter. Assistée d'un groupe de femmes, Dalima entreprit d'aligner sur des nattes de sisal déroulées tout autour de la tea-house les assiettes en feuilles de bananier du banquet de noces. Un repas que tous les invités de l'Orya basti allaient déguster tout à l'heure face au décor insolite des tours et des tuyauteries de l'usine de Carbide illuminées de guirlandes de lumières comme un paquebot en fête.

*

Alors que d'autres cérémonies de mariage se déroulaient aux quatre coins de la ville, plusieurs centaines d'habitants s'apprêtaient à célébrer la déesse de la Poésie sur la place des Épices.

Les organisateurs de la mushaira de ce dimanche soir avaient voulu donner à leur programme un éclat particulier en invitant l'un des plus célèbres poètes de langue ourdoue. Jigar Akbar Khan était une légende. À Bhopal, il faisait l'objet d'un tel culte qu'un chauffeur de taxi l'avait un jour enlevé pour le contraindre, sous la menace d'une arme, à lui offrir un récital pour lui tout seul. En une seule soirée, Jigar arrivait à déclamer plus de cinquante ghazals. Quand il fit son entrée, le délire s'empara de l'assistance. Ses sublimes incantations, la sonorité tantôt câline tantôt suppliante de sa voix résonnèrent comme un chant magique. On savait que le vieux poète à barbe blanche drapé dans un châle élimé était le plus fieffé des ivrognes, mais qu'importe ! Bhopal lui devait trop de nuits d'exaltation pour ne pas l'absoudre à jamais. On racontait que l'un de ses disciples avait, le soir même de ses noces, délaissé son épouse pour raccompagner le maître à la gare et l'installer dans son compartiment. À l'instant où le train s'ébranlait, le facétieux Jigar avait empoigné son admirateur pour l'empêcher de sauter sur le quai. Le jeune marié n'était rentré à Bhopal qu'au bout d'un an, un an passé à suivre son idole de fêtes en mushairas à travers l'Inde entière.

Les mains ouvertes vers le récitant en un geste d'offrande, les yeux clos sur une vision d'extase, la tête dodelinant en signe d'approbation, les spectateurs accompagnaient chaque vers d'un « *Vah*[1] » de bonheur inlassablement répété. Le froid piquant d'une petite brise qui soufflait du Nord mordait les chairs, mais l'exaltation embrasait les corps autant que les âmes.

Était-ce une prémonition? Le vieux poète à barbe blanche commença son récital en évoquant la soudaineté de la mort :

> *La mort qui apparaît comme une libellule silencieuse,*
> *Comme la rosée sur la montagne,*
> *Comme l'écume sur la rivière,*
> *Comme la bulle sur la fontaine.*

---

1. Merveilleux !

Troisième partie

Trois sarcophages
sous la lune

36

Trois sarcophages sous la lune

Dans leur tombeau de béton armé, les trois cuves, hautes
de deux mètres et longues de treize, évoquent d'énormes
sarcophages oubliés par quelque pharaon. À demi enter-
rées, elles reposent côte à côte au pied des structures
métalliques que peuvent apercevoir les invités de la noce
de Dilip et Padmini. Elles n'ont pas de noms, seulement
des numéros : E 610, E 611, E 619. Ces cuves sont des
chefs-d'œuvre de la métallurgie de pointe. Aucun acide,
liquide ou gaz corrosif ne peut attaquer leur coque en
acier inoxydable SS 14. Du moins en théorie : l'isocyanate
de méthyle n'a pas encore révélé tous ses secrets. Un
réseau complexe de canalisations, de vannes et de soupapes relie les cuves entre elles et aux réacteurs qui
fabriquent le Mic et le Sevin. Pour empêcher une fuite
accidentelle de son contenu dans l'atmosphère, chaque
cuve est connectée à trois systèmes de sécurité spécifiques.
Le premier est un maillage de fines tuyauteries qui court
le long des parois. Le gaz fréon qui y circule assure la
réfrigération permanente du Mic à une température voisine de zéro degré centigrade. Le deuxième est un gros
réservoir cylindrique appelé « tour de décontamination ».
Il contient de la soude caustique qui absorbe les gaz en
fuite et les neutralise. Le troisième est une torchère haute
de quarante mètres. Son rôle est de brûler les efflu-

ents qui auraient échappé au barrage de la soude caustique.

Ce 2 décembre 1984, il y a soixante-trois tonnes d'isocyanate de méthyle dans les cuves – une vraie « bombe atomique au cœur de l'usine » selon l'opinion d'un chimiste allemand de Bayer interrogé jadis par Eduardo Muñoz – et pas un seul des trois systèmes de sécurité n'est opérationnel. La réfrigération est arrêtée depuis un mois et demi et le Mic conservé à la température ambiante, soit une vingtaine de degrés centigrades en ce mois d'hiver. Les alarmes sonores qui se déclenchent en cas de hausse anormale de la température dans les cuves ont été débranchées. Quant à la tour de décontamination et à la torchère d'incinération des gaz, plusieurs de leurs organes ont été démontés la semaine précédente pour des opérations d'entretien.

Bien qu'il soit ignoré des manuels techniques, il existe un quatrième système de sécurité. Nulle corrosion, nul plan d'économies ne peut le mettre hors circuit car cette pièce de tissu en forme d'entonnoir n'a besoin que du souffle d'Éole comme source d'énergie. La manche à air qui flotte au-dessus de l'usine fournit une information primordiale : la direction du vent. Éclairée dès la tombée de la nuit, elle est visible de tous les postes de travail. Les habitants des quartiers alentour, eux, ne peuvent la voir et personne ne s'est préoccupé d'en installer une deuxième au-dessus de leurs huttes.

*

Il y a plus inquiétant encore. Avec une quantité de quarante-deux tonnes de Mic, la cuve 610 est presque pleine, cela en violation formelle des règlements de sécurité. Les cuves ne doivent jamais être remplies à plus de la moitié de leur capacité afin de permettre, en cas de réaction interne, l'injection d'un solvant ou de tout autre fluide capable d'enrayer le processus intempestif. À côté, la cuve 611 contient, elle, vingt tonnes de Mic. Quant à la troisième cuve, la 619, qui devait rester vide car son rôle est de servir de réservoir de secours en cas d'incident dans les deux autres, elle renferme une tonne de Mic.

Depuis le 26 octobre, jour où la production de l'usine a été arrêtée, le contenu de ces cuves n'a pas été analysé. C'est encore une violation grave du règlement. L'isocyanate de méthyle n'est pas une substance inerte. Du fait des multiples gaz qui le composent, il vit, se transforme, réagit sans cesse. Le Mic à l'intérieur des trois cuves ressemble-t-il toujours à cette « eau minérale pure et transparente » qu'admira un jour Shekil Qureshi, le jeune adjoint de Pareek ? Ou est-il pollué par des impuretés capables de provoquer une réaction ? Décomposé par la chaleur qui en découlerait, le Mic pourrait alors libérer toutes sortes de gaz, y compris le mortel acide cyanhydrique. En cas de fuite, ces gaz de densités distinctes formeraient des nuages toxiques qui se propageraient à des vitesses différentes et sur plusieurs niveaux, saturant d'un seul coup un vaste environnement.

Le niveau de dégradation dans lequel se trouve l'usine permet de redouter le pire. En outre, certains signes laissent penser qu'il se passe des choses bizarres cette nuit-là, aussi bien dans la cuve 610 que dans les équipements annexes. Deux fois de suite, le 30 novembre et le lendemain 1er décembre, des opérateurs ont essayé de transférer une partie de ses quarante-deux tonnes de Mic vers l'unité fabriquant le Sevin. Pour une telle opération, le contenu de la cuve doit préalablement être mis sous pression par un apport d'azote gazeux. Manipulation de routine dans une installation bien entretenue. Mais la « belle usine » n'est plus en bon état. À cause d'une vanne défectueuse, l'azote s'est échappé à mesure qu'on l'introduisait. La vanne n'a pas été remplacée et les quarante-deux tonnes de Mic se trouvent toujours dans la cuve qui n'a pu être mise sous pression. Cela signifie que n'importe quel produit contaminant qui arriverait de l'extérieur par accident pourrait y entrer sans rencontrer de résistance, ce qui provoquerait alors une réaction incontrôlable du Mic.

*

Rahaman Khan est un jeune musulman de vingt-neuf ans qui ne se sépare jamais de sa calotte brodée, même sous son casque. Originaire de Bombay, il a émigré à Bhopal pour se marier. Sa femme travaille comme couturière dans l'atelier qui confectionne les combinaisons des ouvriers. C'est grâce à elle qu'après un court stage d'instruction il est entré comme opérateur dans l'unité de fabrication du Mic. Il y travaille depuis quatre mois et gagne mille quatre cents roupies, un salaire confortable compte tenu de son manque d'expérience et de formation. Comme la plupart des cent vingt ouvriers qui se trouvent sur le site ce soir-là, il n'a pratiquement rien à faire puisque l'usine est arrêtée. Khan fait partie de la deuxième équipe, et il est de service jusqu'à vingt-trois heures. Amateur passionné de poésie, il a l'intention de se rendre dès la fin de son quart à la grandiose mushaira organisée place des Épices pour la fête de l'Isthema. Afin de tuer le temps dans cette morne soirée d'hiver, il tape le carton avec quelques camarades à la cantine. Mais un appel téléphonique le somme de se présenter d'urgence chez le superviseur de service, Gauri Shankar, un grand Bengali chauve qui semble fort irrité.

— Ces feignants de l'équipe d'entretien n'ont même pas été fichus d'effectuer le rinçage des tuyaux ! se plaint-il.

Shankar parle des conduites qui amènent aux cuves le Mic liquide produit par les réacteurs de l'installation. Du fait de sa nature hautement corrosive, l'isocyanate de

302

méthyle attaque les tuyauteries, provoquant des dépôts de scories sur leurs parois. Il faut constamment envoyer des jets d'eau sous pression dans les conduites pour éliminer ces impuretés, non seulement parce qu'elles finiraient par boucher les canalisations, mais surtout parce qu'elles pourraient s'introduire dans les cuves de stockage, contaminer le Mic et déclencher une réaction aux conséquences imprévisibles.

Shankar brandit le *log book*, ce carnet de bord où sont consignées toutes les observations relatives à la marche de l'unité de fabrication.

— Voici les instructions laissées par A. V. Venugopal, explique-t-il. Le superintendant de production nous charge de procéder au rinçage des tuyaux.

Khan fronce ses épais sourcils.

— Est-il indispensable de le faire ce soir? L'usine est arrêtée. Il me semble que ça peut attendre demain. N'est-ce pas votre avis?

Shankar hausse les épaules. Il n'en sait rien. À vrai dire, ni lui ni le superintendant Venugopal ne sont familiers des très complexes opérations d'entretien de cette usine. Tous deux viennent d'arriver, l'un de Calcutta, l'autre de Madras. En dehors de leurs odeurs très caractéristiques, ils ignorent presque tout du Mic et du phosgène. La seule industrie qu'ils connaissent est celle des petites boîtes plates ou cylindriques qui continuent à faire la fortune de Carbide en Inde : les piles électriques.

Dans sa note, le superintendant indique succinctement la façon de procéder au lavage demandé. Il précise qu'il faut commencer par nettoyer les quatre filtres et les soupapes du circuit. Puis il fournit une liste de vannes à verrouiller afin que l'eau de rinçage ne puisse entrer dans les cuves contenant le Mic. Mais la note omet de recommander une précaution capitale : la pose de disques métalliques pleins à chaque extrémité de la tuyauterie communiquant avec les cuves. Il suffit de désaccoupler deux segments du tuyau, de glisser les disques dans les logements prévus à cet effet, et de reboulonner l'ensemble. L'opération prend un peu moins d'une heure. Seule la présence de ces « queues de poêle », ainsi que les désigne le jargon des ingénieurs, permet de garantir l'isolation hermétique des cuves. Les soupapes et les vannes attaquées par la corrosion ne peuvent plus, à elles seules, assurer cette isolation.

C'est à la fermeture de la vanne principale que s'attaque d'abord Rahaman Khan. L'opération est compliquée car cette vanne est placée à trois mètres du sol, au milieu d'un enchevêtrement de tubulures difficiles d'accès. S'arc-boutant entre deux poutrelles, il pèse de tout son poids sur la poignée qui verrouille le mécanisme, sans être certain d'avoir pu la bloquer à fond tant la rouille et la corrosion ont endommagé les pièces métalliques. Après quoi, il redescend pour fermer les autres vannes et commencer l'opération de rinçage. Il lui suffit de brancher une manche à eau à l'un des purgeurs placés sur la canalisation et d'ouvrir le robinet. Il écoute quelques secondes l'eau s'engouffrer avec force dans la tuyauterie et note l'heure sur le cahier des opérations : il est vingt heures et trente minutes.

Très vite, le jeune opérateur musulman comprend qu'il se passe quelque chose d'anormal : l'eau injectée ne ressort pas comme elle devrait le faire par les quatre robinets-purgeurs prévus à cet effet. Khan les tapote doucement avec un marteau et constate que les filtres de deux d'entre eux sont bouchés par des débris métalliques. Aussitôt, il coupe l'arrivée d'eau et alerte son superviseur par téléphone. Celui-ci n'arrive qu'au bout d'un long moment. En raison de son manque d'expérience, il n'est pas d'un grand secours.

— Nettoie bien les filtres des purgeurs d'évacuation, se contente-t-il d'ordonner à son opérateur, et remets l'eau

304

en marche. Avec la pression du jet, ils finiront bien par laisser l'eau sortir.

Le jeune musulman acquiesce sans conviction.

— Mais si l'eau ne sort pas par les purgeurs, elle ira ailleurs, suggère-t-il ingénument.

Le superviseur ne saisit pas la portée capitale de cette remarque.

— On verra bien ! réplique-t-il, agacé d'avoir été dérangé pour si peu.

Dès le départ de son chef, Khan s'active à nettoyer les filtres et rouvre le robinet de lavage. Shankar avait raison : l'eau s'évacue normalement par les deux premiers purgeurs et, au bout d'un moment, par le troisième aussi. Mais le quatrième semble définitivement obstrué. Khan ne s'inquiète pas trop. Comme le lui a dit son chef, le système finira bien par se déboucher. Il poursuit le rinçage des canalisations en libérant toute la pression de sa manche à eau. Plusieurs centaines de litres pénètrent ainsi dans les tuyaux. Deux heures plus tard, à vingt-deux heures trente, soit une demi-heure avant le changement d'équipe, il s'en va frapper à la porte de la cabine qu'occupe son chef derrière la salle de contrôle.

— Que dois-je faire ? demande-t-il. Je laisse l'eau couler, ou faut-il que je l'arrête ?

Shankar semble perplexe. Il se frotte le menton.

— Tu laisses couler, finit-il par dire. Il faut que les parois de ces foutus tuyaux soient vraiment impeccables. Les gars de l'équipe de nuit fermeront le robinet.

Sur ces mots, Rahaman Khan prend un crayon et rédige dans le carnet de consignes un bref compte rendu de l'opération en cours.

— *Good night, Sir. See you tomorrow* [1] *!* lance-t-il alors, pressé d'aller prendre sa douche et de s'habiller pour le grand événement de la soirée, la mushaira de la place des Épices.

---

1. Bonsoir, monsieur. À demain !

Un rendez-vous qu'il ne peut manquer pour rien au monde. Rahaman Khan va ce soir mêler sa voix à celle des plus grands maîtres en récitant l'une de ses poésies.

*

Il est onze heures du soir. La place des Épices est bruissante d'admirateurs impatients d'écouter leurs poètes favoris. À l'autre bout de la ville, les salons et les pelouses de l'Arera Club grouillent d'invités, de même que les tentes somptueusement décorées abritant les mariages des quartiers riches de New Bhopal et des Shamla Hills. Sur l'Esplanade noire, des guirlandes d'ampoules illuminent la noce de Dilip et Padmini. Bhopal tout entière s'abandonne à la jubilation de cette nuit bénie par les astres. C'est dans le quartier de la Railway Colony éclaboussé de feux d'artifice que les festivités sont les plus grandioses. Les mille invités au mariage de Rinou Diwedi, la fille cadette du contrôleur en chef des chemins de fer de Bhopal avec le fils d'un marchand de Vidisha, assistent avec émerveillement à la rituelle procession du Barat. Juché sur une jument blanche couverte d'un tapis de velours brodé d'or, coiffé d'un turban brodé de paillettes, le jeune Rajiv caracole vers sa fiancée qui l'attend sous la plus belle shamiana du loueur Parvez. Avant qu'il n'enfourche sa monture, son père est venu apposer sur son front les deux points rouge et noir qui éloigneront à jamais le mauvais œil et lui garantiront un avenir propice. Rajiv a ensuite reçu une noix de coco striée de bandes rouges, gage traditionnel de bon augure. Devant la jument blanche, une femme avance à petits pas : sa mère. Elle est vêtue du double sari de soie et d'or des occasions exceptionnelles. Avec ferveur, elle jette des poignées de sel sur le sol afin d'écarter du chemin de son fils toutes les embûches de la vie.

37

« Et si les astres étaient en grève ? »

Vingt-trois heures. L'heure du changement d'équipe sur la passerelle du vaisseau que viennent de quitter Rahaman Khan et ses camarades du quart précédent. L'opérateur qui prend les commandes de la salle de contrôle est un hindou bengali au teint clair, âgé de vingt-six ans, nommé Suman Dey. Diplômé en sciences de l'université de Calcutta, il est à la fois compétent et respecté. Les soixante-quinze cadrans qui brillent devant ses yeux constituent le tableau de bord de l'usine. Chaque aiguille, chaque voyant lumineux fournit une information, indique l'état d'activité d'un organe, signale une anomalie éventuelle. Températures, pressions, niveaux, débits, Suman Dey est en permanence tenu au courant, en sa qualité de chef de quart, de la santé de l'installation. En théorie du moins, car depuis quelque temps il arrive que certains appareils de mesure tombent en panne. Dey est alors obligé d'aller se renseigner sur place. Il n'y parvient pas toujours. Depuis plusieurs jours, à cause d'un défaut dans le circuit de transmission, aucune indication de température n'arrive plus de la cuve 610. Pour apaiser ses frustrations, il médite le message du grand panneau accroché sur le mur au-dessus de ses cadrans. « *Safety is everybody's business* – la sécurité est l'affaire de tous. » Aucun signe déterminant n'indique toutefois au jeune Bengali que la sécurité de l'usine ne soit pas assurée.

Nulle inquiétude ne se lit donc sur les visages des six opérateurs de l'équipe de nuit. Ils s'installent pour la nuit autour d'un brasero, dans la petite pièce attenante à la salle de contrôle qu'on appelle la *site canteen* : la cantine de proximité, parce que ses occupants peuvent y être immédiatement mobilisés en cas d'alerte. Cette équipe nocturne reflète parfaitement la diversité de l'Inde. Aux côtés du superviseur musulman Shekil Qureshi, le convoyeur des camions de Mic, il y a le sikh V. N. Singh, que ses parents s'étaient tant réjouis de voir entrer chez Carbide. Le troisième est un grand hindou de vingt-neuf ans au visage triste. Mohan Lal Varma est en conflit avec la direction qui lui refuse depuis six mois la qualification et le salaire d'opérateur de sixième échelon. Le quatrième est un adepte de la religion jaïn originaire de Bombay, maigre comme un fil de fer ; enfin, il y a le fils d'un cheminot de Jabalpur, ainsi qu'un ancien commerçant du Bihar.

En dehors de Qureshi, de Singh et de Varma, qui vont poursuivre l'opération de rinçage entreprise par l'équipe précédente, ces hommes n'ont cette nuit aucune responsabilité précise puisque leurs unités de production sont arrêtées. Ils discutent du sombre avenir de la belle usine en fumant des bidis, en chiquant du bétel et en buvant du thé.

— Il paraît que les ventes de Sevin ne marchent plus très fort, déclare le jaïn de Bombay.

— Elles marchent si mal qu'ils auraient décidé de démonter l'usine et de l'envoyer en morceaux dans un autre pays, renchérit l'ancien commerçant du Bihar devenu spécialiste de l'alpha-naphtol.

— Où ça ? s'inquiète le jaïn de Bombay.

— Au Venezuela ! affirme le musulman de Jabalpur.

— Pas au Venezuela ! rectifie Qureshi qui a ses entrées dans les bureaux de la direction : au Brésil.

— En attendant, c'est nous que Carbide met dans la merde, tranche vivement Varma, que ses démêlés avec ses supérieurs ont rendu agressif.

Qureshi tente d'apaiser l'inquiétude de ses camarades. Tous aiment bien ce gros garçon un peu pataud, toujours prêt à partager son inépuisable répertoire de *ghazals*. Les nuits sont moins longues à l'écouter chanter ses poèmes. C'est une bonne surprise qu'il soit là ce soir, car le tableau de service ne le désignait que pour l'équipe du lendemain. Mais, au dernier moment, il a accepté de remplacer un collègue invité à l'un des mariages. Un geste d'une grande noblesse le soir d'une mushaira.

Tout en poursuivant la discussion, Qureshi jette un coup d'œil sur le *log book*, le journal de bord mis à jour par l'équipe précédente. À la page de la cuve 610, pour la pression relevée à vingt heures, il lit : « *2 p.s.i.g.* ». Il sourit de satisfaction. Une pression de deux livres par pouce carré ! Cela indique que tout va bien à l'intérieur de la cuve. Mais, soudain, le visage du musulman s'assombrit. Il vient de réaliser que cette information est vieille de trois heures. Trois heures !

— Avant qu'on ne renvoie la moitié des techniciens, on relevait les pressions et les températures toutes les deux heures. Maintenant, c'est toutes les...

— Huit heures, précise Suman Dey qui vient de sortir de la salle de contrôle.

En ce début de décembre, une extrême morosité règne sur les plates-formes métalliques de l'Esplanade noire. Depuis le départ des hommes qui avaient donné une âme à cette usine – Woomer, Dutta, Pareek, Ballal... – le moral s'est effondré, la discipline s'est effilochée et, pis que tout, l'idéal de sécurité s'est envolé. Aujourd'hui rares sont ceux qui manipulent les substances toxiques munis de leurs casques, de leurs lunettes, de leurs masques, de leurs bottes, de leurs gants. Plus rares encore ceux qui, en pleine nuit, vont spontanément vérifier la soudure d'une tuyauterie. Sournoisement, la plus dangereuse des idées a fini par s'imposer : rien de grave ne peut arriver dans une usine dont toutes les installations sont arrêtées. On en vient tout naturellement à préférer les parties de cartes dans la site canteen aux rondes d'inspection à travers le volcan endormi.

*

— Hé les gars ! Vous sentez ? Hé, vous sentez ? – Mohan Lal Varma a bondi sur ses pieds. Il renifle bruyamment. – Sentez, sentez ! Je vous jure qu'il y a du Mic dans l'air !

L'excitation subite du jeune hindou d'habitude si paisible provoque l'hilarité générale.

— Débouche ton tarin, patate ! lance le jaïn de Bombay. Il ne peut pas y avoir des odeurs de Mic dans une usine arrêtée !

— C'est pas du Mic que tu renifles, c'est du Flytox ! coupe l'ouvrier du Bihar. Ils en ont vaporisé une bouteille entière avant qu'on arrive !

— Et c'est pour ça qu'on n'a pas encore été boulottés par les moustiques, constate le musulman de Jabalpur.

Tous les habitants de Bhopal le savent : le Flytox est une invention magique, une authentique bénédiction, l'insecticide miracle qui permet de se protéger du pire fléau accablant la cité des bégums : ses moustiques.

*

Dans le brouhaha de la fête qui se poursuit de l'autre côté de l'Esplanade noire, personne n'a remarqué une frêle jeune fille vêtue d'une simple chemisette et d'une jupe de coton bleue. Elle se faufile parmi les invités qui s'apprêtent à dîner sur les nattes de sisal. Elle semble chercher quelqu'un. Elle aborde plusieurs convives.

— Savez-vous où est sœur Felicity ? demande-t-elle aux uns et aux autres, en proie à une étrange excitation.

310

Dalima, qui a entendu la question, s'approche de l'inconnue et scrute les visages sous les guirlandes de lumières. Le banquet a commencé. Les hommes sont d'un côté, les femmes de l'autre. Seule la mariée manque à la fête. Elle s'est momentanément retirée dans la hutte d'une voisine pour ouvrir ses cadeaux de mariage. Dalima finit par repérer la missionnaire assise au milieu d'un groupe de femmes. La jeune messagère se précipite jusqu'à elle.

— Anita, que fais-tu là ? s'étonne la religieuse.

— *Sister*, il faut que tu viennes tout de suite, il y a eu un accident à la maison.

L'Écossaise entraîne Anita vers le triporteur à moteur garé devant la tea-house.

— Qu'y a-t-il ? s'inquiète-t-elle.

— La petite qui habite ta chambre...

— Nadia ?

— Oui. Elle a eu une crise terrible... Elle s'est mise à tout casser. Elle hurlait bien plus fort que la nuit dernière, plus fort que toutes les nuits avant la mousson. Elle hurlait comme une folle. Elle t'appelait. On s'est mises à trois pour essayer de la calmer, de la retenir, mais...

— Mais ?

— Mais elle nous a échappé. Elle s'est jetée par la fenêtre.

— Oh mon Dieu !... – La religieuse sent son cœur battre la chamade. Elle garde le silence quelques secondes, puis murmure en se signant lentement : Seigneur Jésus, accueille Ta fille innocente dans Ton paradis.

— Elle n'est pas morte, *sister !* reprend vivement Anita. Une ambulance l'a conduite à l'hôpital Hamidia.

Quinze minutes plus tard, Anita et sœur Felicity franchissent en courant l'entrée des urgences du bâtiment où règne une odeur d'eau de Javel et d'éther. Le sol est maculé de taches rouges : les traces laissées par les crachats des chiqueurs de bétel. Les salles sont presque vides.

Le dimanche n'est pas un jour à accidents. Sous l'inscription DOCTORS ON DUTY, les deux médecins de garde se préparent à une nuit tranquille dans leur petit bureau. Grand, longiligne, une épaisse chevelure noire soigneusement peignée, l'hindou Deepak Gandhé, trente-cinq ans, et son jeune confrère musulman Mohammed Sheikh ont fait leurs études ensemble au Gandhi Medical College, l'énorme bâtiment de l'autre côté de la rue. Depuis, ils sont inséparables. L'un est généraliste, l'autre chirurgien. C'est la règle dans les équipes de garde. L'arrivée de sœur Felicity et de la jeune Indienne les surprend au beau milieu d'une partie de dominos. Ils se lèvent.

— Docteurs, nous venons pour Nadia, dit sœur Felicity.

Le visage du Dr Sheikh se fige. Il tripote nerveusement sa moustache. Les deux femmes s'attendent au pire. C'est le Dr Gandhé qui répond avec un imperceptible sourire.

— La petite Nadia a été opérée, lâche-t-il doucement. Elle a pour l'instant survécu à ses blessures. Nous espérons la sauver. Elle est aux soins intensifs.

Les yeux de l'Écossaise s'emplissent de larmes.

— Puis-je la voir ?

— Oui, *sister*, vous pourrez même passer la nuit auprès d'elle. Vous aurez la salle entière pour vous. Ce soir, il n'y a personne d'autre aux soins intensifs.

*

Tandis que sœur Felicity et la jeune Anita entament leur nuit de veille et de prière au chevet de la petite Nadia au corps brisé, les mille invités du mariage de la Railway Colony savourent les petits-fours, les kebabs, les crevettes, les dés de poulet au gingembre, les morceaux de fromage enrobés d'épinards qu'apportent des nuées de serveurs enturbannés. Bien que son cardiologue lui ait interdit l'alcool à cause de ses troubles coronariens, Harish Dhurvé, le chef de gare principal, fait un sort aux verres d'English liquor, le whisky importé d'Angleterre. Soudain, il se trouve nez à nez avec son médecin.

— Soyez indulgent, docteur, ce soir est une circonstance exceptionnelle, une nuit bénie par les astres! s'excuse-t-il.

Le Dr Sarkar est le médecin attitré des habitants de la Railway Colony et du personnel de la gare. Son humour bengali ne le laisse jamais sans repartie. Fixant le verre de son patient, il demande :

— Et si les astres décidaient de se mettre en grève?

La réplique amène un sourire un peu forcé sur le visage du chef de gare. Plus que tout autre à Bhopal, il a ce soir besoin de la bénédiction des astres. Comme la majorité des cheminots invités à la fête, il s'éclipsera un peu avant minuit pour aller prendre son service à la gare. Une intense activité est en effet prévue cette nuit en raison des arrivées de pèlerins venus fêter l'Ishtema. Dhurvé a fait réquisitionner tous les personnels, y compris les cent un coolies. Sa gare est l'un des principaux nœuds ferroviaires du pays. Il s'est juré de contrôler cet excès de trafic avec ponctualité et souplesse, et d'offrir aux milliers de visiteurs un accueil digne de l'hospitalité bhopalie.

*

Minuit. À l'usine, personne ne s'en doute, mais une bombe vient d'être amorcée. Après que les opérateurs de l'équipe de nuit ont vainement essayé de faire sortir du système l'eau de rinçage injectée depuis trois heures, celle-ci a commencé à refluer vers la cuve 610. Elle s'y engouffre brutalement, entraînant avec elle les débris métalliques, les cristaux de chlorure de sodium et toutes les impuretés qu'elle a décollés des parois lors du lavage des canalisations. Cet afflux massif de contaminants provoque aussitôt la réaction exothermique tant redoutée des chimistes. En quelques minutes, les quarante-deux tonnes d'isocyanate de méthyle se désintègrent dans une explosion de chaleur qui, très vite, va transformer le liquide en un ouragan de gaz.

Alertés par les picotements qui commencent à leur brûler les yeux, les six hommes assis dans la site canteen à moins de quarante mètres des cuves, finissent par en convenir : leur camarade Varma avait raison. Ce n'est pas l'odeur du Flytox qu'il a sentie, mais bien celle de chou bouilli caractéristique de l'isocyanate de méthyle. Mais ils ignorent encore ce qui est en train de se produire dans la cuve 610.

Qureshi se tourne vers V. N. Singh et Varma.

— Les gars, vous devriez aller faire un tour dans la zone de rinçage, suggère-t-il. On ne sait jamais.

Les deux techniciens prennent leurs torches, mettent leurs casques et se lèvent.

— Pensez à vos masques ! recommande le superviseur musulman.

— Pas la peine ! C'est pas la première fois que ça sent le Mic dans cette usine, réplique V. N. Singh. Attendez-nous pour le thé de minuit !

— Bien sûr ! lance Qureshi.

— Et si vous n'êtes pas de retour à temps, on vient vous chercher avec une bouteille d'oxygène ! lance en plaisantant le jaïn de Bombay, déclenchant un éclat de rire général.

En quelques minutes, les deux hommes atteignent des tuyauteries en cours de lavage. L'odeur y est de plus en plus forte. Ils écoutent le sifflement de l'eau qui circule toujours à plein débit dans les canalisations et dirigent le faisceau de leurs lampes vers l'enchevêtrement des tuyaux. Ils scrutent chaque vanne, chaque soupape, chaque bride. Soudain, Singh aperçoit autour d'un purgeur à huit mètres environ du sol un gargouillement de liquide brunâtre surmonté d'un petit nuage. Il alerte son camarade.

— Y a du gaz qui est en train de se barrer là-haut !

Varma pointe le faisceau de sa lampe sur le nuage.

— T'as raison. Et ça n'est pas du Flytox !

Les deux hommes regagnent la salle de contrôle en courant.

— Shekil ! Ça pisse le Mic sur un tuyau ! annonce Singh, tu devrais venir voir.

Qureshi dévisage son camarade avec incrédulité.

— Arrête tes conneries ! proteste-t-il vivement. – Puis, soulignant chaque mot, il insiste : — Mettez-vous tous une fois pour toutes dans le citron qu'il ne peut pas y avoir de fuite dans une usine dont la production est arrêtée. C'est le b-a-ba du métier de savoir ça.

— Mais ça pisse vraiment, et ça pue très fort ! insiste Singh en se frottant les yeux.

Qureshi hausse les épaules.

— C'est peut-être un peu de Mic résiduel qui s'échappe des purgeurs avec l'eau de rinçage, concède-t-il. Il n'y a qu'à fermer le robinet d'eau. On verra bien si ça continue à sentir après... – Sur ces mots, il regarde sa montre et ajoute : — Pour l'instant, les gars, il est minuit et c'est l'heure du thé !

La sacro-sainte pause-thé ! Trente-sept ans après le départ des colonisateurs, aucun Indien, pas même les six hommes de Carbide assis ce soir sur un volcan en début d'éruption, ne renoncerait à ce rite entré dans leur culture aussi sûrement que la passion du cricket. Qureshi s'est levé et entraîne l'équipe vers le bâtiment qui abrite, à une centaine de mètres, la cafétéria du personnel. Un peu après minuit, un jeune Népalais aux petits yeux rieurs y fait son apparition. C'est le *tea-boy*. Il apporte dans son panier une bouilloire pleine de thé au lait brûlant, des verres, et une assiette de biscuits au chocolat.

Qureshi et ses camarades s'installent confortablement pour déguster à petites gorgées le délicieux breuvage riche du parfum des lointaines collines d'Assam. Soudain, un visage décomposé apparaît dans l'embrasure de la porte. C'est Suman Dey, le chef de quart de la salle de contrôle.

— Shekil, lance-t-il au superviseur musulman, l'aiguille de pression de la cuve 610 est montée d'un seul coup de deux à trente p.s.i.g.!

Qureshi hausse les épaules, puis adresse un sourire rassurant à son camarade.

— Suman, tu t'affoles pour des clopinettes! C'est ton cadran qui est nase!

38

Les geysers de la mort

Les gares du deuxième réseau ferroviaire au monde ignorent toute pause nocturne. À Bhopal, c'est l'effervescence sur le quai numéro 1, celui qui, voici cent ans, accueillait, entre une double haie de lanciers à cheval et de cipayes enturbannés, le premier train du royaume des bégums. Cette nuit, il grouille de centaines de voyageurs qui attendent le Gorakhpur Express. Par précaution contre les voleurs, beaucoup ont attaché leurs bagages à leurs chevilles avec une petite chaîne. Harcelés par les moustiques, des hordes d'enfants courent en tous sens, jouent à cache-cache entre les valises, se chamaillent. Des dizaines de marchands ambulants, de porteurs en tuniques rouges, de lépreux secouant leur sébile dans un bruit de clochettes, de mendiants, de policiers en casquette bleue déambulent entre voyageurs et bagages dans l'odeur âcre de la fumée des bidis, des chiques de bétel, des bâtonnets d'encens.

Minuit, c'est l'heure des changements d'équipes. Les hindous V. K. Sherma, le sous-chef de gare, et Madan Lal Parashar, son adjoint, ainsi que leur jeune assistant, le régulateur de trafic musulman Rehman Patel, viennent de s'installer devant le tableau de contrôle de leur poste de surveillance au bout du quai. Avec son architecture néo-gothique, il ressemble à un cottage du Sussex. La pièce est munie de deux puissants climatiseurs qui dispensent habituellement un air frais et filtré permettant d'oublier la chaleur et la pollution extérieures. Mais c'est l'hiver : les appareils sont arrêtés. La fraîcheur extérieure entre par les portes et les fenêtres grandes ouvertes. L'intérieur du poste est équipé d'un long tableau sur lequel des fiches mobiles de couleurs différentes et des voyants lumineux indiquent les trains qui font route vers Bhopal ainsi que la situation des signaux et des aiguillages. Sur la table au milieu de la pièce se trouvent plusieurs téléphones dont l'un, à manivelle, est relié à une ligne directe permettant d'appeler les gares sur le parcours des trains, et de connaître leurs heures de passage. À cause du brouillard intense qui, cette nuit, recouvre une partie du Madhya Pradesh, et du trafic inhabituel, la plupart des convois devant arriver avant minuit accusent d'importants retards. Aucun n'est attendu avant deux ou trois heures du matin. C'est justement le cas du Gorakhpur Express dans lequel voyage Sajda Bano, la veuve de Mohammed Ashraf, première victime des gaz de l'usine de Carbide. Avec ses deux fils, Sœb, trois ans, et Arshad, cinq ans, elle aurait dû prendre le train de la veille mais, au dernier moment, un voisin hindou a supplié la jeune musulmane de ne pas voyager un samedi, jour que les dévots de sa religion jugent le plus néfaste de la semaine.

Dans la gare de Bhopal, où résonne un incessant grésillement de sonneries, les employés se préparent à l'une de ces longues attentes auxquelles les trains indiens ont accoutumé leur personnel et leurs douze millions de voyageurs quotidiens. Soudain, le sous-chef de gare décroche l'un des téléphones.

— J'appelle le patron, annonce-t-il à ses collègues. Il n'a pas besoin de venir avant deux bonnes heures.

— Vous avez raison, approuve son adjoint, ça lui permettra de siroter encore quelques petits verres d'English liquor !

318

Les trois hommes se mettent à rire. Ils connaissent le penchant pour l'alcool d'Harish Dhurvé, le chef de gare principal. C'est alors qu'un coolie en tunique rouge apparaît à la porte.

— Chef! Chef! Venez vite voir! Arjuna et son chariot sont là avec des cadeaux pour vous.

Le porteur Satish Lal paraît au comble de l'excitation. Sa référence au prince mythologique de la dynastie des Pandava et à son chariot céleste peut se comprendre. Ratna Nadar, qu'il a fait entrer dans son équipe de porteurs il y a deux ans, vient d'arriver en poussant un rickshaw rempli de petites boîtes en carton.

— Il y en a cent cinq, une pour chaque coolie, les quatre autres pour les chefs, et la dernière pour le brave Gautam derrière son guichet, annonce le père de Padmini.

Chaque boîte contient un œuf dur, une brochette de kebab, une petite coupelle de riz arrosée de dal, un samosa fourré de légumes, une chapati et deux boules de *rossogola* [1]. En Inde, toute fête est partage. Ratna Nadar a tenu à ce que ses compagnons de labeur et ses supérieurs aient leur part du banquet donné cette nuit en l'honneur de l'événement le plus important de sa vie : le mariage de sa fille. Vers onze heures, il s'est éclipsé des festivités pour échanger ses habits de cérémonie contre sa tenue de travail. Cette nuit, lui aussi est réquisitionné au service des voyageurs attendus.

« Ratna Nadar *ki Jai*! Ratna Nadar *Zindabad*! » Une vibrante ovation acclame tour à tour en hindi et en ourdou le père de la nouvelle mariée de l'Orya basti et sa carriole pleine de victuailles.

— Merci, les amis! Merci, les amis! ne cesse-t-il de répéter en distribuant ses petites boîtes.

Intrigués par ce surprenant rassemblement de tuniques rouges au beau milieu du quai, des voyageurs se sont

----

1. Confiserie très sucrée faite d'une pâte imbibée de sirop.

approchés. Ratna Nadar promène un regard ému sur la foule, sur les façades décrépies de cette vaste gare où il a débarqué un jour avec toute sa famille, chassé de son village par la malédiction des pucerons ; cette gare qui incarne aujourd'hui toute son espérance. Grâce à elle, aux montagnes de valises et de ballots de ses voyageurs, aux lourdes caisses de ses fourgons de marchandises, il va pouvoir rembourser les douze mille roupies empruntées à Pulpul Singh pour le mariage de sa fille. Chaque train le rapprochera du jour béni où il pourra récupérer le titre de propriété de sa hutte laissé en gage à l'usurier.

*

À moins d'un kilomètre à vol d'oiseau de la gare, le rideau s'entrouvre sur la tragédie annoncée aux habitants de Bhopal par le journaliste Rajkumar Keswani. Le superviseur Shekil Qureshi ne montre aucune hâte à finir sa tasse de thé. L'affolement du responsable de la salle de contrôle de l'usine est à ses yeux excessif. Il sait qu'une pression de trente livres par pouce carré ne constitue pas un réel motif d'inquiétude. Les ingénieurs de South Charleston ont conçu les cuves de Mic avec des aciers spéciaux et des parois assez épaisses pour résister à des pressions cinq ou six fois plus élevées. Mais l'aiguille du cadran de la salle de contrôle fait à présent un deuxième bond jusqu'à 55 p.s.i.g. Cinquante-cinq livres par pouce carré, c'est la graduation supérieure du cadran. Surtout, c'est deux fois le paramètre que les ingénieurs désignent sous le nom de « pression maximum de travail ». L'appareil déraille-t-il ? comme le suppose Qureshi, ou la pression qu'il indique est-elle réelle ? Pour Suman Dey, il n'y a qu'un moyen de le vérifier : en se rendant dans la zone des trois cuves pour observer le manomètre directement branché sur la cuve 610. S'il confirme les chiffres du cadran de la salle de contrôle, c'est qu'il se passe quelque chose d'anormal.

— Chandra, on y va ! annonce Dey à l'un des opérateurs de l'équipe de garde.

— On prend les masques ?

— Et comment ! Les masques et les bouteilles ! insiste Dey, qui éprouve une méfiance viscérale pour les matières chimiques.

Chaque bouteille assure une autonomie d'une demi-heure. Quand elle ne contient plus que cinq minutes d'oxygène, une sonnerie retentit.

Moins de trois minutes suffisent aux deux hommes pour atteindre l'emplacement de la cuve 610 et constater que l'aiguille du manomètre de pression est, elle aussi, bloquée sur la graduation de 55 p.s.i.g. Dey escalade le sarcophage de béton dans lequel est encastrée la cuve, s'agenouille sur le sommet, retire son gant et palpe minutieusement la paroi métallique.

— Ça gigote bigrement là-dedans ! lance-t-il à travers son masque.

Le frémissement qu'il a senti est celui de l'isocyanate de méthyle devenu subitement gazeux sous l'effet de la réaction provoquée par l'irruption dans la cuve de l'eau et des débris métalliques. Le gaz s'engouffre maintenant dans les canalisations qui conduisent à la tour de décontamination. C'est le chemin qu'il doit suivre en pareil cas. Mais, cette nuit, les soupapes qui commandent l'accès à cet organe de sécurité sont fermées puisque l'usine est hors service. Sous l'effet de la pression qui s'accroît de minute en minute, la colonne de gaz fait bientôt sauter ces verrous comme des bouchons de champagne. Une partie des gaz s'échappe alors vers l'extérieur, créant l'apparition du petit nuage brunâtre repéré par les opérateurs V. N. Singh et Varma avant la pause-thé. Tous deux sont revenus en hâte dans la zone de lavage des tuyauteries. Ils sont équipés cette fois de leurs masques et de bouteilles d'oxygène. Leur premier geste est de fermer le robinet d'eau ouvert quatre heures plus tôt par leur camarade Rahaman

Khan. En dépit de leurs masques, ils sentent de puissantes émanations de gaz.

— Ça pue le Mic mais aussi le phosgène, grogne V. N. Singh, qui a reconnu la senteur caractéristique d'herbe fraîchement coupée.

— Et aussi la MMA ! ajoute Varma, incommodé par la suffocante odeur d'ammoniac de la monométhylamine.

Un sifflement comme celui d'un jet de vapeur résonne soudain au-dessus de leurs têtes. D'un même réflexe, ils lèvent les yeux vers l'enchevêtrement des tubulures. Un véritable geyser vient de jaillir à l'endroit même où ils avaient décelé la première fuite de gaz. Malgré la terreur qui s'empare de lui, V. N. Singh garde son sang-froid. Il n'y a qu'un geste à faire en pareille circonstance. Il l'a déjà accompli lors du grand incendie de l'unité d'alpha-naphtol. Il se rue sur le coffret d'alarme le plus proche, en brise la vitre, et appuie sur le bouton qui déclenche la sirène d'alerte générale.

*

Le hurlement arrache Shekil Qureshi à sa tasse de thé. Il sort en courant de la cafétéria et se précipite vers la salle de contrôle où il retrouve le sikh V. N. Singh qui vient de remonter avec Varma de la zone de lavage. Singh se débarrasse de son masque. Il est livide.

— Le pire est arrivé. Il n'y a rien à faire, grommelle-t-il en hochant la tête, accablé.

Qureshi proteste vivement :

— Il est sûrement possible d'enrayer cette maudite réaction. Je fonce voir ce qui se passe.

Tandis qu'il s'éloigne, Singh lui crie :

— Ton masque !

— Impossible de donner des ordres avec ce machin sur la figure ! réplique le musulman qui dévale déjà l'escalier.

Arrivé sous le geyser en éruption, il s'arrête, médusé. Il ne peut en croire ses yeux. « Ce n'est pas vrai ! » murmure-t-il. Lui, si convaincu qu'aucun accident ne pouvait se produire dans une usine à l'arrêt, le voilà témoin de la catastrophe contre laquelle tous les manuels de Carbide, tous les exercices d'alerte, toutes les campagnes de sécurité ont inlassablement mis en garde les employés de l'usine depuis sa mise en route il y a huit ans : cette terrifiante, incontrôlable, cataclysmique réaction d'emballement de l'isocyanate de méthyle. Une réaction massive du contenu d'une cuve pleine, et non de quelques gouttes demeurées dans un tuyau. Malgré toutes les règles de sécurité imposées, comment un tel accident a-t-il pu se produire ? Qureshi bat en retraite et s'élance vers la zone des cuves. Il a une idée. S'il n'est plus possible d'endiguer l'éruption de la cuve 610, au moins peut-on empêcher que la contamination ne gagne les vingt tonnes stockées dans la cuve 611. Ses yeux commencent à se brouiller douloureusement. Il a de plus en plus de mal à respirer. Dans un halo, il aperçoit Suman Dey et son compagnon qui redescendent du sarcophage sur lequel ils sont courageusement montés pour contrôler l'indication de pression. La cuve et son enveloppe de béton tremblent, craquent, gémissent, comme secouées par un séisme. La voix du superviseur musulman traverse faiblement ce chaos.

— Il faut isoler la 610 ! Il faut isoler la 610 ! s'époumone-t-il à bout de souffle.

Suman Dey n'est pas d'accord. Fermer les vannes et les soupapes qui font communiquer la cuve en réaction avec sa voisine, c'est prendre le risque d'y faire monter encore un peu plus la pression et peut-être de déclencher une explosion. Mais Qureshi est confiant dans la solidité à toute épreuve de la cuve. Comment ce chef-d'œuvre de technologie qu'il a un jour vu arriver de Bombay, ce petit bijou dont il a pendant six ans entretenu, réparé et cajolé avec amour tous les branchements, pourrait-il se désintégrer comme un vulgaire réservoir de pétrole ? Il entraîne

323

ses deux compagnons et se jette avec eux sur les canalisations. Le sol craque sous leurs pieds dans un bruit de fin du monde. En dix minutes, ils réussissent à condamner toutes les communications entre les deux cuves. Les vingt tonnes de la 611 ne se mêleront pas à l'apocalypse gazeuse.

Aussitôt, ils s'éloignent en courant. Avant de s'engouffrer dans l'escalier menant à la salle de contrôle, ils se retournent. La carapace en béton de la cuve 610 vient d'éclater, libérant l'énorme réservoir d'acier qui s'échappe de son sarcophage comme une fusée, se dresse à la verticale, chancelle, tombe et s'élève à nouveau avant de s'abattre lourdement dans les débris de béton et de ferraille. Mais il a résisté. D'une canalisation arrachée jaillit alors au ras du sol un deuxième geyser de gaz, plus puissant, plus furieux encore que le premier.

Avant d'entrer dans la salle de contrôle, Qureshi jette un coup d'œil à la manche à air accrochée au sommet de son mât. Une grimace tord son visage. Poussé par un vent soutenu, le cône de toile blanche indique clairement la direction du sud, celle des quartiers de l'Esplanade noire, de la gare et de la vieille ville. Mais cette nuit, en vrai Carbider, il se sent responsable avant tout de ses hommes et de leur sécurité. Il se tourne vers le chef de quart.

— Suman ! arrête ta sirène et gueule dans les haut-parleurs l'ordre à tout le monde de se rassembler dans la zone de formulation côté nord, sauf les opérateurs de notre unité qui doivent rester à disposition avec leurs masques. Peut-être aurons-nous besoin d'eux plus tard.

39

Des poumons qui éclatent
au cœur de la nuit

Tout n'est pas perdu pour le superviseur Shekil Qureshi, ce jeune musulman qui, le jour de son mariage dans la grande mosquée de Bhopal, croyait que le plus bel habit qu'il pourrait jamais porter était « la combinaison de toile marquée du losange bleu et blanc ». Il veut tenter l'impossible.

— Suman ! essaie de mettre en route la tour de décontamination, ordonne-t-il au chef de quart de la salle de contrôle. On ne sait jamais : peut-être que l'équipe d'entretien a terminé ses réparations.

Suman Dey actionne la manette de commande, mais son geste ne déclenche aucune réaction sur le cadran du tableau de bord. Le voyant lumineux ne s'allume pas et l'aiguille de pression reste à zéro.

Le téléphone sonne. Qureshi décroche. C'est S. P. Chowdhary, le directeur de production, qui appelle de sa villa de l'Arera Colony, à l'autre bout de Bhopal. Il vient d'être réveillé par l'un des opérateurs de l'équipe de nuit.

— J'arrive le plus vite possible ! crie-t-il dans l'appareil. En attendant, essayez de remettre la torchère en marche !

Qureshi n'en croit pas ses oreilles. Comment ? Le responsable de la production de l'usine ne sait pas que cet équipement de sécurité destiné à brûler les échappements de gaz est en réparation ?

— La torchère? s'indigne-t-il, mais il lui manque cinq ou six mètres de tuyaux! Ils étaient pourris.

— Remplacez-les! insiste le directeur de production.

Qureshi sort l'écouteur du téléphone par la fenêtre.

— Vous entendez? C'est le gaz qui jaillit. Même si on arrivait à remplacer les tuyaux, il faudrait être fou pour allumer la torchère. Nous sauterions tous et, avec nous, l'usine et la ville entière!

Furieux, Qureshi raccroche. Pourtant il refuse encore de se déclarer vaincu.

— Passe-moi l'équipe des pompiers, demande-t-il à Suman Dey.

Qureshi supplie le chef des pompiers de Carbide d'envoyer des hommes de toute urgence pour noyer le geyser qui jaillit au-dessus de la tour de décontamination. Le musulman sait que l'eau, capable de provoquer l'explosion de l'isocyanate de méthyle en milieu fermé peut aussi le neutraliser à l'air libre. Une contradiction chimique qui avait poussé les trois ingénieurs américains venus inspecter l'usine en 1982 à réclamer l'installation d'un système automatique d'extinction dans la zone sensible de production du Mic. Leur requête ayant été ignorée, ce sont des hommes qui vont, cette nuit, au péril de leur vie, essayer de remplacer les arroseurs.

En moins de cinq minutes, les pompiers sont sur place. Presque aussitôt, la voix de leur chef éclate dans le haut-parleur radio.

— Impossible d'atteindre la fuite! Le jet de nos lances n'arrive pas assez haut!

Qureshi comprend cette fois qu'il n'y a plus rien à faire.

— Donne l'ordre d'évacuation générale, direction plein nord, ordonne-t-il à Suman Dey, et taillons-nous en vitesse!

Le fier musulman se précipite au vestiaire pour y prendre son masque. Mais son casier est vide, le masque disparu. Il doit s'enfuir à visage découvert. Les yeux brûlants, la gorge desséchée, à bout de souffle, il se met à courir comme un fou. Il pense à sa femme et à ses enfants. «J'avais tellement peur de mourir que je me sentais capable de l'exploit le plus dingue », dira-t-il. Son exploit, cette nuit-là, est de réussir à escalader les deux mètres du mur d'enceinte de l'usine et la rangée de barbelés qui court au-dessus pour retomber de l'autre côté. Dans sa chute, il se déchire la poitrine et se brise une cheville. Heureusement, le vent pousse le gros des nuages mortels dans la direction opposée.

*

Totalement ignorants de la tragédie qui se joue à quelques centaines de mètres de l'Esplanade noire, les invités du mariage de Dilip et Padmini s'abandonnent innocemment aux festivités. Padmini leur a réservé une surprise. Nulle fête en Inde où l'on ne rend aussi hommage aux dieux. La jeune femme va cette nuit remercier Jagannath de ses bienfaits en dansant pour lui et pour tous les habitants de l'Orya basti. Discrètement, elle est allée dans sa hutte échanger ses habits de noces contre le costume des interprètes de l'Odissi, la danse traditionnelle de l'Orissa. Certes, il n'est pas en soie brodée de fils d'or comme celui des danseuses des temples, mais en simple toile de coton. Quelle importance ! Dalima et Sheela ajustent le corselet et drapent l'étoffe autour de ses cuisses et de ses jambes avant de la déployer en éventail de la ceinture jusqu'aux genoux. Puis elles ramènent les longues tresses de la jeune femme en un chignon, avant de les piquer d'une fleur de jasmin et de fixer des ornements de pacotille à son cou, à ses oreilles, à ses bras, à ses poignets et à sa ceinture. Enfin, elles attachent des bracelets munis de grelots à ses chevilles. Le dieu peut être content. C'est bien le sang de l'Orissa qui coule dans les veines de l'ancienne petite paysanne de Mudilapa. Et c'est bien la culture millénaire de sa lointaine province qui transporte la jeune mariée lorsqu'elle commence à marteler de ses pieds nus la natte du mandap sur lequel elle a scellé tout à l'heure son mariage.

Le chant rauque de Dalima et les battements saccadés de Dilip sur deux tambourins accompagnent la danse. La foule des invités émerveillés crie son bonheur, les hommes poussant des *vah ! vah !* et les femmes des *you you* qui embrasent cet îlot de misère d'une ferveur triomphale. Mais soudain, Belram Mukkadam lève sa canne au-dessus des têtes. Il vient d'entendre le hurlement lointain de la sirène de Carbide. Les pieds de Padmini s'immobilisent, les grelots de ses chevilles se taisent. Tout le monde tend une oreille anxieuse vers l'ensemble métallique qui pourtant paraît si paisible dans le halo lointain de ses mille ampoules.

— Faudrait pas que ça recommence comme l'autre soir, proteste vivement la sage-femme Prema Bai. Parce que moi, cette fois, je reste chez moi !

Une fois de plus, c'est le cul-de-jatte Rahul qui apaise les inquiétudes.

— Vous vous faites de la bile pour rien, les amis, assure-t-il. Depuis la dernière alerte, ils ont décidé de la démolir leur usine. Mais il paraît qu'elle est tellement pourrie qu'ils ont peur de ne pas pouvoir la démonter. Elle est trouée de partout.

— C'est peut-être pour ça que sonne la sirène, comme l'autre soir avec la fuite de gaz, déclare le laitier Bablubai.

Le commentaire reste sans réponse : le hurlement de la sirène s'est brusquement arrêté.

Padmini recommence à danser, Dalima à chanter, Dilip à frapper sur les tambourins. Le spectacle reprend, plus envoûtant encore qu'auparavant. Le dieu va se rassasier. Et les invités aussi. Mais pourquoi a-t-on cessé d'entendre la sirène ? Personne ne sait que les responsables de l'usine ont depuis peu modifié le fonctionnement de cet appareil. Afin de faciliter, en cas d'urgence, la transmission d'instructions par haut-parleurs aux travailleurs présents sur le site, et pour empêcher que les populations voisines ne s'affolent à chaque incident, la sirène s'arrête automatiquement au bout de dix minutes. Une sonnerie moins bruyante, que l'on ne peut entendre des alentours, prend le relais.

Bientôt, d'autres signaux suscitent la curiosité inquiète des convives. C'est d'abord une odeur piquante.

— Encore des petits plaisantins qui ont jeté des piments dans un chula ! avance Ganga Ram dont l'odorat d'ancien lépreux est particulièrement aiguisé.

— Bah ! réplique le cordonnier Iqbal, tu sais bien que c'est la tradition...

Des beuglements déchirants les interrompent. Le taureau Nandi aux cornes peintes et les cinq vaches achetés par Mukkadam et ses amis avec les indemnités de Carbide surgissent de l'obscurité, titubant comme s'ils étaient ivres. Ils vomissent une mousse jaunâtre, leurs paupières sont gonflées comme des ballons, de grosses larmes brûlantes coulent de leurs yeux. Les animaux font encore quelques pas, puis s'affaissent dans un dernier râle. Il est une heure trente du matin. Sur l'Esplanade noire, l'apocalypse commence.

*

Les deux geysers gazeux se sont rejoints pour former un énorme nuage d'une centaine de mètres d'envergure. Deux fois plus lourd que l'air, le Mic compose la base de cette boule gazeuse formée par la réaction chimique qui s'est produite dans la cuve 610 après l'irruption de l'eau de rinçage. Au-dessus, en plusieurs couches superposées, se trouvent d'autres gaz, parmi lesquels du phosgène échappé d'un réacteur voisin, de l'acide cyanhydrique et de la monométhylamine à la suffocante odeur d'ammoniac. La densité plus légère de ces gaz va amener le nuage à se répandre plus vite, plus largement et plus loin. Mais ce brouillard méphitique n'est pas homogène. Il progresse par plaques et par paliers qui frappent ou épargnent selon la température de chaque lieu, selon son degré d'humidité et la force du vent.

Les vapeurs qui atteignent les quartiers proches de l'usine empoisonnent au hasard de leur route mais leur odeur de chou bouilli, d'herbe fraîchement coupée et d'ammoniac submerge toute la zone en quelques secondes. Dès qu'il perçoit ces effluves, Belram Mukkadam en ressent les effets. Il comprend que la mort va s'abattre sur eux. Il hurle : « *Bachao! Bachao!* – Tirez-vous! » La panique s'empare aussitôt des invités de la noce qui se sauvent en courant dans toutes les directions.

Pour Bablubai, il est déjà trop tard. Le laitier de l'Orya basti n'offrira plus jamais son lait aux enfants rachitiques. Dès la mort du taureau Nandi et de son troupeau, il a quitté le banquet pour se précipiter vers son étable d'où l'appelaient les beuglements de ses bufflesses. Couchées pour ruminer comme à leur habitude, les dix-sept bêtes venaient d'être atteintes de plein fouet par une petite nappe progressant au ras du sol. Plusieurs avaient déjà succombé. Bouleversé, Bablubai court jusqu'à sa hutte pour sauver son fils nouveau-né et sa femme Boda.

— La lampe à huile est éteinte, murmure la jeune femme en pleurs.

Bablubai veut se pencher pour saisir son enfant. Une bouffée de vapeurs se trouve juste à cet endroit. Elle paralyse instantanément la respiration du laitier qui s'écroule, foudroyé par une syncope, sur le corps de son bébé sans vie.

De semblables paralysies respiratoires arrêtent brutalement plusieurs invités dans leur fuite. Un autre petit nuage verdâtre chargé d'acide cyanhydrique s'est faufilé dans la hutte de la vieille Prema Bai. Il tue la sage-femme à l'instant où elle s'allonge sur son charpoy. Dans la hutte voisine, Prodip et Shunda, les grands-parents de Padmini, succombent eux aussi en quelques secondes. De tous les gaz qui composent la masse toxique, l'acide cyanhydrique est l'un des plus meurtriers. Il bloque instantanément l'action des enzymes respiratoires qui transportent l'oxygène du sang au cerveau, provoquant une mort cérébrale immédiate.

L'une des premières victimes de la nappe rampante est le cul-de-jatte Rahul sur sa planche à roulettes. À cause de sa solide constitution, il ne meurt pas sur-le-champ mais après une agonie de plusieurs minutes. Il tousse, suffoque, crache des caillots noirâtres. Des spasmes secouent ses muscles, ses traits se contractent, il arrache ses colliers et sa chemise, gémit, réclame à boire, et bascule finalement de sa planche pour se traîner à terre dans un dernier effort pour respirer. Celui qui a toujours été l'infatigable soutien moral de la communauté, qui a tant de fois apaisé les craintes de ses compagnons de misère, n'est plus qu'un corps inanimé aux yeux révulsés.

Réveillés en sursaut par les appels et les cris, ceux qui n'assistaient pas au mariage et dormaient sortent de leurs huttes, affolés. Pour la première fois, des musulmanes apparaissent à visage découvert. De toutes les ruelles surgissent des charrettes encombrées de vieillards et d'enfants, mais très vite les hommes entre les brancards suffoquent et s'effondrent. Incapables de se relever, ils restent affalés dans leurs vomissures. Des fillettes et de jeunes garçons perdus s'accrochent aux fuyards, aux vélos qui passent. De nombreux habitants des quartiers de Chola et de Jai Prakash Nagar vont se réfugier dans le petit temple d'Hanuman, le dieu-singe, ou dans la petite mosquée débordant bientôt d'une foule désemparée. Dans leur affolement, des hommes et des femmes abandonnent des membres de leur famille dans les huttes, un geste qui les perdra souvent alors qu'on retrouvera vivants ceux qu'ils avaient laissés derrière eux. Car les gaz font plus de victimes chez ceux que le mouvement oblige à une intense respiration que chez ceux qui restent immobiles.

D'autres, tels le cordonnier Iqbal et le tailleur Bassi, s'assurent, avant de s'enfuir, qu'il ne reste plus personne dans les logis de leur ruelle. C'est ainsi qu'ils découvrent dans l'une d'elles le vieux mullah à barbiche. Persuadé qu'Allah a décrété la fin du monde pour cette nuit, le saint homme s'est agenouillé sur son tapis de prière et lit des sourates du Coran à la lumière d'une lampe de Carbide.

« Tu es Ma créature, et tu ne te dresseras pas contre Ma volonté », répète-t-il alors que ses voisins le soulèvent pour l'emporter. En sortant de sa baraque où vont s'engouffrer les vapeurs mortelles, il demande à ses sauveteurs :

— Êtes-vous bien sûrs que la fin du monde est pour cette nuit ?

Dans l'obscurité empuantie d'odeurs fétides, les gens appellent leurs époux, leurs enfants, leurs parents. Pour tous ceux que les effluves délétères ont rendus quasiment aveugles, crier un nom devient le seul moyen de retrouver un être cher. Celui de Padmini traverse la nuit sans interruption. Dans la débandade, l'héroïne de la soirée s'est brusquement trouvée séparée de son mari, de sa mère et de son frère. Devenue elle aussi presque aveugle, emportée par le torrent humain, ses grelots sonnant à ses chevilles, crachant du sang, Padmini n'entend pas les cris qui l'appellent. Bientôt, ces cris cessent, car, sous l'effet des gaz, les gorges s'étranglent, les poumons s'étouffent, plus personne ne peut articuler un son. En proie à d'atroces douleurs du thorax, des malheureux tentent de se soulager en comprimant leur poitrine de toutes leurs forces. Victimes d'œdèmes pulmonaires foudroyants, beaucoup vomissent un liquide mousseux strié de sang. Quelques-uns, plus atteints, crachent des flots rougeâtres. Les yeux

exorbités, les cloisons nasales perforées, les oreilles sifflantes, leurs visages cyanosés inondés de sueur, la plupart
s'écroulent au bout de quelques pas. D'autres encore,
frappés de palpitations, de vertiges, de syncopes, s'affalent
sur le seuil même des huttes qu'ils voulaient quitter. Certains deviennent brusquement violets et se mettent à tous-
ser de façon effroyable. Leurs quintes de toux emplissent
la nuit d'un sinistre concert.

Dans ce chaos, un homme et une femme marchent
péniblement à contre-courant. Après avoir donné le signal
du sauve-qui-peut, Belram Mukkadam a décidé de revenir
en arrière. Il ramène son épouse Tulsabai jusqu'à leur
hutte. La mère de ses trois enfants veut mourir chez elle.
Souffrant d'abominables douleurs dans le ventre, ne par-
venant plus à respirer, la pauvre femme trébuche sur les
corps qui jonchent les ruelles. Arrivée devant sa hutte, elle
se retourne pour chercher son mari. Elle s'aperçoit alors
que le dernier corps sur lequel elle a buté est celui de
Belram. À demi aveugle, elle ne l'a pas vu tomber. Le
pionnier de l'Orya basti, celui qui a dessiné du bout de sa
canne le tracé de chacune des huttes, celui qui pendant
vingt-cinq ans a été le protecteur des pauvres, qui a res-
tauré leur dignité, qui s'est battu pour leurs droits, la
figure légendaire de la tea-house vient d'être à son tour
foudroyé par les gaz de Carbide.

Beaucoup d'habitants sont convaincus que les portes et
les fenêtres peuvent arrêter les gaz. Ils cherchent à se réfugier dans des maisons en dur. La plus proche est celle du
parrain Munné Babba. Avec ses deux étages en maçonne-
rie, elle émerge du désastre telle une forteresse. Persuadé
que la nappe gazeuse rampe au niveau du sol, le vieil
homme s'est réfugié au deuxième étage avec sa famille et
ses meilleurs coqs de combat. Dans l'affolement, Yagu, le
vainqueur du duel de ce dimanche, a été oublié. Terrassé
par les vapeurs toxiques, il gît, les poumons éclatés, dans
le salon du rez-de-chaussée.

Le parrain fait accueillir les rescapés par ses serviteurs et ses gardes du corps. Cette arrivée déclenche de merveilleux gestes de générosité. Le fils aîné de Munné Babba prend dans ses bras une petite fille qui respire à peine et la dépose délicatement sur le charpoy de sa chambre. Les femmes de la maison se défont immédiatement de leurs voiles de mousseline et accomplissent spontanément un geste apaisant. Elles trempent l'étoffe dans une cuvette d'eau et appliquent sur les yeux en feu une compresse fraîche. L'épouse du parrain, une plantureuse matrone aux bras tintinnabulant de bracelets, éponge le sang qui coule des lèvres, distribue des verres d'eau, réconforte les uns et les autres. Munné Babba aide, lui aussi, tenant dans ses doigts bagués d'or des assiettes de biscuits et de friandises que n'oublieront jamais les rescapés de cette nuit d'apocalypse.

Toutes les maisons en dur qui bordent les bidonvilles ne seront pas aussi accueillantes. Ganga Ram et Dalima ont choisi de s'enfuir en longeant la voie ferrée qui mène à la gare de Bhopal. Ganga est persuadé de trouver refuge un peu plus loin dans l'une des villas habitées par des employés des chemins de fer. Il frappe à la porte de la première mais ne reçoit pas de réponse. Craignant d'être rattrapé par la vague de gaz, il n'hésite pas à casser le carreau d'une fenêtre pour sauter à l'intérieur. C'est alors qu'une série de détonations retentit. Se croyant victime d'un cambrioleur, le propriétaire, ignorant encore qu'un accident a eu lieu à l'usine, a déchargé son revolver. Heureusement, dans l'obscurité, il a raté sa cible.

*

L'horreur. L'indicible. Poussée par le vent, la vague gazeuse rattrape un peu partout le flot humain qui tente de lui échapper. Devenus fous, des gens courent en tous sens, vêtements arrachés, voiles déchirés, à la recherche d'une bouffée d'air respirable. Certains, dont les poumons sont en train d'éclater, se roulent à terre dans d'atroces convulsions. Partout les morts au teint verdâtre côtoient les agonisants secoués de spasmes dont la bouche crache un liquide jaunâtre.

Dans cet enfer, une vision hallucinante frappe le réparateur de vélos Salar. Alors qu'il arrive au coin de Chola Road, il manque d'être renversé par un cheval blanc bridé et sellé comme pour une fête. À travers le voile gazeux qui lui brûle les yeux, il reconnaît la jument blanche que chevauchait tout à l'heure Dilip, le fiancé de Padmini, en se rendant à la cérémonie de son mariage. Les yeux injectés de sang, les naseaux fumant de vapeurs brûlantes, la bouche écumante de vomissures verdâtres, l'animal détale, revient au galop, s'arrête brusquement, pousse un hennissement déchirant et s'écroule.

De toutes les scènes insolites qui peuplent cette nuit d'horreur, une en particulier marquera les quelques survivants : la fuite éperdue d'un gros sikh en caleçon et maillot de corps s'époumonant derrière une carriole lourdement chargée. Rien n'aurait pu empêcher l'usurier Pulpul Singh d'emporter un bien plus précieux que sa vie, son coffre-fort bourré de billets de banque, de bijoux, de montres, de transistors, de dents en or, et surtout des titres de propriété donnés en gage par les habitants de l'Orya basti.

40

« Quelque chose qui dépassait l'entendement »

À moins de quatre cents mètres de l'apocalypse qui frappe l'Esplanade noire, un homme bedonnant se frotte les moustaches de bonheur. Sharda Diwedi a gagné. Aucune des turbines de sa centrale électrique n'a flanché. Auréolée d'un océan de lumière, la cérémonie de mariage de sa nièce Rinou se déroule avec l'éclat prévu. Le rite final est sur le point de s'accomplir. Au signal de l'officiant, le père de la jeune fille va prononcer les paroles qui scelleront officiellement l'union des fiancés. « Je te donne ma fille, doit-il dire au jeune homme, afin que soient exaltées mes cent une familles aussi longtemps que brilleront le Soleil et la Lune, et dans le but d'obtenir une descendance. » Les invités réunis sous la plus belle shamiana du loueur Parvez retiennent leur souffle. Dans quelques secondes, ces paroles vont lier les jeunes gens pour toujours. Mais elles ne seront jamais prononcées. La cérémonie est subitement interrompue par des cris. « Il y a eu un accident chez Carbide ! *Bachao !* Tirez-vous ! » hurlent de tous côtés des voix affolées.

Déjà, une odeur suffocante envahit le centre de la Railway Colony. Progressant par petites bouffées à différentes hauteurs, le nuage s'infiltre autour des buffets, de la piste de danse, de la piscine, de l'estrade des musiciens, sur les braseros des cuisiniers qui s'enflamment aussitôt sous l'effet d'une réaction chimique. Tandis que des dizaines d'invités s'écroulent, le chef de gare principal Harish Dhurvé est assailli par les vapeurs mortelles. Laissant échapper son dernier verre d'English liquor, il s'affaisse. Le Dr Sarkar qui lui avait interdit l'alcool brave la nappe toxique et tente de le ranimer, mais en vain. Quelques minutes avant d'être à son tour frappée, la gare de Bhopal a perdu son chef de gare principal.

Affolé, Sharda Diwedi tente de joindre au téléphone la seule personne en mesure, croit-il, de lui expliquer ce qui se passe. Mais la ligne de Jagannathan Mukund, le directeur de l'usine, est perpétuellement occupée. Entre deux tentatives, c'est son téléphone à lui qui sonne. Il reconnaît la voix du chef de la sous-station électrique de Chola.

— *Sir*, nous sommes au milieu d'un nuage de gaz asphyxiants. Nous vous demandons l'autorisation de nous enfuir. Sinon, nous allons tous mourir.

Diwedi réfléchit brièvement.

— Surtout, restez sur place ! adjure-t-il. Mettez les masques que Carbide vous a donnés et calfeutrez les portes et les fenêtres.

— *Sir*, réplique la voix, il y a un problème : nous sommes quatre et il n'y a qu'un seul masque.

Décontenancé, Diwedi cherche ses mots.

— Vous n'avez qu'à le mettre à tour de rôle, finit-il par conseiller.

À l'autre bout de la ligne, il y a un ricanement, puis un déclic. Son employé a raccroché. Le directeur de la centrale électrique de Bhopal ne se doute pas qu'il vient de sauver la vie de quatre hommes. Le lendemain, les militaires qui ramasseront les dizaines de cadavres jonchant les abords de sa sous-station auront la surprise de découvrir, à l'intérieur, quatre ouvriers qui respirent encore.

*

« *Bachao ! Bachao !* » Toussant, crachant, suffoquant, les yeux brûlants, Rinou et son fiancé, ainsi que tous ceux qui étaient venus faire la fête, se retrouvent en plein cauchemar. Ils courent en tous sens, réclament à boire, fuient vers la gare, cherchent refuge dans les maisons du quartier. Persuadé qu'il faut évacuer cette foule en détresse avant que le nuage ait tué tout le monde, Diwedi surmonte la quinte de toux qui incendie sa gorge et se précipite jusqu'aux garages pour réquisitionner les camions du loueur des shamianas et du traiteur. Mais les garages sont vides. Même sa voiture personnelle a disparu. Aux premiers « *Bachao !* », les cuisiniers, les serveurs, les monteurs de tentes, les électriciens, les musiciens, tous ont sauté dans les véhicules et se sont enfuis. Les quatre préposés au groupe électrogène ont décampé sur leurs scooters. L'indomptable petit homme décide alors de gagner à pied son domicile, à sept ou huit cents mètres de là, où il trouvera au moins sa vieille Jeep Willis. Quand il revient, il est arrêté par une foule en folie qui prend d'assaut la guimbarde, se jette sur les sièges, sur le capot, sur les pare-chocs. Ils sont vingt, trente, cinquante qui se battent avec leurs dernières forces pour monter à bord. Ce sont les survivants des quartiers de l'Esplanade noire. Ils pleurent, supplient, menacent. Beaucoup, épuisés par un ultime effort, s'écroulent, victimes de syncopes. D'autres crachent le dernier sang de leurs poumons et basculent comme des pantins. Un camion hurlant surgit alors qui fonce comme une fusée à travers ce troupeau de moribonds pour s'enfuir plus vite. Diwedi entend des crânes éclater contre le pare-chocs, le radiateur, les ailes. Le chauffeur laisse dans son sillage une bouillie de corps écrasés avant de disparaître. L'instant d'après, les yeux brûlés par les vapeurs, Diwedi distingue une femme qui jette son bébé par-dessus le garde-fou du pont enjambant la voie ferrée, avant de sauter elle-même dans le vide. « J'ai compris alors qu'il se passait quelque chose d'atroce, dira Sharda Diwedi, quelque chose qui dépassait l'enten-dement. »

*

Le révérend Timothy Wankhede a passé son après-midi de dimanche à prêcher aux malades des hôpitaux la parole de saint Paul implorant la miséricorde du Seigneur sur ses enfants « trompés par ceux qui leur ont fait miroi-ter la richesse ». Le jeune pasteur et son épouse Sobha viennent d'être réveillés en sursaut par les cris d'Anuradh, leur fils de dix mois. Les vapeurs toxiques ont pénétré dans le modeste presbytère en brique rouge qu'ils occupent dans la Railway Colony, à côté de l'église du Saint-Sauveur. En quelques secondes ils sont terrassés par les symptômes qui frappent au même instant toutes les vic-times de cette nuit d'enfer. Ils cherchent à comprendre ce qui leur arrive.

— C'est peut-être une bombe atomique, hasarde Timo-thy avec peine tant sa gorge est douloureuse.

— Mais pourquoi à Bhopal ? demande Sobha en décou-vrant avec angoisse le sang qui coule des lèvres de son bébé.

Son mari hausse les épaules. Il sait qu'il va mourir et s'y est résigné. Mais en homme de Dieu et malgré ses souf-frances, il veut préparer sa mort et celle des siens.

— Prions avant de quitter cette terre, annonce-t-il calmement à son épouse.

— Je suis prête, répond la jeune femme.

Timothy fait un effort pour se lever, prend son enfant dans ses bras, et entraîne sa femme de l'autre côté de la cour. C'est dans son église qu'il veut vivre les derniers ins-tants. Il dépose le petit corps sur un coussin au pied de l'autel, va chercher l'épais volume du Nouveau Testament dont il aime à lire chaque semaine les versets à ses parois-siens, et vient s'agenouiller aux côtés de sa femme et de

340

leur bébé. Il ouvre le livre au chapitre 24 – l'Évangile selon saint Matthieu – et répète aussi fort que le permet sa gorge brûlée par le gaz. « Soyez prêts parce que vous ne savez ni l'heure ni le lieu... » Puis un psaume leur apporte le réconfort de la parole de Dieu. « Quand le diable vous poursuivra dans votre course à travers la vallée de la mort, soudain vous ne craindrez plus rien », lit avec application Timothy.

Soudain, derrière le vitrail de la petite église surgit la silhouette du sauveur. Une serviette mouillée plaquée sur son nez et sa bouche, le Dr Sarkar fait signe au pasteur et à son épouse de se protéger eux et leur bébé de la même façon, et de sortir immédiatement. Cinq personnes s'entassent déjà dans l'Ambassador du médecin qui attend devant l'église, mais en Inde pareil chargement est banal. Timothy Wankhede qui avait un jour découvert Jésus-Christ en écoutant la radio pourra mettre une marque à la page du chapitre 24 de l'Évangile selon saint Matthieu. Malgré le calvaire enduré, qui lui laissera ainsi qu'à sa famille de graves séquelles, ce n'est cette nuit « ni l'heure ni le lieu ».

*

— Fameux, tes samosas ! s'extasie Satish Lal, le porteur de bagages qui déambule au bout du quai numéro 1 de la gare centrale avec son ami Ratna Nadar dans l'attente du Gorakhpur Express. Comme les quatre-vingt-dix-neuf autres coolies, Lal a fait un sort au contenu de la petite boîte de carton apportée par le père de Padmini.

— En tout cas, ils ont tous eu l'air de se taper la cloche, commente Nadar, fier d'avoir régalé ses camarades.

— Maintenant, j'parie que tu vas devoir te serrer la ceinture, observe Lal. J'imagine que Pulpul Singh ne t'a pas fait de cadeau.

— Ça, tu peux le dire ! confirme Nadar.

Soudain, les deux hommes éprouvent une violente irritation dans la gorge et les yeux. Une odeur étrange vient d'envahir la gare. Les centaines de voyageurs qui attendent leur train sentent aussi leur gorge et leurs yeux s'enflammer.

— C'est sans doute une fuite d'acide en provenance d'un wagon de marchandises, décrète Lal qui sait que des fûts remplis de matières toxiques attendent d'être déchargés. Ce ne serait pas la première fois !

Lal se trompe. Le nuage toxique arrive de l'usine. Il est sur le point de faire de la gare un piège mortel pour des milliers de voyageurs.

*

Les deux coolies se précipitent vers le poste de contrôle au bout du quai. Le sous-chef de gare V. K. Sherma est en train de déplacer l'une des fiches du tableau de trafic. Le Gorakhpur Express approche de Bhopal. Il sera là dans vingt minutes.

Lal peut à peine parler.

— Chef, murmure-t-il, il se passe quelque chose... les gens sur le quai toussent comme des maudits. Venez voir !

Le sous-chef de gare et son adjoint Paridar sortent du poste mais, tout de suite, une bouffée toxique circulant à hauteur d'homme les frappe au visage. Deux ou trois inhalations suffisent pour bloquer l'arrivée d'air dans leurs poumons. Les oreilles sifflantes, la gorge et les yeux en feu, ils battent en retraite en suffoquant.

Témoin de la scène, le jeune régulateur de trafic Rehman Patel a la présence d'esprit de faire le seul geste utile. Il ferme toutes les ouvertures et remet en marche les climatiseurs arrêtés pour l'hiver. La bouffée d'air frais qui se répand soulage aussitôt les deux cheminots qui reprennent lentement leurs esprits. C'est alors que sonne le téléphone du réseau intérieur. Sherma reconnaît la voix du chef du centre de Nichadpura, un dépôt de carburant installé à quelques centaines de mètres de l'usine de Carbide.

— Il y a eu une explosion chez Carbide, annonce le correspondant affolé. Le quartier entier est traversé par un nuage toxique. Les gens s'enfuient dans tous les sens. Préparez-vous à être touchés à votre tour. Le vent pousse le nuage dans votre direction...

— Il est déjà là, réplique Sherma.

Une vision d'horreur traverse à cet instant l'esprit du sous-chef de gare : le Gorakhpur Express fonçant vers Bhopal avec ses centaines de voyageurs.

— Il faut à tout prix empêcher que le train s'arrête, lance-t-il à ses deux adjoints.

Mais aussitôt, il hoche la tête. Il connaît la bureaucratie des chemins de fer indiens. Une telle initiative ne peut être prise à son niveau. Seul le chef de gare principal peut donner cet ordre. Immédiatement, Sherma compose le numéro de son domicile. Personne ne répond.

— Il doit avaler un dernier whisky au mariage de la Railway Colony, commente-t-il, dépité.

Le sous-chef de gare aura beau réitérer son appel, il n'obtiendra pas l'autorisation d'empêcher un holocauste dans sa gare. Son chef Harish Dhurvé est mort depuis une demi-heure.

*

Il n'y a plus de marchands, de lépreux, de mendiants, de coolies, il n'y a plus d'enfants, il n'y a plus de voyageurs. Le quai numéro 1 n'est qu'un charnier de corps entremêlés dans une insoutenable puanteur de vomissures, d'urine, de défécations. Entraînée par le poids des gaz, la nappe toxique s'est abattue comme un linceul sur cette humanité enchaînée à des bagages. Ici ou là, quelques survivants tentent de se relever. Mais très vite, les poumons envahis par les vapeurs mortelles, ils s'écroulent, la bouche tordue, tels des poissons jetés hors de l'eau. Les mendiants et les lépreux ont été les premiers à mourir à cause de la tuberculose et de la phtisie pulmonaire qui dévoraient déjà leurs bronches.

Grâce aux climatiseurs qui filtrent l'air, les trois hommes du poste de contrôle et quelques coolies réfugiés dans leur vestiaire échappent encore aux émanations délétères. V. K. Sherma a beau tourner frénétiquement la manivelle de ses téléphones pour réclamer des secours, toutes les lignes sont occupées. Il parvient enfin à parler au Dr Sarkar. Après avoir évacué le pasteur et sa famille, le médecin des cheminots est revenu à son cabinet de la Railway Colony. Le nez et la bouche protégés par des compresses mouillées, il paraît désemparé. Il vient de s'entretenir avec le Dr Nagu, directeur des services de la Santé du Madhya Pradesh.

— Le ministre était furieux, annonce Sarkar. Il m'a dit que les gens de Carbide n'ont pas voulu lui révéler la composition du nuage toxique. Il a eu beau insister et demander s'il s'agissait de chlore, de phosgène, d'aniline ou de je ne sais quoi d'autre pour essayer de donner des antidotes aux victimes, il n'a rien pu savoir. On lui a affirmé que ces gaz n'étaient pas toxiques et que, pour s'en protéger, il suffisait de mettre un mouchoir mouillé sur le nez et la bouche. J'ai essayé et ça a l'air de marcher. Ah ! j'oubliais... ils ont aussi dit au ministre : « Respirez le moins possible ! » Mon pauvre Sherma, passez le conseil à vos voyageurs en attendant l'arrivée des secours.

Les secours ! Dans sa gare jonchée de morts et de moribonds, le sous-chef de gare se sent comme le commandant d'un bateau que l'océan est en train d'engloutir. Mais s'il ne peut plus rien pour les voyageurs du quai numéro 1, il doit essayer de sauver ceux qui vont arriver. Faute d'avoir pu joindre son chef afin d'obtenir l'autorisation de faire brûler la station de Bhopal au Gorakhpur

Express, il veut à tout prix l'empêcher de venir se jeter dans le piège. Le seul moyen est de l'immobiliser à l'arrêt précédent. Immédiatement, son adjoint appelle la gare de Vidisha, une petite ville à moins de vingt kilomètres.

— Le train vient juste de repartir, lui annonce son chef de gare.

— Maudit soit le dieu, grogne Sherma, consterné.

— Y a-t-il au moins un signal qu'on pourrait passer au rouge ? demande Patel, le jeune contrôleur de trafic.

Les trois hommes examinent les voyants lumineux du grand tableau sur le mur.

— Il n'y a pas un seul aiguillage ni un seul signal entre Vidisha et Bhopal, constate Sherma.

— Alors, il faut courir au-devant du train et faire signe au mécanicien de s'arrêter, déclare Patel.

L'idée semble stupéfier ses deux collègues plus âgés.

— Et comment, en pleine nuit, tu fais signe à un mécanicien d'arrêter son train lancé à toute vitesse ? demande l'adjoint de Sherma, incrédule.

— En agitant une lanterne au milieu de la voie !

Sherma manque d'avaler sa chique de bétel. Le danger d'une telle initiative lui paraît fou. Mais, en quelques secondes, il se ravise.

— Oui, t'as raison, on peut arrêter le train avec des lanternes. Va chercher quelques coolies valides.

— Je suis volontaire, annonce Patel.

— Moi aussi, ajoute aussitôt Paridar, l'adjoint de Sherma.

— D'accord, mais il faudrait que vous soyez au moins quatre ou cinq. Quatre ou cinq lanternes dans la nuit, ça se voit mieux.

Patel se précipite vers le lavabo au fond de la pièce pour tremper sa gamcha. Après l'avoir essorée, il se la plaque sur la figure et sort. Deux minutes plus tard, il ramène le père de Padmini et son ami Satish Lal qui ont tous deux échappé à l'assaut du gaz en se réfugiant dans la salle

345

d'attente des premières classes dont ils ont calfeutré les ouvertures. Sherma leur explique la mission et souligne son aspect vital.

— En arrêtant le Gorakhpur, vous allez peut-être sauver des centaines de vies, leur dit-il. Puis il ajoute : vous serez des héros et vous serez décorés.

La perspective n'allume qu'un faible sourire sur le visage des quatre hommes. Sherma joint ses mains devant sa poitrine.

— Que le dieu vous protège, dit-il en inclinant la tête. Vous trouverez des lanternes dans le hangar du matériel. Bonne chance !

Le sous-chef de gare sent l'émotion le gagner. Ces hommes, pense-t-il, sont vraiment des héros.

Guidée par le père de Padmini qui connaît par cœur le tracé de la voie, la petite caravane s'ébranle dans la nuit laiteuse pleine de menaces invisibles. Toutes les cinq minutes, Ratna Nadar lève le bras pour arrêter ses camarades, s'agenouille entre deux traverses et colle un long moment son oreille sur l'un des rails. Aucune vibration du lourd convoi n'est encore perceptible.

*

Blottie avec ses deux fils sur la banquette de l'un des quarante-quatre wagons, Sajda Bano compte les dernières minutes de l'interminable voyage qui la ramène dans la ville où son mari fut la première victime de Carbide. Dès qu'elle sentira le train ralentir, elle s'approchera de la fenêtre pour regarder les structures illuminées de l'usine qui a anéanti son bonheur. Elle redoute cet instant comme elle redoute ce retour à Bhopal imposé par la volonté de sa belle-famille de s'approprier les cinquante mille roupies de l'indemnisation octroyée par l'usine. Sajda a expérimenté dans toute sa dureté la condition de veuve indienne. À peine son mari enterré, son beau-père

346

l'a fait expulser de sa maison, sous prétexte qu'elle refusait de renoncer à ses droits à la succession. Folle de chagrin et de désespoir, la jeune femme avait répondu par son premier acte de femme libre. Elle avait arraché le voile qu'elle portait depuis l'âge de neuf ans et s'était précipitée au bazar pour le vendre. Les cent vingt roupies obtenues avaient été son premier argent gagné. Depuis, elle n'avait jamais remis de voile. Surmontant le handicap de sa triple condition de femme, de musulmane et de veuve dans un pays aux mœurs parfois moyenâgeuses malgré les progrès accomplis, elle va se battre pour obtenir justice. Elle sait qu'elle peut compter sur le soutien du brave H. S. Khan, le collègue de son mari qui l'avait recueillie avec ses enfants après qu'elle eut été mise dehors par ses beaux-parents. C'est chez lui qu'elle va se réfugier le temps de trouver un logement et d'engager un avocat. Elle espère bien qu'il sera sur le quai pour l'accueillir. Pauvre Sajda ! Après avoir tué son mari, les gaz de Carbide viennent de foudroyer son bienfaiteur sur le chemin de la gare.

*

Tenant leurs lanternes à bout de bras, les quatre hommes progressent avec peine. Sans le savoir, ils traversent une multitude de petits nuages résiduels qui rôdent entre les rails et le long du ballast. Ils butent sur des corps recroquevillés en d'horribles postures de souffrance. Ici ou là, ils entendent des râles, mais ils n'ont pas le temps de s'arrêter. Un rugissement déchire alors la nuit, accompagné de ce même sifflement suraigu qui faisait tressaillir dans leur sommeil les habitants de l'Esplanade noire. Le train !... Brandissant leurs lanternes, les quatre hommes courent à sa rencontre. Mais, très vite, le souffle leur manque. Les vapeurs toxiques ont fini par pénétrer le coton humide de leurs compresses. Hyper-

347

ventilés par l'effort, leurs poumons réclament de plus en plus d'air, cet air empoisonné par des molécules mortelles. Le poids des lanternes leur devient insupportable. Et pourtant, ils continuent. Titubant entre les traverses, suffoquant et vomissant, les quatre hommes agitent désespérément leurs fanaux mais le mécanicien du Gorakhpur Express ne comprend pas le signal. Croyant à des fêtards qui s'amusent au bord de la voie, il continue sa course. Quand, dans un éclair d'horreur, il aperçoit les hommes qui hurlent au milieu des rails, il est trop tard. Le capot de sa locomotive éclaboussé de chair et de sang, le convoi pénètre déjà dans la gare.

*

Les deux phares de la locomotive surgissant de la brume font sursauter le sous-chef de gare. V. K. Sherma comprend que la tentative de ses hommes a échoué. Le train glisse doucement sur les rails du quai numéro 1 avant de s'immobiliser dans un grincement assourdissant. Il reste encore une chance d'empêcher le pire.

Comme toutes les grandes gares de l'Inde, celle de Bhopal est équipée d'un *Public address system.* V. K. Sherma se précipite vers la console au fond du poste, active le système et saisit le micro. « Attention ! Attention ! annonce-t-il en hindi d'une voix aussi calme et professionnelle que possible, en raison d'une fuite de produits chimiques dangereux, nous invitons les voyageurs qui devaient descendre à Bhopal à rester dans leurs wagons. Le train va repartir immédiatement. Les voyageurs pourront descendre à la prochaine gare où des autocars les achemineront jusqu'à Bhopal. » Il répète aussitôt son message en ourdou. Très vite, il mesure le peu de chances de succès de son avertissement. Des portières s'ouvrent, des gens descendent. Rien ne peut menacer la vie des pèlerins qui viennent célébrer l'Ishtema. Ils se savent sous la protection d'Allah.

Une serviette mouillée sur la bouche, Sherma abandonne son poste pour courir en tête du train afin de donner au mécanicien l'ordre de repartir. Il sait que cet ordre est illégal. Bhopal est un centre ferroviaire important où les trains sont soumis à chaque arrêt à des contrôles mécaniques de routine. Abréger un arrêt revient à empêcher ces contrôles. Mais, cette nuit, il n'y a plus d'équipes d'entretien, plus de contrôleurs de matériel. Il y a seulement des centaines de gens à sauver. Terrifié à l'idée que les vapeurs aient pu atteindre le mécanicien, que celui-ci se soit évanoui, qu'il soit peut-être déjà mort aux commandes de sa locomotive, Sherma se hâte. Reconnaissant son uniforme, des agonisants s'accrochent à lui dans un ultime effort. D'autres le menacent, essaient de lui barrer la route en réclamant des secours. Il doit enjamber des corps et glisse dans les vomissures. Quand il atteint enfin la tête du convoi, il retrouve ses réflexes de cheminot. Il sort de sa poche son petit drapeau et frappe à la vitre de la cabine de la locomotive.

— La voie est libre. Ordre de départ immédiat ! annonce-t-il.

C'est la formule rituelle. Le mécanicien répond d'un signe de la tête, desserre les freins et appuie à fond sur le manche de son diesel. Lentement, le Gorakhpur Express s'extrait de l'horrible nécropole dans un concert de grincements et de coups de sifflet. Trempé de sueur, la respiration douloureuse, le cœur battant, mais fier de son exploit, le sous-chef de gare se faufile au travers du charnier pour regagner son poste à l'autre bout du quai. Mais le poste de contrôle de la gare de Bhopal n'existe plus.

La petite pancarte *A/C office*[1] placée au-dessus de la porte a attiré quelques voyageurs rendus fous par le brouillard toxique. Persuadés que les gaz ne peuvent pénétrer dans une pièce ventilée par des climatiseurs, ils se sont rués à l'intérieur, saccageant tout sur leur passage,

---

1. Bureau climatisé.

brisant le tableau du trafic des trains, arrachant les télé-phones. Un désastre. Même l'apparition de la haute sil-houette du Dr Sarkar ne parvient pas à calmer la furie des casseurs. Le médecin des cheminots a réussi à gagner la gare à pied. Il porte une sacoche marquée d'une croix rouge, emblème dérisoire sur ce champ de mort et d'ago-nie. Il l'a remplie de flacons de collyres, de cachets contre la toux, d'ampoules de bronchodilatateurs, d'aspirine, de pastilles pour la gorge, de cardiotoniques, de tout ce qu'il a trouvé dans son armoire à pharmacie. Mais que peuvent ces remèdes? Le médecin se penche sur les premiers corps. Il découvre alors sur le quai un spectacle qui le han-tera pour le reste de sa vie : un bébé qui tète le sein de sa mère morte écroulée sur ses bagages.

*

Comme beaucoup de voyageurs du Gorakhpur Express, Sajda Bano n'a pas entendu l'appel du sous-chef de gare. Elle est descendue avec ses deux enfants et ses valises. Dans la brume jaunâtre qui enveloppe le quai, elle cherche la silhouette du bon Mr. Khan, l'ami de son mari. Mais ses yeux piqués par les vapeurs ne voient que des corps enchevêtrés dans un silence de mort. « On aurait dit que le train s'était arrêté dans un cimetière », dira-t-elle. Sœb et Arshad, les deux bambins de trois et cinq ans que leur père voulait emmener à la pêche le jour de sa mort, sont aussitôt assaillis par les vapeurs et secoués de quintes de toux. Ils se frottent les yeux en hurlant de douleur. Sajda elle-même sent sa gorge et sa trachée s'enflammer. Elle suffoque. Enjambant les cadavres, elle entraîne ses fils vers la salle d'attente au milieu du quai. La pièce déborde de moribonds qui toussent, vomissent, urinent, défèquent et délirent. Sajda allonge les deux garçons sur un coin de banquette, pose l'ours en peluche, cadeau de leur grand-mère, dans les bras du plus jeune, et applique deux mouchoirs mouillés sur leurs petites faces livides. « Restez bien tranquilles, recommande-t-elle, je vais chercher de l'aide et je reviens tout de suite. » En sortant, elle passe devant le guichet du préposé à la vente des billets et aux réservations. Le gros M. Gautham semble dormir. Sa tête repose sans vie sur une pile de registres.

Sajda Bano errera toute la nuit parmi des milliers de Bhopalis à la recherche d'un véhicule capable de venir chercher ses enfants pour les transporter dans un hôpital. Mais la panique est telle autour de la gare et dans les quartiers voisins qu'elle ne reviendra qu'au petit matin. Elle retrouve ses deux garçons à l'endroit où elle les a laissés. Le petit Soeb serre toujours son ours en peluche sur le cœur et respire encore faiblement. Mais des caillots de sang dessinent un cercle rouge autour des lèvres immobiles de son frère Arshad. Sajda s'agenouille et appuie son oreille sur la frêle poitrine sans vie. Après son mari, les gaz de Carbide viennent de lui voler un enfant.

41

« C'est l'enfer ici ! »

Un massacre silencieux, insidieux, sournois, presque discret. Aucune explosion n'a ébranlé la ville, aucun incendie n'a embrasé son ciel. La plupart des Bhopalis dorment paisiblement. Ceux qui font encore la fête dans les salons de l'Arera Club, sous les shamianas de mariages des riches villas de New Bhopal, dans les salles enfumées du restaurant de Shyam Babu envahi comme chaque dimanche soir par les étudiants en médecine du Medical College, tous ceux-là ne se doutent de rien. Sur la place des Épices de la vieille ville, une foule exultante continue d'acclamer les poètes de la mushaira. Des salves de *vah!... vah!...* extatiques font vibrer les vitres du quartier. Même les eunuques sont accourus en nombre. C'est rare car ils ont pour règle de rentrer chez eux avant le coucher du soleil. Mais la présence du légendaire Jigar Akbar Khan et de quelques autres seigneurs de la poésie venus des quatre coins du pays a poussé les gourous des différentes « familles » d'eunuques à donner quartier libre à leurs protégés. Une seule condition : ils doivent se déplacer par groupes de quatre. Dans l'assistance, on reconnaît quelques-unes des célébrités de cette surprenante communauté, telles la grosse Nagma, la ravissante Baby et la troublante Shakuntala aux grands yeux noirs ourlés de khôl.

Comme le veut la tradition, la mushaira offre cette nuit à quelques amateurs inconnus l'occasion de chanter leurs poésies. L'ouvrier musulman qui jusqu'à vingt-trois heures s'acharnait à rincer les tuyaux de l'usine de Carbide fait partie de ces privilégiés. Mais quand vient son tour, Rahaman Khan est paralysé par le trac. Son jeune fils Salem le prend par la main pour le conduire jusqu'à l'estrade. La foule retient son souffle. Les mains qui viennent de déclencher l'engrenage fatal d'une tragédie saisissent le micro.

> *Oh mon ami, je ne peux te dire*
> *Si elle était proche ou lointaine,*
> *Réelle ou un rêve...*

déclame avec ferveur l'ouvrier-poète les yeux mi-clos.

> *C'était comme une rivière qui coulait dans mon cœur.*
> *Telle une lune illuminée, je dévorais son visage,*
> *Et je sentais danser les étoiles autour de ma tête...*

*

Jagannathan Mukund n'ira pas pique-niquer le lendemain avec son fils au bord des eaux sacrées de la Narmada. Un coup de téléphone vient de réveiller en sursaut le directeur de l'usine où travaille Rahaman Khan. S. P. Chowdhary, son directeur de production, l'informe qu'une fuite de gaz s'est produite dans la zone de stockage du Mic. Mukund refuse de le croire. Il ne démord pas de son idée fixe : un accident ne peut survenir dans une usine arrêtée.

— Venez me chercher, ordonne-t-il à Chowdhary. Je veux aller voir sur place.

Tandis qu'il s'habille, le téléphone sonne à nouveau. Swaraj Puri, le chef de la police de la ville, lui annonce que des habitants affolés fuient les quartiers de l'Esplanade noire. Beaucoup montrent des signes d'intoxication. Mukund décide d'appeler son ami le professeur N. P. Mishra, doyen du Gandhi Medical College, la faculté de médecine, et chef du service de médecine interne de l'hôpital Hamidia. Le praticien rentre d'un mariage.

— N. P.! déclare-t-il, attendez-vous à recevoir quelques urgences à l'hôpital. Il y a eu, paraît-il, un accident à l'usine.

— C'est grave? s'inquiète Mishra.

— Sûrement pas, l'usine est arrêtée. Quelques intoxications sans conséquences, j'imagine.

— Une fuite de gaz?

— C'est ce qu'on me dit. J'en saurai davantage après ma visite sur place.

Le médecin presse son ami.

— Du phosgène? demande-t-il en se souvenant de la mort de Mohammed Ashraf.

— Non, de l'isocyanate de méthyle.

La réponse laisse le professeur perplexe. Carbide n'a jamais fourni au corps médical de Bhopal la moindre indication détaillée sur cette substance.

— Quels symptômes?

— Oh, des nausées, parfois des vomissements et une difficulté à respirer. Mais avec quelques compresses humides et un peu d'oxygène, tout devrait rentrer dans l'ordre. Rien de bien grave...

L'ingénieur réputé que Carbide a choisi pour succéder au dernier pilote américain de la « belle usine » joue-t-il la comédie? Est-il inconscient? Ignore-t-il vraiment que le Mic est une substance mortelle? Lorsqu'il arrive quelques minutes plus tard sur Hamidia Road, son Ambassador blanche est soudain submergée par une nuée de malheureux qui crachent leurs poumons, vomissent, marchent à l'aveuglette. Des poings tapent sur la carrosserie.

— Où allez-vous? crie un homme, la bouche écumante.

— À l'usine! répond Mukund à travers la vitre fermée.

— À l'usine ? Vous êtes fous ! Rebroussez chemin, sinon vous êtes morts !

À ces mots, l'ingénieur descend sa vitre. Une puissante odeur chimique s'engouffre dans l'habitacle. Aussitôt, le chauffeur suffoque. Se crispant sur son volant, il amorce un demi-tour.

— On va crever, patron, gémit-il.

Mukund saisit son bras.

— Continue tout droit, ordonne-t-il en montrant l'avenue qui monte vers le site de Carbide. C'est là-bas que nous allons.

Heureusement, Mukund a pris la précaution d'emporter quelques mouchoirs et une bouteille d'eau. Il distribue des compresses au directeur de production et au chauffeur tandis que la voiture s'ouvre un chemin au milieu des fuyards.

*

En quelques minutes, le service des urgences de l'hôpital Hamidia, le plus grand centre hospitalier de Bhopal, ressemble à un charnier. Les deux médecins de garde, l'hindou Deepak Gandhé et son confrère musulman Mohammed Sheikh, croyaient passer une nuit tranquille après la visite de sœur Felicity. Subitement, le service est envahi. Les gens tombent comme des mouches. Leurs corps jonchent les salles du service, les couloirs, les bureaux, les vérandas, les abords du bâtiment. L'infirmier des admissions a refermé son registre. Comment inscrire le nom de tous ces gens ? Les spasmes et les convulsions qui secouent la plupart des victimes, leur façon de chercher l'air comme des poissons suffoquant hors de l'eau rappellent au médecin hindou la mort de Mohammed Ashraf deux ans plus tôt. Les quelques informations qu'il recueille lui confirment que ces réfugiés viennent des quartiers proches de l'usine Carbide. Tous ont donc été empoisonnés par un agent toxique. Mais lequel? Tandis que Sheikh et une infirmière essaient de ranimer les plus faibles grâce à un masque à oxygène, Gandhé décroche le téléphone. Il veut parler à son confrère Loya, le médecin officiel de Carbide à Bhopal. C'est le seul à pouvoir lui indiquer l'antidote efficace contre le gaz inhalé par ces mourants. À force d'obstination, il finit par l'atteindre vers deux heures du matin. « C'était la première fois que j'entendais ce nom barbare d'isocyanate de méthyle », dira le Dr Gandhé. Mais comme avec Mukund précédemment, le Dr Loya se montre des plus rassurants.

— Ce n'est pas un gaz mortel, affirme-t-il, juste irritant, une sorte de gaz lacrymogène.

— Vous plaisantez! Mon hôpital est submergé de gens qui meurent comme des mouches, s'impatiente Gandhé.

— Une très forte inhalation peut éventuellement causer un œdème pulmonaire, finit par concéder le Dr Loya.

— Quel antidote faut-il administrer? presse Gandhé.

— Il n'existe pas d'antidote connu pour ce gaz, répond le porte-parole de l'usine, sans gêne apparente. De toute façon, un antidote n'est pas nécessaire, ajoute-t-il. Faites boire abondamment vos patients et rincez leurs yeux avec des compresses imbibées d'eau. L'isocyanate de méthyle offre l'avantage d'être soluble dans l'eau.

Gandhé fait un effort pour conserver son calme.

— De l'eau? C'est tout ce que vous me proposez pour sauver des gens qui crachent leurs poumons! s'insurge-t-il avant de raccrocher.

Lui et Sheikh n'en décident pas moins d'appliquer le conseil du Dr Loya. L'eau, constatent-ils, calme temporairement l'irritation des yeux et les quintes de toux.

La situation dans laquelle sont brutalement plongés les deux médecins dépasse en horreur tous les récits de guerre ou de tragédies qu'ils ont pu lire. « Ce que j'aimais par-dessus tout dans ma profession, c'était de pouvoir soulager la souffrance, dira Gandhé, et voilà que j'étais impuissant à le faire. C'était intolérable. »

Intolérable, l'haleine fétide, infecte, qui s'échappe des bouches bavant d'écume sanglante. Intolérables, cette stupeur dans les regards, ces yeux enflammés, prêts à éclater, ces traits tirés, ces narines secouées de frémissements, ces lèvres, ces oreilles, ces pommettes cyanosées. Beaucoup de visages sont livides, les lèvres décolorées annonçant déjà la mort. Dans leurs stéthoscopes, les deux médecins n'entendent, venant des cœurs et des poumons, que des bruits faibles, irréguliers, ou des râles crépitant, ronflant, gargouillant. Ce qui les frappe le plus, c'est l'état de torpeur, d'hébétude, d'épuisement, d'amnésie, que manifestent la plupart des victimes et qui traduit une atteinte profonde du système nerveux.

Scènes d'épouvante. Un homme et une femme fendent la foule et déposent sur la table de soins leurs deux enfants de deux et quatre ans. De l'écume mousse au coin de leurs petites bouches. Les battements de leur cœur sont à peine perceptibles. Gandhé leur injecte aussitôt du Derryfilin, un puissant bronchodilatateur, badigeonne leurs yeux de collyre, et leur applique à tour de rôle un masque à oxygène. Les enfants réagissent, bougent. Les parents exultent, les croyant ressuscités. Puis les jeunes corps se figent. Gandhé écoute son stéthoscope, hoche la tête. « Collapsus cardiaque », grommelle-t-il avec rage.

Il n'est qu'au début de sa nuit d'horreur. En plus des hémorragies pulmonaires et des étouffements cataclysmiques, il se voit confronté à des pathologies qui lui sont inconnues : cyanose des doigts et des orteils, spasmes des œsophages et des intestins, cécités foudroyantes, convulsions musculaires, fièvres et sueurs si brûlantes qu'elles obligent les victimes à arracher leurs vêtements. Le pire, c'est le nombre incalculable des morts-vivants qui se précipitent vers l'hôpital comme vers un canot de sauvetage au milieu d'un naufrage. Cette ruée donne lieu à des scènes particulièrement pénibles. Au cours d'une brève sortie dans la rue pour juger de la situation, Gandhé voit des gamins hurlant accrochés aux burqas de leurs mères, des hommes devenus fous courant en tous sens, se roulant par terre, se traînant sur les mains et les genoux dans l'espoir d'atteindre l'hôpital. Il voit des femmes abandonner certains de leurs enfants, qu'elles ne peuvent plus porter, pour n'en sauver qu'un seul. Un choix qui les hantera leur vie durant. Affolé, le jeune médecin décide de faire appel à son vieux maître. C'est lui que Mukund a réveillé quelques instants plus tôt pour l'informer d'un accident qui risquait d'envoyer « quelques urgences » à l'hôpital.

— Professeur Mishra, adjure-t-il après avoir brossé un tableau apocalyptique de la situation, venez vite ! C'est l'enfer ici !

*

Cet appel déclenche une mobilisation qui sera un exemple d'efficacité et de sacrifice. Deux de ses principaux acteurs resteront inconnus. Santosh Vinobad et Jamil Ishaq sont les deux opérateurs de garde cette nuit au central téléphonique de la ville installé au deuxième étage de la poste centrale, juste en face de la grande mosquée. La vétusté du local, les antiques claviers à fiches qu'ils manipulent reflètent le retard de l'Inde en cette fin du XXe siècle en matière de télécommunications. Pour ses échanges avec l'étranger, la capitale du Madhya Pradesh ne possède que deux circuits et ne dispose que d'une douzaine de lignes pour les relations à l'intérieur du pays. Les Bhopalis qui ont la chance d'avoir le téléphone doivent passer par les opérateurs de la poste pour leurs communications interurbaines.

La sonnerie grésille et Jamil Ishaq branche sa fiche. Dès qu'il entend le « Allô ! » de son correspondant, il s'écrie :

— Professeur Mishra ! Je vous écoute !

Le médecin qui vient d'établir son PC dans son bureau, juste en face du pavillon des urgences d'Hamidia, garde un silence interloqué.

— Je vous ai reconnu, professeur. Qu'Allah soit avec vous ! Je ferai passer vos appels en priorité.

Mishra se dit que toute la ville doit être au courant de la catastrophe. Il remercie.

— Ne me remerciez surtout pas, professeur. Je vous dois bien ça. C'est vous qui m'avez opéré de la vésicule il y a cinq mois !

Se retenant d'éclater de rire, Mishra bénit la vésicule de son ancien patient et lui communique aussitôt une série de numéros en Europe et aux États-Unis. Puisque Carbide refuse de les fournir, c'est à l'Organisation mondiale de la santé de Genève et à Medilas de Washington qu'il va réclamer toutes les informations disponibles sur l'intoxication par le Mic afin de mettre au point des traitements d'urgence. Mais c'est encore dimanche en Europe et en Amérique. Mishra n'obtiendra pas ces informations avant l'ouverture des bureaux, dans une dizaine d'heures. En attendant, il décide de réveiller tous les pharmaciens de la région. Qu'ils apportent immédiatement tous leurs stocks de bronchodilatateurs, d'antispasmodiques, de collyres, de tonicardiaques, de sirops et de cachets antitussifs. Après quoi, il entreprend de sortir de leur lit ses confrères, les doyens des facultés de médecine d'Indore et de Gwalior, leur demandant d'organiser la collecte de tous les médicaments disponibles dans leurs secteurs et de les acheminer par avion jusqu'à Bhopal. Enfin, il appelle les responsables des différentes entreprises de Bhopal qui fabriquent ou utilisent des bouteilles d'oxygène. « Apportez-nous toutes vos réserves, leur dit-il, il y va de la vie de vingt mille, trente, peut-être cinquante mille personnes. »

Quand il a terminé son offensive au téléphone, Mishra décide de battre le rappel de tous les étudiants en médecine qui dorment dans les foyers situés derrière le Medical College après avoir fait la fête dans le restaurant de Shyam Babu. Il ira les réveiller lui-même. Il grimpe les étages, enfile les couloirs, tape aux portes.

— Debout, les enfants ! crie-t-il. Ne perdez pas de temps à vous habiller ! Venez comme vous êtes, mais venez vite ! Des milliers de gens vont mourir si vous arrivez trop tard.

Jamais Mishra n'oubliera le spectacle de ces garçons et de ces filles sautant de leur lit sans un mot et courant comme des somnambules vers l'hôpital. Certains font aussitôt preuve d'héroïsme. L'un d'eux se penche sur un enfant que les vapeurs gazeuses sont en train d'étouffer. Il n'hésite pas à appliquer sa bouche contre la sienne et lui insuffle pendant de longues minutes l'air de ses propres poumons. Ce traitement de choc ranime miraculeusement le petit. Mais, quand l'étudiant en médecine se relève, Deepak Gandhé le voit tout à coup devenir livide et chanceler. En arrachant l'enfant à la mort, il a inhalé le gaz toxique de ses poumons. C'est lui qui va mourir.

L'atroce brouillard ne s'est pas contenté de brûler les bronches, les yeux, les gorges. Il a imprégné aussi les vêtements, les cheveux, les barbes et les moustaches d'émanations toxiques si persistantes que les soignants finissent par ressentir des symptômes d'étouffement. Une injection rapide de Derryfilin mêlé à dix centimètres cubes de Decadron suffit en général à stopper toute complication Mais le courage de tous n'exclut pas quelques défaillances, comme celle de ce jeune médecin affolé qui, au premier malaise, arrache le masque à oxygène d'un mourant, le plaque sur sa figure et aspire goulûment quelques bouffées avant de prendre la poudre d'escampette. Il reviendra au lever du jour, et sera pendant trois jours et trois nuits l'un des piliers des soins d'urgence.

Soudain, au milieu du chaos, apparaît la silhouette vêtue de noir de sœur Felicity. Elle a momentanément laissé la petite Nadia pour courir vers le charnier des salles et des couloirs. Il y a tellement de corps partout qu'elle ne peut avancer sans heurter un bras ou une jambe. Ce qui la frappe, c'est l'impossibilité de différencier les vivants des morts. Les visages sont si gonflés que les yeux ont disparu. Elle s'offre comme volontaire. Deepak Gandhé lui confie l'une des salles où l'on essaie de regrouper les victimes par familles. Felicity se penche sur un vieil homme qui gît, inconscient, à côté du corps d'une femme en chandail mauve. Elle lui caresse doucement le front. « Réveille-toi, grand-père ! Dis-moi si ta femme portait un chandail mauve », insiste-t-elle. Le pauvre homme ne répond pas et sœur Felicity se dirige vers une autre femme allongée entre deux enfants en bas âge. Sont-ils les siens ? Ou ceux de cette troisième femme qui porte des tampons de coton sur les yeux un peu plus loin ?

Dans cet horrible mouroir, les vivants ont perdu la parole.

*

Le professeur Mishra comprend que l'invasion ne fait que commencer. Le nuage toxique continue de frapper. Des milliers, peut-être des dizaines de milliers de nouvelles victimes vont déferler. Il faut transformer d'urgence le campus entre le Medical College et Hamidia en un gigantesque hôpital de campagne. Comment réaliser ce tour de force au beau milieu d'une pareille nuit ? Mishra a une idée. À nouveau, il décroche son téléphone et réveille Mahmoud Parvez, le loueur de shamianas, profondément endormi dans sa nouvelle maison de New Bhopal, à l'abri des émanations toxiques. Mishra lui révèle la tragédie qui s'est abattue sur la ville. Et aussitôt, il ajoute :

— J'ai besoin de votre aide. Il faut que vous alliez chercher toutes les shamianas, tous les tapis, toutes les couvertures, tous les meubles, toute la vaisselle que vous avez loués pour les mariages d'hier soir et que vous les apportiez le plus vite possible devant l'hôpital Hamidia.

Parvez ne montre pas l'ombre d'une surprise.

— Comptez sur moi, professeur ! Cette nuit, tout ce

que je possède appartient à ceux qui sont dans le malheur.

Le petit homme réveille alors ses trois fils, bat le rappel de ses employés, envoie ses camions partout où il a livré les accessoires et les ornements des fêtes de mariage. Il fait également enlever les deux immenses shamianas installées dans la cour de la grande mosquée. Tant pis pour l'Ishtema! Cette nuit, Bhopal souffre et son devoir de bon musulman est de contribuer à soulager cette souffrance. Il ordonne à l'un de ses fils de vider ses entrepôts de leurs fauteuils, canapés, chaises, lits, sans oublier le fameux percolateur car « un bon café italien, ça peut ranimer un bonhomme ».

Merveilleux Mahmoud Parvez! Dans ce fantastique déménagement, il s'est réservé une mission personnelle. C'est lui, et lui seul, qui démonte dans la Railway Colony le joyau de ses collections, la magnifique et vénérable shamiana brodée de fils d'or qu'il a louée à son ami le directeur de la centrale électrique de Bhopal pour le mariage de sa nièce. Il s'en faut de peu que ce geste lui soit fatal. Asphyxié par une bulle de gaz rôdant sur le sol, Mahmoud Parvez s'écroule en suffoquant. Par miracle, une équipe de sauveteurs le ramasse. Il sera l'un des premiers à recevoir des soins d'urgence sous l'une de ses tentes.

*

À cinq cents mètres à peine de l'hôpital improvisé où s'engouffrent par centaines les victimes du gaz, un homme en pull-over rouge, le visage protégé par une serviette mouillée et des lunettes de motard, sort d'une petite maison de la vieille ville en compagnie de sa jeune épouse et de sa sœur âgée de quinze ans. Tous trois vont enfourcher le scooter qui attend contre la porte. Le journaliste Rajkumar Keswani a été réveillé quelques instants plus tôt par une bizarre odeur d'ammoniac. Il a fermé la fenêtre sans imaginer un instant que cette odeur était le signe de la catastrophe qu'il avait si méticuleusement décrite dans ses articles. Il a téléphoné au quartier général de la police.

— Que se passe-t-il? a-t-il demandé.

— Un accident chez Carbide, lui a répondu une voix étranglée par l'angoisse. L'explosion d'une cuve de gaz. On va tous mourir.

Keswani voit alors de sa fenêtre des gens qui s'enfuient dans toutes les directions et il comprend. Installant ses deux passagères sur le scooter, il saisit le guidon et démarre en trombe vers les quartiers lointains de New Bhopal, là où il sait que les gaz de l'usine maudite n'iront pas tuer ceux qui ont refusé de croire à ses mises en garde.

42

Un saint homme à demi nu
au cœur des vapeurs mortelles

La barbarie l'avait brisé, la catastrophe de Carbide fera de lui un héros. Un mois après avoir découvert les corps de six membres de sa famille brûlés vifs en représailles de l'assassinat d'Indira Gandhi, le major sikh Kucharan Khanuja, chef de l'unité de génie de Bhopal, se trouve confronté à une nouvelle tragédie. Cette nuit, avec pour seule protection des lunettes de sapeur et une serviette humide sur le visage, l'officier s'est jeté à la tête d'une colonne de camions pour arracher à la mort les quatre cents ouvriers d'une cartonnerie et leurs familles surpris par les gaz dans leur sommeil.

Le sauvetage accompli, le major et ses hommes retournent dans la zone dangereuse pour explorer cette fois les quartiers de l'Esplanade noire à la recherche de survivants. Le cadavre du cheval blanc de la noce de Padmini bloque l'entrée de Chola Road. Les sabots en l'air, gonflé de gaz, les yeux injectés de sang, l'animal est encore harnaché. Les soldats lui attachent une corde autour des antérieurs et le tirent de côté. Un peu plus loin, l'officier voit d'autres vestiges de la fête : sur la petite estrade du mandap le brasero du feu sacrificiel où brûlent encore des flammes, les fauteuils dorés, les tambours et les trompettes cabossées des musiciens, les marmites encore pleines de riz et de curry, et même le groupe électrogène

365

loué pour illuminer ce qui devait être le plus grand moment de la vie de Dilip et Padmini. Abandonnés devant une hutte, Khanuja découvre maintenant les cadeaux du mariage, quelques ustensiles de cuisine, des vêtements, des morceaux d'étoffe. Il ramasse l'ombrelle que portait le marié pendant la procession sur sa jument blanche. En militaire discipliné, il prend le temps de noter dans un carnet l'inventaire de tous ces débris. Puis, enjambant les corps qui jonchent les ruelles, il inspecte méthodiquement chaque logement. Il a donné à ses hommes l'ordre d'avancer dans le plus grand silence. « Nous étions à l'écoute du moindre signe de vie », dira-t-il. Une plainte, un grognement, une toux, les pleurs d'un enfant parviennent de temps en temps à leurs oreilles. « Il fallait remuer les corps pour savoir lesquels vivaient encore, racontera l'officier, mais souvent, nous arrivions trop tard. L'appel s'était tu. Il n'y avait plus qu'un horrible silence de mort qui faisait peur. »

Dans une hutte, Khanuja découvre un couple de vieillards tranquillement assis sur le bord d'un charpoy. Ils sourient à l'officier comme s'ils attendaient sa visite. Dans la baraque d'à côté, c'est une famille entière exterminée qui l'accueille : les parents et leurs six enfants effondrés sur le sol de terre battue, les yeux exorbités, la bouche écumant de bave et de sang. Les plus jeunes sont morts en suçant leur pouce. Khanuja fait transporter le couple de vieillards dans un camion et part à la recherche d'autres survivants. Sur Berasia Road, là où les hommes en quête d'emploi venaient supplier les tharagars de Carbide, le sol est jonché des corps des victimes foudroyées dans leur fuite. Soudain, l'attention du major est attirée par celui d'une très jeune femme dont les chevilles étincellent sous les rayons de la lune. Il allume sa torche et constate qu'elle porte aux pieds des bracelets agrémentés de grelots. Ses mains et ses pieds décorés de motifs au henné, son corselet très ajusté et son pagne de coton drapé en éventail autour des hanches et des cuisses intriguent l'officier. Elle ressemble à l'une de ces danseuses sacrées qu'on voit à la télévision. Une fleur de jasmin fait une tache blanche dans sa chevelure ramenée en un chignon. Le sikh remarque aussi une petite croix au bout d'une chaîne autour de son cou. De toute évidence, la malheureuse est morte. Alors qu'il est sur le point d'éteindre sa lampe, l'officier surprend tout à coup un tressaillement au coin de la bouche. Se serait-il trompé? S'agenouillant, il dégage une oreille des plis de son turban et l'applique sur la poitrine de la jeune femme, mais le cœur semble avoir cessé de battre. À tout hasard, il réclame un brancard.

— Hamidia Hospital, vite! lance-t-il au chauffeur.

*

Hamidia! Depuis que le loueur de tentes Mahmoud Parvez est allé chercher en toute hâte les shamianas des mariages, les abords du grand hôpital ressemblent au campement d'une tribu frappée par quelque malédiction céleste. Sous chaque tente, les hommes de Parvez ont déroulé des tapis, installé des tables, des bancs, vers lesquels les étudiants du Medical College tentent de canaliser les hordes de moribonds qui ne cessent de déferler. Choisir dans cette marée ceux qui profiteront de quelques bouffées d'oxygène ou d'un massage cardiaque est impossible. L'étudiant en blouse blanche qui cherche à saisir le pouls de Padmini est persuadé que le cas de la jeune femme amenée par les soldats du major Khanuja est désespéré. Comme à la guerre, mieux vaut tenter de sauver ceux qui ont une chance de s'en sortir. Il fait porter le brancard jusqu'à la morgue où s'entassent déjà des centaines de cadavres.

En plus d'atteintes pulmonaires et gastriques, la plupart des arrivants souffrent de graves lésions oculaires : brûlures de la cornée, éclatement du cristallin, paralysie des nerfs optiques, affaissement des paupières. Quelques gouttes d'atropine, et un tampon de coton pour chaque œil, c'est tout ce que peuvent offrir les équipes médicales à ces suppliciés. À la vue des cohortes d'aveugles qui trébuchent sur les corps des agonisants, le professeur Mishra se dit que « les Bhopalis vivent cette nuit leur Hiroshima ».

*

Le *commissioner* Ranjit Singh, quarante-huit ans, est la plus haute autorité civile de la ville de Bhopal et de sa région, son préfet en quelque sorte. Dès qu'il apprend la catastrophe, il saute dans sa voiture pour gagner le quartier général de la police installé au cœur de la vieille ville. C'est de ce centre névralgique qu'il compte organiser la mobilisation générale des moyens d'évacuation et de secours. Ranjit Singh n'oubliera jamais sa première vision de cette nuit d'enfer sur le pont longeant le lac inférieur : « Des dizaines, des centaines, des milliers de sandales et de chaussures perdues par les fuyards dans leur course pour échapper à la mort. »

Le commissioner trouve le quartier général de la police en plein désarroi : des émanations gazeuses se sont infiltrées dans le vieil immeuble, brûlant les yeux et les poumons de nombreux fonctionnaires. Les appels se succèdent pourtant sans interruption dans le poste de commandement du deuxième étage. L'un d'eux provient d'Arjun Singh, le Premier ministre du Madhya Pradesh. Des rumeurs disent qu'il a quitté sa résidence officielle pour aller se réfugier en dehors de la ville. Arjun Singh appelle par radio le chef de la police Swaraj Puri.

— Il faut arrêter l'exode des habitants, lui intime le chef du gouvernement. Placez des barrages sur toutes les voies sortant de la ville, et faites revenir les gens chez eux.

Le Premier ministre n'a semble-t-il aucune idée du

chaos qui règne cette nuit à Bhopal. Puri a de toute façon un excellent argument à lui opposer.

— *Sir*, répond-il, comment pourrais-je empêcher les gens de partir alors que mes propres policiers ont disparu avec les fuyards?

Le commissioner décide de parler lui-même au chef du gouvernement. Il s'empare du micro.

— *Mr. Chief Minister*, personne ne pourrait arrêter la marée humaine qui tente d'échapper à la nappe de gaz. C'est un sauve-qui-peut général. D'ailleurs, au nom de quoi voudriez-vous empêcher ces pauvres gens de vouloir sauver leur vie?

Le haut fonctionnaire se doute de la raison qui pousse le chef du gouvernement à souhaiter stopper l'exode. À un mois des élections générales, le Premier ministre du Madhya Pradesh craint peut-être de perdre des électeurs. N'a-t-il pas déjà pris la précaution de s'assurer leurs voix en leur distribuant les titres de propriété qui ont légalisé leurs squats sous les murs mêmes d'une usine à haut risque? Une décision à laquelle le commissioner a vainement tenté de s'opposer pour des raisons de sécurité, mais surtout parce qu'elle risquait d'encourager les implantations sauvages, cauchemar des municipalités. Et maintenant tandis qu'une tragédie frappe les bénéficiaires de ses faveurs, le Premier ministre veut retenir sur place les survivants Indigné, le commissioner interrompt la communication et appelle ses *collectors*, les sous-préfets, pour leur demander de lui envoyer d'urgence tous les véhicules disponibles dans leur secteur afin de faciliter une évacuation massive des quartiers atteints par le nuage toxique qui continue de se répandre dans toute une partie de la ville. Puis, ajustant une serviette mouillée sur son visage, il fait démarrer son Ambassador qu'il va conduire au travers des colonnes de malheureux en fuite pour se rendre à l'usine.

Le spectacle qu'il découvre à l'entrée de l'installation industrielle qui fut la fierté de Bhopal est terrifiant. Des centaines de gens provenant des quartiers nord et est se battent aux portes du dispensaire où le Dr Loya, médecin officiel de Carbide, et trois infirmiers débordés, essaient d'offrir quelques bouffées d'oxygène aux plus touchés. Sur l'un des quatre lits, le visage protégé par un masque, gît la seule victime de la catastrophe appartenant au personnel de l'usine. Shekil Qureshi, le superviseur musulman qui croyait en Carbide autant qu'en Allah, a été retrouvé gisant au pied du mur de clôture par-dessus lequel il a sauté après l'explosion de la cuve 610. Le commissioner est immédiatement conduit dans le bureau où Jagannathan Mukund s'est enfermé. La première chose qui accroche son regard est un diplôme encadré au mur, un *Safety Award* félicitant Mukund pour l'excellence de la sécurité dans son usine. « Mais, cette nuit, racontera le commissioner, le récipiendaire de ce diplôme n'est plus qu'un homme hagard, anéanti par l'ampleur du désastre et par la crainte d'un soulèvement populaire. » Ranjit Singh essaie de le rassurer :

— Je vais faire poster des gardes armés à l'entrée de l'usine, ainsi que devant votre résidence.

Mais, soudain, une question brûle les lèvres du préfet de Bhopal. « Je voulais absolument savoir si, depuis des années, sans que je le sache, une usine située à moins de trois kilomètres du centre de ma capitale fabriquait un pesticide dans la composition duquel entraient les substances les plus dangereuses de toute l'industrie chimique », expliquera-t-il.

Il se souvient d'avoir lu qu'aux États-Unis on asphyxiait les condamnés à mort avec du cyanure.

— Le gaz qui s'est échappé cette nuit de votre usine contenait-il du cyanure ? demande-t-il.

Jagannathan Mukund fait une grimace avant de révéler ce que Carbide a toujours caché :

— Dans le cadre d'une réaction à très haute température, le Mic peut en effet se décomposer en plusieurs gaz, dont l'acide cyanhydrique.

370

Toute la nuit, des gens s'appellent, se cherchent, dans les salles encombrées de corps de l'hôpital Hamidia, dans les avenues, dans la cour de la Jama Masjid, la grande mosquée de Bhopal, transformée en centre d'accueil par ses muftis. L'eau du bassin des ablutions, jadis acheminée depuis le lac Supérieur par un ingénieur britannique, devient cette nuit la panacée grâce à laquelle les rescapés peuvent rincer leurs yeux brûlants et se purifier des molécules mortelles en buvant en abondance.

Le tailleur Ahmed Bassi et le réparateur de vélos Salar se retrouvent soudain avec l'ouvrier-poète Rahaman Khan pour partager cette résurrection, puis ils partent ensemble à la recherche de leurs familles dispersées par la tragédie. Sur la place des Épices jonchée des corps de nombreux participants de la mushaira et de centaines de pigeons et de perroquets aux poumons éclatés, ils rencontrent Ganga Ram qui porte dans ses bras Dalima vêtue de son sari de fête. Après avoir échappé aux coups de revolver du propriétaire de la maison où ils voulaient se réfugier, l'ancien lépreux et son épouse ont été miraculeusement épargnés par les gaz : ils se sont dirigés plein sud vers la grande mosquée plutôt que vers la gare. Ces retrouvailles illuminent cette nuit de malheur.

*

Dans cet ouragan de souffrance, de peur, de mort, sœur Felicity cherche à sauver les enfants abandonnés dans les couloirs et les salles de l'hôpital. Ils sont des dizaines à errer presque aveugles ou à gémir dans leurs vomissures, couchés à même le sol. Le premier effort de la religieuse est de les regrouper au bout du rez-de-chaussée de l'établissement où elle a installé son poste de secours. La nouvelle ne tarde pas à se répandre, on lui apporte d'autres enfants. La plupart ont été perdus pendant la nuit quand leurs parents, affolés, les ont confiés aux passagers d'un camion ou d'une voiture.

Assistée de deux étudiants, la religieuse nettoie soigneusement les orbites et les yeux attaqués par les vapeurs. Parfois, les effets sont immédiats. Ses propres yeux s'emplissent de larmes quand l'un de ses protégés se met à crier : « Je vois ! » Elle guide alors ces miraculés jusqu'au centre de secours et se dirige vers d'autres jeunes victimes qu'elle presse de questions :

— Connais-tu cette petite fille ?
— Oui, c'est ma sœur, lui répond un enfant.
— Et ce garçon ?
— Il est dans mon école, lui répond un autre.
— Comment s'appelle-t-il ?
— Arvind, lui dit un troisième.

Ainsi, peu à peu, les fils se renouent entre les membres de cette humanité souffrante. Parfois, c'est un père ou une mère désemparés qui retrouvent un être cher.

*

Un grand garçon vêtu d'un sherwani de fête, les pieds chaussés de mules décorées de paillettes, arpente inlassablement les couloirs et les salles de ce même hôpital. Il cherche quelqu'un. Parfois il s'arrête, retourne doucement un corps, découvre un visage. Dilip est sûr de retrouver Padmini quelque part dans ce charnier. Il ne sait pas qu'un brancard vient d'emporter sa jeune épouse en direction de la morgue.

*

Jamais le petit homme ventripotent qui a juré au chef de la police qu'« il était prêt en cas de besoin à nourrir toute la ville » n'aurait imaginé qu'il allait devoir si rapidement tenir sa promesse. Shyam Babu, le propriétaire de l'Agarwal Poori Bhandar, le plus célèbre restaurant de Bhopal, vient de se coucher quand deux hommes sonnent à sa porte. Il reconnaît le président et le secrétaire du Vishram Ghat Trust, une organisation charitable hindoue dont il est l'un des membres fondateurs.

— Il y a eu un accident chez Carbide, annonce le président avant d'être pris d'une quinte de toux qui le fait chanceler. Son compagnon prend le relais.

— Il y a des milliers de morts, déclare-t-il. Mais surtout, il y a des milliers de blessés qui n'ont rien à boire ni rien à manger à l'hôpital Hamidia et sous les tentes du loueur Parvez. Toi, et toi seul, peux venir à leur secours.

Shyam Babu se frotte la moustache. Ses yeux bleus s'illuminent. Que la déesse Lakshmi soit bénie. Enfin, il va exaucer le rêve de sa vie : nourrir la ville entière.

— Combien sont-ils ? demande-t-il.

Le président tente de surmonter sa quinte de toux :

— Vingt mille, trente mille, cinquante mille, peut-être plus...

Shyam se met au garde-à-vous.

— Vous pouvez compter sur moi, quel que soit le nombre.

Dès le départ de ses visiteurs, il mobilise tous ses employés et appelle à la rescousse le personnel de plusieurs autres restaurants. Avant même que le jour se lève, une cinquantaine de cuisiniers, de marmitons et de boulangers sont au travail pour confectionner des rations de pommes de terre, de riz, de dal, de curry et de chapati qu'ils enveloppent dans une feuille de journal. Empilés dans la Land Rover de Babu, ces repas de fortune sont aussitôt portés et distribués aux survivants. Mais cet exploit ne sera pas le seul tour de force accompli ce jour-là par le restaurateur dévot de la déesse de la Prospérité. Après les vivants, Shyam Babu va devoir s'occuper des morts.

*

Sous le grand tamarinier du Kamla Park, l'étroit jardin qui sépare le lac Supérieur du lac Inférieur, un sadhou assiste impassible à la débandade tragique des cohortes fuyant le nuage mortel. Tout au long de cette nuit de folie, le Naga Baba, le saint nu comme l'appellent les Bhopalis, est resté assis les jambes croisées dans la position du lotus. Il vit là depuis trente-cinq ans, depuis qu'un *samadhi* de cinq jours, un exercice spirituel qui consiste à se faire enterrer vivant, a fait de lui un saint homme. À demi nu, le corps couvert de cendres, une longue tignasse divisée en des centaines de tresses, avec pour toute possession un bâton de pèlerin terminé par le trident de Shiva et une écuelle où il recueille la nourriture offerte par ses fidèles, le Naga Baba, détaché des désirs et des biens matériels, des attirances et des aversions, passe ses journées en méditation dans sa quête de l'Absolu. Un chapelet entre les doigts, le regard comme absent sous ses paupières mi-closes, il paraît indifférent au chaos qui l'entoure. Rattrapés par de petites bulles de monométhylamine et de phosgène que la brise pousse à hauteur d'homme, des dizaines d'hommes et de femmes aux poumons dilatés par leur course s'écroulent asphyxiés autour de lui. Habitué par ses exercices d'ascèse à ne respirer qu'une fois toutes les trois ou quatre minutes, le Naga Baba n'inhale pas les vapeurs du nuage qui passe. Il sera le seul survivant de Kamla Park.

43

La danseuse n'était pas morte

Les morts. Ils sont partout. Dans les couloirs, les bureaux des médecins, les blocs opératoires, les salles communes, jusque dans les cuisines et la cantine des infirmières. Allongés sur des civières ou à même le sol, certains paraissent dormir paisiblement, d'autres offrent des visages déformés par la souffrance. Curieusement, ils ne dégagent aucune odeur de décomposition, comme si le Mic avait stérilisé tout ce qui pouvait pourrir en eux. Évacuer ces cadavres devient un problème aussi urgent que de soigner les vivants. Déjà, les vautours sont là. Non les oiseaux charognards, mais des détrousseurs professionnels pour qui la catastrophe est une aubaine. Le Dr Mohammed Sheikh, l'un des deux médecins de garde, surprend l'un de ces pilleurs, une paire de pinces à la main, s'apprêtant à fouiller les bouches pour arracher les dents en or. Un de ses complices dépouille les femmes de leurs bijoux y compris ceux incrustés dans le nez. Un autre récupère les montres La récolte sera cependant dérisoire : les gaz de Carbide ont surtout tué des pauvres.

Alerté, le professeur Mishra envoie des étudiants monter la garde autour des cadavres et appelle au téléphone les deux médecins légistes du Medical College. Le collectionneur de vieilles voitures Heeresh Chandra et son jeune confrère amateur de roses Ashu Satpathy sont déjà sur le chemin de l'hôpital. Chandra sait que les autopsies qu'il effectuera cette nuit avec Satpathy peuvent sauver des milliers de vie : la dissection des morts fournira en effet des renseignements décisifs sur la nature des gaz tueurs et permettra peut-être de leur trouver un antidote.

Ce qu'aperçoivent les deux médecins en arrivant les glace d'horreur. « Nous avions l'habitude de la mort, mais non de la souffrance », dira Satpathy. Les centaines de corps qu'ils doivent enjamber pour gagner l'entrée du Medical College sont tous figés dans des attitudes de suppliciés. « Quelles peuvent être les matières chimiques capables d'infliger de tels dégâts? » se demande Chandra qui, avant toute chose, se précipite vers la bibliothèque de la faculté. Son collègue Mishra lui a parlé d'isocyanate de méthyle. Le médecin légiste feuillette frénétiquement le manuel de toxicologie. Il ne trouve pas grand-chose à la rubrique consacrée à cette molécule, mais il la soupçonne de pouvoir se décomposer en substances hautement toxiques, telles que l'acide cyanhydrique. Seul l'acide cyanhydrique peut provoquer de pareils stigmates de mort. Le Dr Satpathy, lui, est d'abord monté jusqu'aux terrasses pour s'assurer que ses roses n'ont pas été abîmées par le nuage toxique. Il examine chaque pot, chaque tige, chaque feuille, chaque bouton avec l'anxiété et la tendresse d'un amant au chevet d'une maîtresse en danger et pousse un « ouf » de soulagement. Ses « Diamants noirs » et ses « Chrysler d'or » si amoureusement greffés semblent avoir résisté au passage du brouillard mortel. Comme prévu, Satpathy pourra les présenter le surlendemain à l'exposition d'art floral qui, pendant huit jours, fera de Bhopal la capitale indienne des roses. Avant de redescendre dans l'enfer du rez-de-chaussée, il appelle au téléphone le troisième membre de l'équipe médico-légale du Medical College, le photographe Subash Godane.

— Viens vite, et apporte une valise entière de rouleaux de pellicule. Tu vas avoir des centaines de photos à faire.

Le jeune homme qui rêvait d'être reconnu pour ses portraits de femmes richement vêtues s'habille en hâte, charge son Pentax et saute sur son scooter.

Avant de pratiquer leurs autopsies, les deux médecins légistes ont une tâche essentielle à accomplir, la mise en place d'un système permettant d'identifier les victimes. Presque toutes ont été saisies dans leur sommeil et se sont enfuies à demi nues. Satpathy appelle à la rescousse une escouade d'étudiants du Medical College.

— Examinez chaque cadavre, leur dit-il, et notez sur un cahier leur description. Par exemple : homme circoncis, quarante ans environ, cicatrice sous le menton, caleçon rayé. Ou bien : fillette d'environ dix ans, trois bracelets en métal au poignet droit, etc. Notez bien les malformations, les tatouages, tous les signes particuliers susceptibles de permettre l'identification de la victime par ses proches. Puis vous placerez sur chaque corps un carton portant un numéro.

Le médecin se tourne alors vers Godane.

— Toi, tu photographies les corps ainsi numérotés. Dès que tu auras développé tes clichés, on les affichera. Ainsi, les familles pourront essayer de retrouver leurs disparus.

Puis, s'adressant à tous, il ajoute :

— Grouillez-vous ! Les camions des fossoyeurs ne vont pas tarder.

Bientôt le déclencheur du Pentax crépite comme une mitraillette au-dessus des corps pétrifiés. Après des années passées à immortaliser les cadavres des faits divers sur papier glacé, Subash Godane découvre tout à coup une forme particulièrement hideuse de la mort, la mort industrielle, la mort en masse. Au cours de ses mises au point, il se demande parfois s'il n'a pas déjà photographié telle gracieuse jeune femme en sari multicolore, ou telle fillette aux longues nattes piquées d'œillets jaunes, sur Hamidia Road, dans le souk des bijoutiers de la grande mosquée, ou autour de la fontaine de la place des Épices. Mais, cette nuit, les yeux de ses modèles sont révulsés, la teinte ambrée de leur peau a pris la couleur de la cendre, leurs bouches se sont crispées en d'affreux rictus. Godane a du mal à poursuivre son macabre pèlerinage. Soudain, il se croit victime d'une hallucination. Sous son flash, il a vu trembler les traits d'un visage. Deux yeux se sont ouverts. « Cet homme n'est pas mort ! » hurle-t-il à Satpathy. Celui-ci accourt avec son stéthoscope. En effet, l'homme est vivant. Le médecin appelle un brancard et le fait conduire à la salle de réanimation où il reprend conscience. Il porte une vareuse de cheminot. C'est V. K. Sherma, le sous-chef de gare qui a sauvé des centaines de voyageurs en faisant repartir le Gorakhpur Express au péril de sa vie.

Il y aura bien d'autres surprises en cette nuit tragique. Ainsi, deux cadavres de femmes sont amenés par des inconnus au milieu des autres victimes. En les examinant, Satpathy s'aperçoit qu'elles n'ont pas été tuées par les gaz mais assassinées. L'une porte une profonde plaie à la gorge, l'autre a été brûlée sur toute une partie du corps. Pour leurs meurtriers, la catastrophe est un alibi idéal. Le médecin verra encore passer trois fois de suite le cadavre du même petit garçon portant trois numéros différents. Une escroquerie qui, dans l'esprit de ses auteurs – en l'occurrence les parents de l'enfant –, doit leur permettre de toucher trois fois l'indemnité que versera, croient-ils, la multinationale américaine pour chaque victime.

D'autres parents refusent d'accepter l'affreuse réalité. Un jeune père dépose le cadavre de son fils dans les bras du Dr Deepak Gandhé, l'un des deux médecins de garde.

— Sauvez-le ! implore l'inconnu.

— Votre enfant est mort ! répond Gandhé en voulant rendre le petit corps au père.

— Non ! Non ! Vous pouvez le sauver !

— Je vous dis qu'il est mort ! insiste le médecin. Je ne peux plus rien pour lui.

« L'homme est alors parti en courant, me laissant l'enfant dans les bras, racontera Deepak Gandhé. Au fond de lui, il était persuadé que je pouvais le faire revivre. »

*

En disséquant les premiers cadavres, les deux médecins légistes demeurent incrédules. Le sang de ce musulman à barbiche grise dans lequel Satpathy trempe son doigt est aussi visqueux qu'une gelée de groseilles. Les poumons sont couleur de cendre, une multitude de petits foyers rouge violacé apparaissent dans un liquide grisâtre et mousseux. Cet homme a dû mourir noyé dans ses propres sécrétions. Les cœurs, les foies, les rates ont triplé de volume, les trachées sont envahies de caillots purulents. Tous les organes sans exception semblent avoir été dévastés par l'action des gaz, y compris les cerveaux, recouverts d'une pellicule gélatineuse et opalescente. L'ampleur des dégâts est terrifiante, même pour des spécialistes aussi aguerris que le vieux Chandra et son jeune confrère. Une odeur renforce leur pressentiment sur la nature de l'agent responsable. Une odeur qui ne trompe pas. Tous les cadavres qu'ils autopsient exhalent la même senteur d'amande amère, l'odeur de l'acide cyanhydrique. Ainsi se trouve confirmée la révélation que vient de laisser échapper Jagannathan Mukund au commissioner de Bhopal. En se décomposant, le Mic libère de l'acide cyanhydrique. Celui-ci détruit instantanément la capacité des cellules à transporter l'oxygène. C'est lui qui, cette nuit maudite, a tué par asphyxie le plus grand nombre de Bhopalis. La constatation des deux médecins légistes est capitale. Car il existe un antidote aux empoisonnements par l'acide cyanhydrique, un produit banal, le thiosulfate de sodium, ou hyposulfite, bien connu des photographes qui l'utilisent pour fixer leurs clichés. Des injections massives d'hyposulfite pourraient peut-être sauver des milliers de victimes. Chandra et Satpathy se précipitent chez le professeur Mishra qui orchestre les secours médicaux avec son équipe. Étrangement, ce dernier refuse de croire aux affirmations de ses confrères et de suivre leurs recommandations. Pour lui, la présence d'acide cyanhydrique est une invention de médecins légistes à l'imagination trop fertile.

— Occupez-vous des morts et laissez-moi m'occuper des vivants! leur ordonne-t-il.

Personne n'expliquera vraiment cette réaction de l'illustre professeur. Elle privera les survivants de tout traitement salvateur.

*

L'aube se lève enfin sur cette nuit d'apocalypse. Une aube claire et cristalline. Les minarets, les coupoles, les palais s'embrasent des mille feux du soleil tandis que la vie reprend ses droits dans l'enchevêtrement des ruelles des vieux quartiers. Tout semble pareil. Pourtant certains lieux ressemblent à des ossuaires au lendemain d'une bataille. Des centaines de cadavres d'hommes, de femmes, d'enfants, de vaches, de buffles, de chiens, de chèvres gisent un peu partout. Alarmé par cette situation, le commissioner Ranjit Singh fait la tournée des collèges situés dans les quartiers épargnés pour mobiliser les étudiants afin de ramasser les corps. Au collège technique Maulana Azad, il trouve des dizaines de volontaires.

— Vous allez vous diviser en deux équipes, leur dit-il. D'un côté, celle des musulmans, de l'autre celle des hindous, et chacune s'occupera de ses morts.

La suggestion déclenche une vive réaction.

— Y a-t-il une différence entre hindous et musulmans dans une telle tragédie? s'insurge un étudiant.

— Y a-t-il même un dieu pour permettre une telle catastrophe? renchérit un autre.

«Je me suis fait tout petit, dira le commissioner, je cherchais les mots les plus forts pour les remercier. »

Foulards sur la bouche et sur le nez, les garçons partent à scooter vers les bidonvilles que le major Khanuja et ses camions ont partiellement évacués pendant la nuit. Il reste quelques survivants au milieu de la masse des cadavres. L'étudiant Santosh Katiyan assiste à une scène bouleversante. Alors qu'il s'apprête à sortir le corps d'une musulmane d'une des huttes de Chola, une main l'arrête. Une femme hindoue, reconnaissable à son point rouge sur le front, fait glisser de son poignet tous ses bracelets qu'elle enfile au bras de sa voisine morte.

— C'était mon amie, explique-t-elle, il faut qu'elle soit belle pour aller retrouver son dieu.

Un peu plus loin, Santosh aperçoit quatre musulmanes voilées assises sous l'auvent du petit temple hindou. Elles consolent une femme qui a perdu tous les siens. Dans l'extrême détresse, il n'y a plus de distinction de religion, de caste, d'origine. Très vite pourtant, le sordide côtoie le sublime. Alors que Rajiv Gandhi vient d'annoncer à la radio que toutes les familles seront indemnisées pour la perte de l'un des leurs, on commence à se disputer les cadavres. Devant le Medical College, le major Khanuja voit soudain deux femmes tirant chacune de son côté les bras et les jambes d'un homme. L'une est hindoue, l'autre musulmane. Toutes deux vocifèrent que le défunt est un de leurs parents. Elles tirent avec tant d'énergie qu'elles menacent d'écarteler le malheureux. Le major décide d'intervenir.

— Déshabillez-le ! Vous verrez bien s'il est circoncis ou non.

Les deux femmes arrachent le longhi et le caleçon et examinent le pénis. L'homme est circoncis. Dépitée, la femme hindoue se relève et part à la recherche d'un autre cadavre.

Les élans de solidarité se multiplient. Jamais l'Inde aux mille castes et aux vingt millions de divinités ne saura se montrer aussi unie dans le malheur. Des dizaines d'organisations, d'institutions, d'associations, des centaines d'entrepreneurs et de commerçants, des milliers de particuliers de toutes les classes sociales, les Rotarys, les Lions, les Kiwanis, les scouts, tous accourent au secours des rescapés. De nombreuses villes du Madhya Pradesh envoient des camions chargés de médicaments, de couvertures, de vêtements. Des volontaires de différentes religions déploient un peu partout, aux coins des avenues, sur les places, des draps dans lesquels les gens jettent des montagnes de roupies.

Ce lendemain de catastrophe est aussi le temps de la colère. Un policier vient prévenir Mukund resté cloîtré dans son bureau que des milliers d'émeutiers se dirigent vers l'usine en hurlant : « À mort Carbide ! » Après avoir essayé toute la nuit de joindre ses supérieurs à Bombay, l'ingénieur obtient une liaison téléphonique avec l'un d'eux.

— Il y a eu un accident, annonce-t-il à son chef K. S. Kamdar. Une fuite de Mic. Je ne sais pas encore comment ni pourquoi.

— Des morts ? s'inquiète Kamdar.

— Oui.

— Beaucoup ?

— Hélas ! oui.

— Deux chiffres ?

— Plus.

— Trois ?

— Plutôt quatre, Kamdar.

Il y a un long silence au bout du fil. Kamdar est assommé. Il finit par demander.

— Tu as la situation en main ?

— Jusqu'à ce que la foule envahisse l'usine. Ou que la police vienne m'arrêter.

À cet instant, la conversation est interrompue par l'irruption de plusieurs policiers en tenue et de deux inspecteurs en civil du *Central Bureau of Investigation,* la brigade criminelle fédérale. Ils sont porteurs d'un mandat qui place Mukund et ses adjoints en garde à vue.

Dehors, la situation s'aggrave. Swaraj Puri, le chef de la police qui, la nuit précédente, déplorait la disparition de ses hommes, redoute une action violente. Impuissant à s'y opposer, il décide de recourir à un stratagème. Il appelle le chauffeur de la seule voiture équipée d'un haut-parleur qui lui reste.

— Fonce à travers toute la ville, lui ordonne-t-il, et annonce partout qu'il y a une nouvelle fuite de gaz chez Carbide.

La ruse fait miracle. Les émeutiers qui s'apprêtaient à envahir l'usine s'enfuient en désordre. En quelques minutes, la ville se vide. Il n'y reste plus que les morts.

*

Le nuage fatal a épargné la vaste enceinte au bout de l'avenue Hamidia où, à l'ombre de manguiers et de tamariniers centenaires, reposent des générations de musulmans. Le responsable des lieux est un petit homme frêle à la peau foncée, au menton orné d'une barbichette poivre et sel. Abdul Hamid est né dans ce cimetière. Il y a grandi, il en est devenu le maître, une situation qui lui permet de vivre dans l'aisance puisqu'il reçoit huit cents roupies par enterrement et que chaque jour Bhopal vient ici conduire à leur dernière demeure deux ou trois de ses enfants. Abdul Hamid est un personnage clef de la communauté musulmane dont il connaît chaque famille. Toutes ont eu un jour ou l'autre affaire à lui. La mort lui est familière, mais jamais le pauvre homme n'aurait pu imaginer le

spectacle qui l'attend, ce matin, à l'entrée de son cimetière. Des dizaines de corps enveloppés dans des linceuls
s'entassent comme des paquets devant la grille. « C'était la
première fois que je voyais autant de cadavres à la fois »,
dira-t-il.

Hamid appelle ses fils et commence à creuser des
fosses. Des volontaires viennent les aider. Mais comment
donner une sépulture décente à tant de morts ? Comment
recevoir dignement leurs familles ? En l'absence de
membres du clergé, c'est Abdul lui-même ou l'un de ses
fossoyeurs qui récitent le Namaz, la prière des morts. En
quelques heures, il n'y a plus d'espace pour creuser de
nouveaux trous ; les hommes doivent s'arrêter sous peine
de déterrer les ossements des anciennes sépultures.
« J'étais le gardien des morts, dira Abdul Hamid. Je n'avais
pas le droit de profaner les tombes. Sinon plus personne
n'aurait eu confiance en moi. »

Dans les deux autres cimetières musulmans, l'encom-
brement est pire encore, ce qui incite le grand mufti de
la ville, le vénérable Kazi Wazidul Hussein, à promul-
guer d'urgence une fatwa autorisant le dégagement des
anciennes sépultures de façon à faire de la place pour les
victimes de Carbide. La fatwa précise qu'une dizaine de
corps peuvent être ensevelis dans un même trou. Bientôt,
un flot de camions, de voitures, de charrettes à bras
déferlent avec leurs macabres chargements. Les défunts
sont déposés à l'entrée du cimetière d'Abdul Hamid dans
le pavillon à quatre piliers réservé à la toilette mortuaire.
En l'absence des proches, ce sont des volontaires qui
accomplissent le rituel : déshabiller les corps et les laver à
l'eau tiède. La même opération se déroule pour les
femmes dans l'autre partie du bâtiment. La vieille Iftekar
bégum, la douairière de quatre-vingts ans qui dirige les
opérations, s'étonne que tant de défuntes portent des
burqas brodées et des fleurs dans leurs cheveux.

— C'était dimanche hier soir, lui explique une amie,
elles sont mortes alors qu'elles faisaient la fête.

D'autres surprises attendent ceux qui s'affairent à enterrer les morts. Sous la poussée des gaz issus de la décomposition chimique du Mic, les cadavres ont d'étranges sursauts. Ici, c'est un bras qui se détend ; là, une jambe. Certains corps ensevelis à fleur de terre paraissent vouloir se mettre debout. Terrifiés par ces folles « résurrections », des gens s'évanouissent, d'autres crient à l'apparition de revenants, quelques-uns s'enfuient en hurlant. Abdul Hamid est paralysé par la stupeur : son cimetière est devenu un théâtre de fantômes.

*

Le plus célèbre restaurateur de Bhopal est obligé d'abandonner ses fourneaux à ses deux fils et à ses deux sœurs pour organiser les bûchers funéraires des hindous. Ses associés du Vishram Ghat Trust chargés des crémations sont dépassés par l'ampleur de la tâche. La religion hindoue veut qu'on brûle les corps des défunts à l'exception de ceux des enfants. Pour cela, il faut des bûches. Comment en trouver assez pour des milliers de cadavres ? Shyam Babu n'en est pas à un miracle près. En quelques heures, il réussit à remplir quinze camions de bois pour permettre l'incinération de plusieurs centaines de corps. Des fabricants de tissus lui apportent des kilomètres de toile pour confectionner des linceuls. Tandis qu'il s'apprête à enflammer le premier bûcher, surgissent deux envoyés du mufti. Ils viennent s'assurer qu'aucun musulman n'a été confondu avec un hindou et ne risque d'être brûlé par erreur. Il est presque impossible de confondre les hommes des deux communautés à cause des petites barbiches caractéristiques que portent les dévots d'Allah, des amulettes autour de leur cou, des marques laissées sur leur front par les prosternations répétées. Et de la circoncision, bien sûr. Il est plus difficile de différencier les femmes, sauf quand elles sont voilées de leur burqa. Les envoyés du mufti repartent rassurés. Shyam Babu va plonger sa torche dans le tas de bois lorsque quelqu'un retient son bras. L'étudiant Piyush Chawla a repéré une petite croix dorée au cou d'une jeune femme.

— Cette femme n'est pas hindoue ! crie-t-il en dégageant aussitôt le corps pour le porter à l'écart du bûcher.

Il remarque alors un frémissement presque imperceptible des paupières. Intrigué, il se penche sur le corps. Les mains, les pieds ne sont ni rigides ni froids. Il en est convaincu : cette jeune femme qui porte des grelots à ses chevilles n'est pas morte. Il la dépose sur l'un des camions qui repart chercher d'autres cadavres à l'hôpital Hamidia et monte à ses côtés. De sa bouche entrouverte sortent quelques bulles mousseuses. Piyush Chawla se demande s'il n'est pas en train d'assister à un phénomène surnaturel.

Il est exactement deux heures de l'après-midi à l'horloge de la place des Épices ce lundi 3 décembre quand s'élève dans le ciel de Bhopal la fumée du premier bûcher réduisant en cendres ceux auxquels la « belle usine » de Carbide avait promis d'apporter bonheur et prospérité. Soufflant maintenant du sud, la brise chasse les derniers effluves du gaz mortel pour les remplacer par une odeur encore plus horrible. L'odeur de la chair grillée.

44

« À mort le tueur Anderson ! »

Mardi 4 décembre, huit heures trente. L'athlétique silhouette du président-directeur général d'Union Carbide fait son entrée dans la salle de conférences du siège de Danbury, dans le Connecticut. Depuis la veille, Warren Anderson est tenu informé heure par heure de la situation à Bhopal. Pour ce fils d'immigrants qui a réussi à se hisser à la tête de la troisième société mondiale de produits chimiques, la tragédie est un désastre personnel autant que professionnel. Anderson s'obstinait à faire d'Union Carbide une entreprise à visage humain. Des sept cents installations industrielles qu'il dirige et qui emploient cent dix-sept mille personnes dans trente-huit pays, l'usine construite au cœur du sous-continent indien était sa fille préférée. C'est lui qui, le 4 mai 1980, l'avait inaugurée. Les premières gouttes de Mic sorties ce jour-là de ses colonnes de distillation, c'était sa victoire. Grâce au Sevin ainsi fabriqué, des dizaines de milliers de paysans indiens allaient conjurer l'ancestrale malédiction de la faim.

En apprenant la tragédie, il a ordonné la mise en place d'une cellule de crise chargée de gérer les événements dans une transparence totale. Il a fait organiser des points de presse permanents pour les médias. Puis il s'est enfermé dans le bureau de sa maison de Greenwich pour réfléchir à la conduite à tenir dans l'immédiat. Sa décision prise, il l'a aussitôt communiquée par téléphone à ses plus proches collaborateurs. Malgré les supplications de sa femme Lilian, terrorisée par son projet, il partira sur-le-champ pour Bhopal. Sa place est là-bas, au milieu des victimes. Il veut s'assurer que tout ce qui peut être fait le sera. Ce geste lui permettra de confirmer que la société qu'il dirige n'est pas un géant sans visage et sans âme, que la tragédie qui vient de se produire n'est qu'un accident sur un parcours qui vise à engendrer un monde meilleur et plus juste. En bref, sa présence sur les lieux de la catastrophe traduira l'idéal qui l'inspire.

À cette obligation morale envers les victimes s'ajoute un sentiment de responsabilité à l'égard des actionnaires de la société. Sans doute Carbide a-t-elle les moyens financiers de survivre au pire des désastres. Mais si les terribles nouvelles qu'il reçoit sont exactes, son devoir est de tout faire pour atténuer, voire effacer, l'image d'une société cruelle et irresponsable, celle que risquent de percevoir les actionnaires. La décision de se rendre sur place répond aussi à ce souci-là.

À voir les visages sombres qui l'accueillent, ce mardi matin, dans la salle de conférences présidentielle de Danbury, Warren Anderson comprend que ses collaborateurs sont hostiles à son initiative. Ils ne manquent pas d'arguments. D'abord, il risque sa vie. L'Inde est un pays imprévisible. Un mois plus tôt, Indira Gandhi a été assassinée pour avoir fait massacrer par son armée bien moins de gens qu'il n'en est morts à Bhopal. Un survivant rendu fou par la perte d'un proche pourrait se jeter sur lui et le poignarder. Ou bien, sous la pression d'une opinion en colère, le gouvernement indien pourrait le jeter en prison dès son arrivée. Quoi qu'il en soit, le voyage risque de suggérer inutilement une responsabilité directe de la multinationale dans la tragédie alors qu'il vaut mieux laisser sa filiale indienne en supporter tout le poids. D'autre part, cette visite aura toutes les chances d'être perçue comme une provocation. Enfin, elle exposera le président de la société à de dangereux affrontements avec les nouvelles autorités politiques de l'Inde, avec la presse, les avocats, les juges, les diplomates... Même les dirigeants de la filiale indienne consultés par téléphone ne montrent guère d'enthousiasme à l'idée de voir le grand patron débarquer en personne sur les lieux de l'accident. Pourtant, Anderson est décidé.

— J'ai pesé tous les risques, déclare-t-il, je pars.

*

Le jeudi 6 décembre à cinq heures du matin un biréacteur Gulf Stream II se pose sur l'aérodrome Santa Cruz de Bombay. Personne ne remarque les trois initiales gravées sur sa cocarde : ce sont pourtant celles de la société américaine qui vient de semer la mort dans le pays. Grippé, épuisé par vingt heures de vol, Warren Anderson gagne discrètement le vénérable hôtel Taj Mahal face à l'arc de triomphe symbolique de la porte de l'Inde, où une suite lui a été réservée. Les deux gentlemen indiens qui l'accueillent, Keshub Mahindra, président d'Union Carbide India Limited, et V. P. Gokhale, son directeur général, lui communiquent le dernier bilan de l'accident. On parle à présent de trois mille morts et de deux cent mille personnes touchées. Heureusement, les deux Indiens ont aussi de bonnes nouvelles : Arjun Singh, le Premier ministre du Madhya Pradesh, et Rajiv Gandhi, le chef du gouvernement du pays, acceptent de recevoir le président de Carbide. C'est une satisfaction pour Anderson : il pourra les convaincre de sa volonté d'offrir aux victimes une juste compensation, à commencer par une aide médicale d'urgence d'au moins cinq millions de dollars.

Par souci de discrétion, c'est dans le Boeing 737 du vol régulier d'Indian Airlines qu'Anderson et ses deux partenaires s'envolent le lendemain pour Bhopal. Le jet de la société rejoindra le président à Delhi pour le ramener aux États-Unis. À l'atterrissage, l'Américain aperçoit un petit groupe de policiers sur le tarmac. Quelle délicatesse de nous avoir envoyé une escorte, songe-t-il. Dès la mise en place de la passerelle, deux officiers montent à bord et une voix retentit dans les haut-parleurs de la cabine. « Messieurs Anderson, Mahindra et Gokhale sont invités à descendre en premier de l'appareil. »

Merveilleuse hospitalité indienne ! Le chef de la police Swaraj Puri, qui la nuit de la tragédie avait perdu tous ses policiers, est au pied de l'avion en compagnie du sous-préfet de la ville pour accueillir les visiteurs avec de chaleureuses poignées de main. Il ne manque que la traditionnelle guirlande de fleurs et une jolie hôtesse pour leur apposer le tilak de bienvenue. Anderson et ses compagnons prennent place dans une Ambassador officielle amenée au pied de la passerelle. La voiture démarre en trombe et sort de l'aéroport par un portail de service afin d'éviter la meute des journalistes qui attendent dans le hall d'arrivée. Le chef de la police et le collector suivent dans une deuxième voiture.

— Je vous remercie d'avoir pris la peine de venir nous chercher, dit Anderson à l'inspecteur en uniforme assis à côté du chauffeur.

— C'est normal, *Sir.* Il règne une vive tension dans la ville. C'est notre devoir d'assurer votre sécurité.

L'Américain retrouve avec plaisir cette cité dont il avait admiré les beautés lors de l'inauguration de l'usine quatre ans plus tôt. Les minarets des mosquées qui se reflètent dans l'eau du lac, les nombreux parcs débordant de fleurs, les vieilles rues pittoresques bruissant d'activité : tout semble si normal qu'il lui est difficile de croire que la ville vient de vivre un horrible cauchemar.

La voiture grimpe vers les collines de Shamla, pénètre dans l'enceinte du centre de recherches et s'immobilise devant l'entrée de la *guest house,* la superbe maison d'hôtes appartenant à la société. Anderson s'étonne de voir deux escouades de policiers massées de chaque côté de la porte de l'établissement. Un officier attend sur les marches. Dès que les trois visiteurs sortent de la voiture, il s'avance, se met au garde-à-vous et salue militairement. Puis il déclare :

— J'ai le regret de vous informer que vous êtes tous les trois placés en état d'arrestation.

Anderson et ses partenaires ont un sursaut de surprise. Le policier poursuit : « Cette mesure a bien sûr pour premier objectif de garantir votre sécurité. Vous êtes libres d'aller et de venir dans vos chambres, mais pas d'en sortir ni d'utiliser le téléphone, ni de recevoir des visites. »

À cet instant, apparaissent le chef de la police et le collector. Ils sont accompagnés par un magistrat reconnaissable à sa robe noire. L'Américain est rassuré : il s'agit d'un malentendu. On vient les libérer. En réalité, c'est pour leur signifier les motifs de leur arrestation que le magistrat se présente devant les trois visiteurs. Il leur annonce qu'en vertu des articles 92, 120 B, 278, 304, 426 et 429 du code pénal indien, ils sont accusés « d'homicide par imprudence, de manipulations dangereuses de matières toxiques, d'atteintes à la santé par empoisonnement de l'atmosphère et, enfin, de complicité d'assassinat d'animaux domestiques ». La première accusation est passible d'une peine d'emprisonnement à vie, les autres d'une durée de trois à six mois.

— Naturellement, tous ces chefs d'accusation sont justiciables d'une libération sous caution, intervient Keshub Mahindra, le président de la filiale indienne de Carbide.

— Je crains malheureusement que cela ne soit pas le cas, répond le magistrat.

— Et qu'en est-il de notre rencontre avec le Premier ministre Arjun Singh ? s'inquiète l'Américain.

— Vous serez informé à ce sujet dès que possible, assure le chef de la police.

*

L'instigateur probable de ce brutal coup de filet est absent de Bhopal. Le matin même, il a quitté la capitale du Madhya Pradesh pour rejoindre Rajiv Gandhi dans une tournée électorale. Mais il a laissé des instructions à son porte-parole. Dès que les trois visiteurs auront été arrêtés, celui-ci doit convoquer la presse et donner le maximum de retentissement à la nouvelle. Car Arjun Singh, pourtant l'ami de toujours de Carbide, entend bien récolter les fruits de son audace. En faisant arrêter le président de la société américaine et ses partenaires indiens, il se pose en vengeur des victimes de la catastrophe, ce qui lui permet de préparer sa réélection à la tête de l'État au prochain suffrage législatif. « Le gouvernement du Madhya Pradesh ne saurait rester un spectateur passif de la tragédie, déclare de sa part le porte-parole aux journalistes. Il connaît ses devoirs envers les milliers de citoyens dont les vies ont été dévastées par la négligence criminelle des dirigeants de Carbide. »

La nouvelle de l'arrestation de Warren Anderson fait sensation d'un bout à l'autre de la planète. C'est la première fois qu'un pays du tiers-monde ose jeter en prison l'un des chefs d'industrie les plus puissants d'Occident, même si cette prison est pour l'instant une guest house cinq étoiles. À New Delhi, c'est la consternation. Le ministère indien des Affaires étrangères s'était engagé auprès du State Department américain à ce que rien n'entrave le voyage de l'éminent industriel. Outre une crise ouverte avec les États-Unis, les dirigeants indiens redoutent que cet incident ne dissuade à jamais les grandes firmes étrangères de s'implanter en Inde. Il faut que le Premier ministre du Madhya Pradesh libère d'urgence ses prisonniers. Tant pis pour la justice. C'est la raison d'État qui l'exige.

*

Trois heures plus tard, le chef de la police de Bhopal assisté de plusieurs inspecteurs vient annoncer sa remise en liberté au prisonnier américain. Ses collègues indiens seront élargis un peu plus tard.

— Un avion du gouvernement vous attend pour vous emmener à Delhi d'où vous pourrez regagner les États-Unis, lui précise-t-il.

Il lui présente alors un document. Anderson découvre avec stupéfaction qu'une somme de vingt-cinq mille roupies (dix mille francs à l'époque) a été versée à titre de caution par le bureau local de sa société. Il lui suffit de décliner son état civil et de signer pour être libre. « Dix mille francs pour libérer l'autorité suprême d'une multinationale responsable de la mort de trois mille innocents et de l'empoisonnement de deux cent mille autres ! Que vaut donc une vie indienne ? » ironisera le lendemain la presse indienne.

Dans l'immédiat, la nouvelle provoque l'effervescence dans la meute des reporters qui se bousculent à l'entrée du bâtiment. Mais c'est d'une foule de manifestants agglutinés aux grilles du centre de recherches que viennent les réactions les plus significatives. De la voiture qui l'emporte vers l'aérodrome, Warren Anderson aperçoit une forêt de pancartes au-dessus des têtes. La vision des quelques mots inscrits sur ces morceaux de carton le hantera pour le restant de ses jours. « À mort le tueur Anderson ! » scande le peuple de Bhopal.

*

Le président d'Union Carbide ne rencontrera ni Rajiv Gandhi ni aucun de ses ministres. Seul un fonctionnaire du ministère des Affaires étrangères consentira à lui accorder une brève audience, à condition que la presse n'en soit pas informée. L'homme qui avait espéré changer les conditions des paysans de l'Inde et qui souhaitait comme il l'avait annoncé prendre sa prochaine retraite « *in a blaze of glory* – dans une apothéose glorieuse », repart brisé, humilié, désespéré. Il ne sait toujours pas ce qui s'est exactement passé la nuit du 2 au 3 décembre dans la « belle usine » indienne. Quant à sa volonté de porter secours aux victimes, il n'a même pas pu en discuter. Son voyage est un fiasco. Quelques minutes avant de monter dans son Gulf Stream II et de décoller pour les États-Unis, un journaliste l'interpelle :

— *Mr.* Anderson, êtes-vous prêt à revenir en Inde pour répondre aux accusations de la justice ?

Anderson blêmit. Puis, d'une voix ferme, il affirme :

— Je reviendrai en Inde dès que la justice me le demandera.

*

Pendant ce temps, d'autres Américains débarquent à Bhopal. Danbury a expédié d'urgence un groupe d'ingénieurs avec la mission de faire la lumière sur la catastrophe. Le dernier directeur américain de l'usine fait naturellement partie de la délégation. Pour Warren Woomer, ce retour est une épreuve douloureuse. « Ma femme Betty et moi avions vécu ici les deux plus belles années de notre vie. Mais aujourd'hui je venais examiner les restes d'une usine qui avait été un peu mon enfant », dira l'ingénieur. Il a bien du mal à la reconnaître. Le navire qu'il a laissé en bon état de marche offre un spectacle de désolation qui lui serre le cœur. Il fait un effort pour garder son sang-froid lors de son premier tête-à-tête avec Mukund. Pourquoi y avait-il tant de Mic dans les cuves ? Pourquoi tous les systèmes de sécurité étaient-ils désactivés ? Woomer fulmine. L'équipe d'enquêteurs, cependant, s'est mise d'accord pour éviter les affrontements. L'important est de rassembler un maximum d'informations, pas de déclencher une controverse.

La tâche menace pourtant d'être insurmontable car ce sont les hommes du CBI, le bureau fédéral d'investigation criminelle indien, qui se sont emparés de l'affaire. Leur chef V. N. Shukla est un homme intraitable qui ne sourit jamais. Il commence par interdire l'accès des installations aux Américains. Puis il déclare à Woomer :

— Si je vous surprends, vous ou n'importe lequel de vos collègues, en train d'interroger un ouvrier, je vous jette en prison.

Le pire, c'est que le CBI est aussi en train de déménager les archives de l'usine pour les placer dans un lieu secret. Que peuvent faire les enquêteurs américains privés du droit d'examiner les lieux, de questionner des témoins, de consulter des documents aussi vitaux que les comptes rendus des opérations menées lors de la nuit fatale ? Woomer est accablé. D'autant que la situation se complique avec l'arrivée sur le terrain d'une équipe d'enquêteurs indiens dirigée par une sommité scientifique nationale, le professeur Varadajan, président de l'Académie indienne des sciences. Comment faire face à cette concurrence tout en échappant aux entraves policières ? Woomer passe bientôt de l'accablement au désespoir. Mais, encore une fois, la bonne fée de la chimie vient au secours de ses apprentis sorciers. Car, avant de rechercher ce qui s'est passé la nuit du 2 au 3 décembre, tout le monde tombe d'accord pour empêcher qu'un nouvel accident se produise. C'est la hantise de Woomer. Il reste vingt tonnes de Mic dans la deuxième cuve et une tonne dans la troisième. À tout moment, ces matières mortelles peuvent entrer en ébullition. Américains et Indiens se concertent. Faut-il réparer la torchère pour les brûler en altitude ? Faut-il les décontaminer à la soude caustique après la remise en état de la tour de lavage ? Faut-il essayer de les transvaser dans des fûts pour les évacuer en lieu sûr? C'est finalement Woomer qui trouve la solution.

— Écoutez, déclare-t-il de sa voix nonchalante mais rassurante, la meilleure façon de se débarrasser du Mic restant, c'est de s'en servir pour fabriquer du Sevin.

— Mais comment? demande le professeur indien, stupéfait.

— En remettant l'usine en marche, répond Woomer. Après tout, elle a été construite pour cela.

Fabriquer du Sevin, cela veut dire nettoyer les canalisations, pressuriser les cuves, réparer les vannes et les soupapes défectueuses, réactiver la tour de lavage et la torchère, rallumer le réacteur d'alpha-naphtol... Cela veut dire réenclencher tous les systèmes d'une installation dont le naufrage vient de causer une catastrophe sans précédent dans l'histoire de l'humanité.

— Combien de temps vous faut-il pour tenter une telle opération? demande le professeur indien.

— Pas plus de cinq ou six jours, réplique Woomer.

— Et la population? Comment va-t-elle réagir en apprenant que l'usine est de nouveau en activité?

L'ingénieur américain ne peut répondre à cette question. Quelqu'un va le faire à sa place.

45

« Carbide a fait de nous le centre du monde »

Le Premier ministre du Madhya Pradesh exulte. L'idée de Warren Woomer va lui permettre d'effacer le souvenir de sa surprenante absence la nuit de la tragédie, et de reconquérir son électorat. Cette fois, il s'exposera directement sur le champ de bataille. Pour que cet héroïsme paie, il faut diaboliser ce bref redémarrage de l'usine, faire croire à l'extrême danger qu'il représente. Arjun Singh promulgue plusieurs mesures de sécurité qui n'ont d'autre objectif que de créer un climat de psychose. Il ordonne la fermeture de tous les établissements scolaires, pourtant en pleins examens, alors que la plupart sont situés en dehors de la zone à risque. Il fait ensuite venir huit cents autocars pour évacuer d'urgence tous ceux qui habitent dans un rayon de quatre kilomètres autour de l'usine. Une fois la terreur bien installée, il révèle le plan qui va faire de lui un grand homme. Il lance à travers la ville une armée de rickshaws motorisés et équipés de haut-parleurs. Tout Bhopal entend alors sa voix ferme et rassurante : «J'ai décidé d'être présent en personne dans l'usine de Carbide le jour où ses ingénieurs la remettront en marche pour en extraire les dernières gouttes de matières mortelles, déclare-t-il. Ce moment de vérité sera le gage du dévouement de votre humble serviteur à votre égard. Ce n'est pas un acte de courage, mais un acte de

397

foi, et c'est pourquoi je nomme ce défi, qui devra conjurer les derniers dangers de l'usine maudite, *Operation Faith* – l'opération Foi. »

À mesure qu'approche la date fatidique du redémarrage de l'usine, les commerces ferment, les rues se vident, la vie s'arrête. Le Premier ministre laisse l'exode se transformer en une marée torrentielle. Emportée par la peur qu'il a habilement attisée, la population se jette sur ses huit cents autocars et sur tous les autres moyens de transport. Les gens abandonnent leur domicile en char à buffles, en rickshaw, à scooter, à vélo, en camion, en voiture et même à pied. La gare des chemins de fer est prise d'assaut. Redoutant des pillages, les habitants s'enfuient en emportant avec eux tout ce qu'ils peuvent. Une femme part avec sa chèvre de neuf mois dans les bras. Le spectacle des trains couverts de grappes humaines entassées sur les toits, accrochées aux portières, aux marchepieds, rappelle aux plus anciens les sinistres images de la partition de l'Inde. « Cette migration spontanée, écrit le *Times of India,* défie toute raison. »

*

Le journal dit vrai. Bhopal a perdu la raison. Pourtant, comme Ganga Ram et Dalima le constatent avec étonnement à leur retour dans l'Orya basti, ce n'est pas là où les gaz ont fait le plus de ravages que la psychose de la fuite fait rage avec le plus d'intensité. C'est même le contraire. Leurs voisins ont des allures de fantômes avec leurs tampons de coton sur les yeux, mais ils n'ont plus peur. Bien que la mort de Belram Mukkadam, du cul-de-jatte Rahul, du laitier Bablubai, de Ratna Nadar, de la vieille Prema Bai et de tant d'autres ait creusé un vide irréparable dans la petite communauté, le bonheur de retrouver ses amis est plus fort que la hantise d'une nouvelle catastrophe. Les retrouvailles de Ganga et Dalima avec Sheela et

Gopal, la mère et le frère de Padmini ; avec le cordonnier Iqbal, le réparateur de vélos Salar, le tailleur Bassi pour ne citer que ceux-là, sont autant de fêtes. Quelle joie d'apprendre que Padmini est vivante à l'hôpital Hamidia et que Dilip est près d'elle ! Quel soulagement de retrouver sa hutte intacte alors que tant d'autres ont été pillées !

Tout de suite Ganga et Dalima comprennent que la priorité des habitants du quartier n'est pas de fuir une nouvelle menace, mais de préserver le fil fragile qui les rattache au monde des vivants. La plupart ont été gravement atteints par les gaz. Ils ont un besoin urgent de médicaments. Les réserves des hôpitaux étant épuisées, il leur faut acheter de coûteux traitements dans les pharmacies. Avec quel argent ? Ganga n'oubliera jamais le spectacle de ses voisins se ruant chez la seule personne en mesure de les aider aujourd'hui. Depuis la catastrophe, la maison de l'usurier Pulpul Singh est assiégée de rescapés apportant les titres de propriété de leur hutte, une radio à transistors, une montre, un bijou, n'importe quel objet, dans l'espoir d'obtenir quelques roupies. On se bouscule devant la grille, on se jette aux pieds du sikh, on le supplie, on lui adresse tous les compliments imaginables. Aussi impassible qu'un bouddha, il fait main basse sur ce qu'on lui présente. Sa femme et ses fils notent les noms, font apposer sur les reçus l'empreinte des pouces en guise de signature, rangent les objets les plus hétéroclites aux quatre coins de la maison. Même les poules qui ont survécu à la nuit fatale peuvent rapporter quelques billets. Ce soir-là, une grosse boîte, soigneusement enveloppée dans une couverture, trouve elle aussi sa place dans le capharnaüm de l'usurier : Ganga Ram a mis en gage son téléviseur. Avec l'argent reçu en échange, il pourra aider ses voisins à trouver des médicaments pour soulager leurs souffrances. L'écran qui a tant fait rêver ses frères et sœurs de l'Orya basti attendra des jours meilleurs pour allumer de nouveaux rêves.

16 décembre, jour de l'*Operation Faith*. Bhopal est une ville fantôme, mais des caméras de télévision vont diffuser les images de l'événement. Depuis l'aube, des camions-citernes aspergent les rues pour neutraliser toute émanation suspecte. Plus de cinq mille masques à gaz sont entreposés aux principaux carrefours de la cité. Un cordon d'ambulances et de camions de pompiers isole l'usine tandis que plusieurs centaines de policiers postés aux différentes portes filtrent les détenteurs de permis spéciaux. Parmi eux se trouvent le Premier ministre et son épouse. Tous deux seront en première ligne. Sous les flashes des photographes, ils s'installent dans la salle de contrôle, là où Shekil Qureshi et son équipe étaient de garde le soir du 2 décembre. Trois hélicoptères militaires équipés de réservoirs d'eau, leurs pilotes protégés par des masques à gaz, tournent sans discontinuer au-dessus des structures métalliques prêts à intervenir en cas de besoin. « Dire qu'il a fallu la mort de milliers de gens pour que nos gouvernants se préoccupent enfin de notre usine », commente, désabusé, un ouvrier qui suit le déroulement de l'opération sur son transistor.

Warren Woomer est satisfait : les équipements nécessaires à la remise en marche ont été réparés en un temps record. À huit heures précises, Jagannathan Mukund, entouré d'une garde policière, peut ouvrir la vanne qui fait entrer un flux d'azote dans la cuve 611. Quelques minutes plus tard, un superviseur annonce que la pression correcte de la cuve est atteinte, ce qui signifie qu'on peut commencer à évacuer les premiers litres des vingt tonnes de Mic qu'elle contient vers le réacteur de fabrication du Sevin. À treize heures, le professeur Vadarajan fait savoir au Premier ministre qu'une tonne d'isocyanate de méthyle a été transformée en pesticide.

Arjun Singh triomphe. L'opération Foi commence par un succès total. La vidange des cuves jusqu'à la dernière goutte de Mic durera trois jours et trois nuits. Rayonnant de bonheur, l'audacieux politicien dégringole avec son épouse l'escalier métallique de la « belle usine ». Déjà ses concitoyens s'apprêtent à rentrer chez eux. Il en est maintenant convaincu : dans deux mois, ils voteront en masse pour lui.

*

— Venez tous à la tea-house ! Il y a un sahib qui veut nous parler !

Depuis la mort de Rahul, c'est le jeune Sunil Kumar qui fait fonction de messager dans les ruelles de l'Orya basti. Il a perdu ses sept frères et sœurs, ainsi que ses parents dans la catastrophe. Tous étaient récemment arrivés de leur campagne brûlée par la sécheresse. L'information qu'il diffuse ce matin de hutte en hutte fait affluer tous les survivants vers le lieu de rendez-vous.

Les « chasseurs d'ambulances », comme on les surnomme cyniquement aux États-Unis, ont débarqué. Ils arrivent de New York, de Chicago et même de Californie, tel le célèbre et redoutable avocat de San Francisco Melvin Belli, qui annonce avoir déposé une plainte contre Carbide pour la bagatelle de quinze milliards de dollars, plus de deux fois le montant de l'aide internationale reçue cette année-là par l'Inde.

La tragédie est en effet un formidable gâteau pour cette race spéciale d'avocats américains qui vivent du malheur des autres en se spécialisant dans l'obtention de dommages et intérêts pour les victimes d'accidents. Les quatre ou cinq cent mille Bhopalis affectés par le désastre de la multinationale représentent des dizaines, peut-être des centaines de millions de dollars d'indemnités diverses. Comme les y autorise la loi américaine, ils en encaisseront

401

presque un tiers à titre d'honoraires. Pactole colossal qui transforme le cabinet du maire de Bhopal et celui du Premier ministre en une foire d'empoigne. Les Américains se disputent comme des fauves les clients et les différents terrains de chasse. Celui de l'Esplanade noire échoit au représentant d'une firme d'avocats new-yorkaise. Chaperonné par Munné Babba, accompagné d'une escorte d'associés indiens et de deux interprètes, Me Frank Davolta Jr., quarante-deux ans, un colosse à demi chauve, pénètre dans l'Orya basti au milieu d'un essaim de policiers et de reporters de presse et de télévision. L'aréopage s'installe autour des tables bancales de la tea-house. Des serviteurs apportent des paniers pleins de friandises, de sucreries et de bouteilles de Kampa Cola que l'Américain va distribuer. Après l'horreur de ces derniers jours, l'Orya basti renoue avec la fête.

Quand apparaissent les premiers survivants, l'Américain a du mal à réprimer un haut-le-cœur. Beaucoup sont aveugles, d'autres se traînent appuyés sur des bâtons, ou gisent sur des civières. Tous se rassemblent en arc de cercle sur les nattes de sisal qui ont servi au banquet de la noce de Padmini. L'avocat lève des yeux incrédules vers le responsable de tant de malheur. Dans le soleil d'hiver, l'usine de Carbide brille à l'horizon comme un mobile de Calder.

Ganga Ram examine le sahib avec suspicion. C'est le premier Américain qui soit jamais entré dans l'Orya basti. Pourquoi est-il là? Que veut-il? Est-ce un envoyé de Carbide venu présenter les excuses de la société? Est-ce le représentant de quelque secte ou religion tenant à réciter des prières pour les morts et les rescapés? Les survivants ne vont pas tarder à être fixés.

L'avocat américain se lève et prend la parole.

— Chers amis, déclare-t-il avec chaleur, je suis venu d'Amérique pour vous aider. Les gaz ont tué des êtres qui vous étaient chers. Ils ont ruiné à jamais la santé de beaucoup de vos proches, et peut-être la vôtre. — Il désigne l'usine au bout de l'esplanade. — La société Union Carbide vous doit réparation. Si vous acceptez de me confier la défense de vos intérêts, je me battrai devant les tribunaux de mon pays pour que vous receviez les compensations les plus élevées possible.

L'avocat s'interrompt pour laisser ses interprètes traduire ses paroles en hindi, puis en ourdou et en orya. Un homme enturbanné savoure chaque mot en dodelinant de la tête. Pour rien au monde Pulpul Singh n'aurait manqué cet événement. Déjà il pense à tous les stratagèmes qu'il va pouvoir utiliser pour détourner vers son coffre la manne annoncée.

L'Américain s'étonne pourtant du peu de réaction que semble susciter sa proposition. Les visages restent figés, comme tétanisés. Munné Babba essaie de le rassurer : il faut être patient, les gaz ont endommagé les facultés mentales de nombreux rescapés. L'explication intrigue l'avocat. Il décide d'interroger quelques victimes. Il veut qu'on lui raconte l'horrible nuit, qu'on lui décrive les souffrances. Il invite chacun à parler de ses disparus. Sheela Nadar, le cordonnier Iqbal, Dalima, Ganga Ram interviennent tour à tour. Soudain, la glace est rompue, le malheur s'incarne dans une voix, un visage. Frank Davolta accumule notes et photos. Il sent que son dossier prend corps, s'anime, s'enrichit. Chaque témoignage l'émeut un peu plus. Maintenant, il transpire à grosses gouttes, ce qui l'oblige à dénouer sa cravate et à ouvrir son col. Prise de pitié, Dalima vient à son secours. Elle lui apporte un verre d'eau que l'Américain vide avec reconnaissance. Il ne sait pas que c'est l'eau du puits de l'Orya basti, l'eau pourrie par les rejets de Carbide, l'eau polluée par le plomb, le mercure, le cuivre, le nickel que boivent depuis douze ans les damnés de l'Esplanade noire.

Tandis que circulent les paniers de friandises, l'avocat reprend la parole.

— Mes amis, explique-t-il, si vous acceptez que je représente vos intérêts, nous devons conclure un contrat.

À ces mots, un assistant lui passe une liasse de feuillets qu'il brandit à bout de bras. Ce sont des *powers of attorney*, explique-t-il, des procurations autorisant un conseil à agir en lieu et place de son client. Les habitants de l'Orya basti, qui n'ont jamais rien vu de pareil, se lèvent et assiègent la table de l'Américain. Comme les milliers de Bhopalis auxquels les avocats américains arrachent ce jour-là une signature, ils ne peuvent déchiffrer le texte imprimé sur les feuilles. Ils se contentent d'en palper le papier avec respect. La voix de Ganga Ram éclate alors au-dessus des têtes. L'ancien lépreux pose la question qui brûle toutes les lèvres.

— Sahib, demande-t-il, combien d'argent vas-tu obtenir pour chacun de nous?

Les traits de l'avocat se figent. Il fait mine de réfléchir. Puis lâche :

— Pas moins d'un million de roupies !

Ce chiffre inouï frappe l'assistance de stupeur.

— Un million de roupies ! répète Ganga Ram qui ne parvient pas à retenir ses larmes.

Les caméras de télévision se braquent sur lui comme s'il était Shashi Kapoor, le dieu du grand écran. Les flashes crépitent.

— Le montant vous étonne ? demande un reporter.

— Non, pas vraiment, balbutie l'ancien lépreux.

— Pourquoi ? presse le reporter.

Ganga désigne de sa main privée de phalanges l'essaim de journalistes qui tourbillonnent autour de lui.

— Parce que Carbide a fait de nous le centre du monde.

Épilogue

Nul ne connaîtra jamais le nombre exact de ceux qui périrent à cause de cette catastrophe. Soucieuses avant tout de limiter le montant d'éventuelles indemnités à distribuer, les autorités arrêtèrent de façon arbitraire le bilan au chiffre de mille sept cent cinquante-quatre morts. Des organisations indépendantes dignes de foi font état d'au moins huit mille morts pour la nuit de l'accident et les deux jours suivants.

En fait, un très grand nombre de victimes n'ont pas été comptabilisées. Parmi elles se trouvaient en effet beaucoup de travailleurs immigrés vivant sans domicile fixe. Sœur Felicity et plusieurs survivants des quartiers de l'Esplanade noire rapportent avoir vu des camions de l'armée ramasser dans la matinée du 3 décembre des monceaux de cadavres anonymes qu'ils emportèrent vers une destination inconnue. Les jours suivants, de nombreux corps furent aperçus flottant sur la Narmada, la rivière sacrée dont les rives sablonneuses avaient permis de fabriquer les premiers sacs de Sevin. Certains dérivèrent jusqu'à la mer d'Arabie, à plus de mille kilomètres de là, d'autres furent la proie des crocodiles.

Par ailleurs, en l'absence de tout acte officiel de décès, de très nombreux cadavres furent incinérés ou enterrés anonymement. Le fossoyeur Abdul Hamid se vit contraint d'ensevelir jusqu'à dix musulmans dans la même tombe. D'après le restaurateur Shyam Babu, qui fournissait le bois des crémations, plus de sept mille cadavres furent brûlés sur les cinq bûchers funéraires du Vishram Ghat Trust. Quant à la Cloth Merchant Association, l'association des fabricants de textile, elle déclare avoir fourni de quoi confectionner au moins dix mille linceuls pour les seules victimes hindoues.

Les autorités contestèrent l'importance de ces chiffres, sous prétexte qu'ils excédaient le nombre des dossiers d'indemnisation déposés. Mais cette réaction officielle ne tient pas compte du fait que la catastrophe ayant exterminé souvent des familles entières, aucun survivant n'était là pour remplir les dossiers d'indemnisation. Quatre cents morts, dont les photos restèrent placardées pendant plusieurs semaines sur les murs de l'hôpital Hamidia et dans les différents quartiers sinistrés, ne furent jamais réclamés par leurs familles. Le numéro 436 était une jeune femme aux joues tatouées ; le 213 un vieillard décharné avec de longs cheveux blancs ; le 611 un adolescent avec un pansement sur le front ; le 612 un bébé de quelques mois. Qui étaient-ils ? On ne le saura jamais.

On estime aujourd'hui que les gaz de la « belle usine » ont fait entre seize mille et trente mille morts.

*

Plus d'un demi-million de Bhopalis subirent les effets du nuage toxique, c'est-à-dire trois habitants sur quatre de la capitale du Madhya Pradesh [1]. Après les yeux et les

---

1. Exactement 521 262 personnes d'après le Conseil indien de la recherche médicale. Ce chiffre n'inclut pas les victimes qui n'étaient pas des résidents permanents de Bhopal, tous les « sans domicile fixe », les membres des communautés nomades. Il n'inclut pas non plus les victimes affectées indirectement par la tragédie, tels les enfants qui se trouvaient dans le ventre de leur mère, ou ceux nés par la suite de parents contaminés par les gaz.

poumons, les organes les plus sévèrement atteints furent le foie, les reins, les appareils digestif et génital, ainsi que le système nerveux et le système immunitaire. De nombreuses victimes sombrèrent dans un tel état d'épuisement que tout mouvement leur devint impossible. Beaucoup souffraient de crampes, de démangeaisons insupportables, de migraines à répétition. Dans les bastis, des femmes ne purent allumer leur chula pour cuire les aliments sans risquer une hémorragie pulmonaire déclenchée par la fumée. Deux semaines après l'accident, une épidémie de jaunisse frappa des milliers de survivants privés de leurs défenses immunitaires. De nombreuses atteintes neurologiques provoquaient convulsions et paralysies, allant parfois jusqu'au coma et à la mort.

Plus difficiles à mesurer, mais tout aussi lourdes, furent les séquelles psychologiques. Au cours des mois qui suivirent la catastrophe, un nouveau symptôme apparut auquel les médecins donnèrent le nom de « névrose compensatoire ». Quantité de Bhopalis développèrent des maladies imaginaires ou s'infligèrent des blessures pour avoir droit aux indemnités. Mais il y eut aussi de réelles névroses. L'atteinte psychologique la plus grave était le *gabrahat,* un syndrome de panique qui plongeait les patients dans un état d'anxiété irrépressible : accélération du rythme cardiaque, sueurs, tremblements, les victimes vivaient un cauchemar permanent. Ceux qui souffraient de vertige se voyaient soudain au bord d'un précipice ; ceux qui avaient peur de l'eau avaient la sensation de se noyer. Dépressions, crises d'impuissance, anorexie, le gabrahat sema la désolation chez un grand nombre de survivants, les condamnant à considérer la catastrophe tantôt comme une punition divine, tantôt comme une malédiction lancée par un membre de leur famille. Le gabrahat conduisit beaucoup d'individus au désespoir et au suicide.

Bhopal compte aujourd'hui quelque deux cent mille personnes chroniquement affectées par les séquelles de la tragédie qui continue de tuer de dix à quinze malades par mois. Détresses respiratoires, toux persistantes, ulcères de la cornée, cataractes juvéniles, anorexies, fièvres récurrentes, brûlures de la peau, états de faiblesse, dépressions ne cessent de se déclarer, sans parler d'une recrudescence permanente des cas de cancer et de tuberculose. Nombreux sont les désordres gynécologiques chroniques, tels que l'absence de règles ou, au contraire, leur multiplication jusqu'à quatre ou cinq fois par mois. On note enfin des retards de croissance chez des jeunes âgés de seize à vingt ans, et qui en paraissent à peine dix. Carbide n'ayant jamais révélé la composition exacte du nuage toxique, les autorités médicales n'ont pu à ce jour mettre au point un protocole de soins efficace. Tout traitement ne procure qu'un soulagement temporaire. L'injection abusive de stéroïdes, d'antibiotiques et d'anxiolytiques n'aboutit le plus souvent qu'à consolider les dégâts causés par les gaz. Bhopal possède aujourd'hui presque autant de lits d'hôpitaux qu'une ville de la taille de New York. Mais, faute de médecins qualifiés et de techniciens formés pour entretenir et réparer les équipements ultramodernes, les immenses établissements construits depuis la catastrophe sont largement inutilisés. Une enquête réalisée en juillet 2000 révèle qu'un quart des médicaments distribués par le tout récent Bhopal Memorial Hospital Trust construit par Carbide sont soit nocifs soit inefficaces, et que 7,6 pour cent sont à la fois nocifs et inefficaces.

Tant d'incurie officielle a favorisé l'éclosion de dizaines de cabinets médicaux privés. Mais, selon des associations de défense des victimes, les deux tiers des médecins pratiquant dans ces officines n'ont pas la compétence requise.

Devant cette situation, plusieurs associations ont créé leurs propres centres de secours, telle la Sambhavna Clinic à laquelle se trouvent aujourd'hui associés les auteurs de ce livre. Cette institution unique fondée par un ancien ingénieur (voir la *Lettre aux lecteurs*) nommé Satinath Sarangi compte quatre médecins et une vingtaine de spécialistes médicaux et sociaux chargés de suivre plus de dix mille patients sans ressources et de veiller à ce que chacun reçoive des soins efficaces. L'équipe de la Sambhavna Clinic a découvert les spectaculaires et bénéfiques effets sur les détresses respiratoires chroniques de la pratique de certains exercices de yoga. La moitié des malades ainsi traités ont pu retrouver une capacité respiratoire presque normale et s'affranchir des traitements médicamenteux suivis depuis de nombreuses années. La clinique a également mis au point une soixantaine de médicaments ayurvédiques à base de plantes dont les effets bénéfiques ont déjà permis à des centaines de patients de reprendre une activité. Une réussite spectaculaire qui a arraché à leur misère quelques-uns des cinquante mille hommes et femmes qui sont aujourd'hui trop faibles pour accomplir le moindre travail manuel.

Tant d'années après la catastrophe, cinq mille familles de l'Orya basti, de Chola et de Jai Prakash Nagar continuent de boire l'eau provenant de puits pollués par les effluents jadis rejetés par l'usine. Des prélèvements effectués par une équipe de Greenpeace en décembre 1999 autour des anciens ateliers révèlent la présence de taux de tétrachlorure de carbone six cent quatre-vingt-deux fois plus élevés que la dose maximale acceptable, et de taux de chloroforme et de trichloréthylène respectivement deux cent soixante et cinquante fois supérieurs à la dose tolérée.

*

Aucun procès ne jugea jamais Union Carbide pour le crime qu'elle commit à Bhopal. Ni le gouvernement indien qui prétendait représenter les victimes ni les avocats américains qui avaient extorqué des milliers de procurations à de pauvres gens comme Ganga Ram ne parvinrent à obtenir que la justice d'outre-Atlantique se déclare compétente dans une catastrophe qui s'était produite en dehors du territoire des États-Unis. L'un des avocats américains avait pourtant emmené à New York le jeune Sunil Kumar, seul rescapé d'une famille de huit enfants, pour tenter de convaincre le juge de la Cour de New York auprès duquel l'instance avait été introduite d'accepter de juger Carbide. Aux yeux des « chasseurs d'ambulances », seul un tribunal américain pouvait condamner la multinationale à payer des dédommagements proportionnels à l'énormité du préjudice. La somme qu'ils réclamaient s'élevait à trois milliards de dollars. Les défenseurs de Carbide firent valoir qu'aucun tribunal américain ne pouvait évaluer le prix d'une vie humaine dans le tiers-monde. « Comment déterminer les dommages infligés à des gens qui vivent dans des huttes? » demanda l'un d'eux. Un journal se chargea de faire le calcul. « Une vie américaine vaut à peu près cinq cent mille dollars, écrivit le *Wall Street Journal.* Compte tenu du fait que le produit national brut de l'Inde représente 1,7 pour cent de celui des États-Unis, la Cour devra dédommager le décès de chaque victime indienne dans la même proportion, c'est-à-dire par une indemnité de huit mille cinq cents dollars [1] (environ soixante mille francs). » Un an après la catastrophe, aucun secours substantiel de la multinationale n'était encore parvenu aux victimes, bien que Carbide ait versé cinq millions de dollars à titre de secours d'urgence. Quatre longues années de marchandages furent nécessaires pour qu'intervienne, à défaut d'un procès en bonne

---

1. *Averting a Bhopal legal disaster, Wall Street Journal,* 16 mai 1985.

et due forme, une transaction entre la société américaine et le gouvernement indien. En janvier 1989, Union Carbide offrit de verser quatre cent soixante-dix millions de dollars d'indemnités, presque quatre milliards de francs. Pour solde de tout compte et à la condition que le gouvernement indien s'engage à renoncer à toutes poursuites judiciaires ultérieures contre la société et son président. C'était six fois moins que les compensations initialement réclamées. Les avocats du gouvernement de New Delhi acceptèrent néanmoins la proposition sans la moindre discussion.

Cet accord inespéré pour Carbide fit monter de deux dollars le cours de son titre à Wall Street. Une hausse qui permit au président Warren Anderson d'annoncer à ses actionnaires que la tragédie de Bhopal n'avait finalement représenté pour la société « qu'une perte de quarante-trois *cents* par action [1] ». Or, huit jours après la nuit fatale, l'action d'Union Carbide avait perdu quinze points, diminuant de six cents millions de dollars la valeur boursière de la multinationale.

Le plus surprenant fut le séisme moral qui ravagea tous les échelons de la société, qu'il s'agisse d'ingénieurs comme Warren Woomer ou Ranjit Dutta, ou de simples ouvriers, employés de bureau ou garçons d'ascenseur travaillant dans les différentes filiales. Au siège de Danbury, des secrétaires éclatèrent en sanglots à la lecture des télex de Bhopal. Des ingénieurs incapables de comprendre ce qui avait pu arriver s'enfermèrent dans leurs bureaux pour prier. Les psychiatres de la région virent affluer les employés de l'une des plus grandes sociétés industrielles du monde dans un état de dépression et de désorientation pitoyable. Beaucoup avouaient avoir perdu confiance dans la *Carbide strong corporate identity*, la forte image de l'entreprise Carbide. De semblables réactions se produisirent en Grande-Bretagne, au Ghana, à Porto Rico, par-

---

1. Soit moins de trois francs cinquante.

tout où flottait le drapeau au losange bleu. Quatre jours après la catastrophe, le 6 décembre à midi, les quelque cent dix mille employés des sept cents usines et laboratoires de la société arrêtèrent le travail pendant dix minutes « pour montrer [leur] peine et [leur] solidarité avec les victimes de l'accident de Bhopal ».

La crise morale dont souffraient les « Carbiders » à travers le monde parut si grave à Anderson qu'il enregistra une série de messages vidéo destinés à leur redonner confiance. Si ces messages parlaient abondamment d'éthique, de moralité, de devoir de compassion, la meilleure façon de redresser la barre était encore de démontrer que l'entreprise n'était pas coupable. Le 15 mars 1985, le vice-président de la division agricole de la filiale indienne, K. S. Kamdar, organisa une conférence de presse à Bombay pour annoncer que la tragédie n'était pas due à un accident mais à un sabotage. Kamdar s'appuyait sur l'enquête réalisée par Woomer et l'équipe d'ingénieurs envoyés à Bhopal au lendemain de la catastrophe. Selon cette enquête, un ouvrier aurait délibérément introduit une grande quantité d'eau dans les tuyauteries communiquant avec la cuve de Mic. Cet ouvrier, dont le nom n'était pas mentionné, aurait agi par vengeance à la suite d'un différend l'opposant à ses supérieurs. À l'appui de cette thèse, les enquêteurs faisaient état de la découverte d'un tuyau d'eau à proximité d'une cuve et surtout du maquillage de certaines informations consignées sur les livres de bord tenus par l'équipe de quart cette nuit-là. Le rapport qui incriminait un prétendu saboteur ne faisait aucune mention du fait que tous les systèmes de sécurité de l'usine étaient arrêtés au moment de l'accident.

Les auteurs de ce livre ont réussi à retrouver l'homme accusé par Carbide et à s'entretenir longuement avec lui. Il s'agit de Mohan L. Varma, le jeune opérateur qui, le soir de la catastrophe, avait identifié l'odeur du Mic, alors que ses compagnons la mettaient sur le compte du Flytox antimoustique vaporisé dans la cantine. Ce père de trois enfants, parfaitement informé des dangers de l'isocyanate de méthyle, aurait-il pu accomplir un acte dont il risquait d'être lui-même victime, ainsi qu'un grand nombre de ses camarades ? L'innocence de Mohan L. Verma fut immédiatement reconnue. Aucune procédure judiciaire n'a jamais été engagée contre lui. Il vit aujourd'hui au grand jour à deux heures de voiture de Bhopal. Si des rescapés de la tragédie avaient eu le moindre soupçon à son égard, n'auraient-ils pas cherché à se venger ? En tout cas, personne à Bhopal ni ailleurs n'accorda le moindre crédit à cette hypothèse.

La réalité se chargea d'ailleurs de la démentir. Quatre mois après l'accident de Bhopal, le 28 mars 1985, une fuite d'oxyde de méthyle sur le site d'Institute, aux États-Unis, intoxiqua gravement huit ouvriers. Le 11 août suivant, toujours à Institute, une autre fuite, cette fois dans un réservoir stockant de l'oxyme d'aldicarbe, faisait cent trente-cinq victimes parmi les habitants de la Kanhawa Valley. L'une d'elles était Pamela Nixon, la laborantine du Saint Francis Hospital de Charleston, qui avait été frappée par l'odeur de chou bouilli que dégageait la nouvelle usine d'Institute produisant du Mic. « Je faisais partie de ceux qui croyaient Union Carbide quand elle affirmait que des accidents comme celui de Bhopal ne pouvaient se produire en Amérique », déclara-t-elle à la presse à sa sortie de l'hôpital. Cet incident changea sa vie. Elle reprit ses études et rejoignit les rangs de l'association People Concerned About Mic [1], créée par les résidents de sa région. Après quoi, armée de son diplôme en sciences de l'environnement, elle partit affronter les directeurs des différentes usines chimiques de la Kanhawa Valley pour obtenir le renforcement des mesures de sécurité. Ce que

_____

1. L'association des « Personnes préoccupées par le Mic ».

personne n'avait fait à Bhopal. La tragédie portait ainsi ses premiers fruits.

*

À Bhopal aussi les victimes s'organisèrent pour faire valoir leurs droits. Abdul Jabar, un musulman dont la famille avait été décimée la nuit du 2 décembre, rameuta trois mille cinq cents survivants pour mettre à sac les bureaux de Carbide à New Delhi et réclamer le paiement immédiat des indemnités promises. Cinq ans après la tragédie, les victimes n'avaient toujours pas touché un seul des quatre cent soixante-dix millions de dollars qui leur avaient été accordés.

Comme on pouvait s'y attendre, un tel pactole, bien que placé sur un compte spécial administré par la Cour suprême, ne pouvait qu'attiser les convoitises. Sheela Nadar, la mère de Padmini, dut verser mille quatre cents roupies pour pouvoir présenter un dossier établissant la mort de son mari. Le versement généralisé de bakchichs devint obligatoire pour accéder aux guichets d'indemnisation ou aux bureaux souvent très éloignés qui distribuaient les premières allocations de subsistance et d'aide médicale. Au bout du compte et selon les chiffres officiels, cinq cent quarante-huit mille cinq cent dix-neuf survivants finiront par toucher quelques miettes de la somme versée par Carbide, c'est-à-dire un peu moins de soixante mille roupies (dix mille francs) pour la mort d'un parent, et environ la moitié en cas de graves blessures personnelles. On était loin du million de roupies promis par l'avocat de New York à Ganga Ram et aux survivants de l'Orya basti.

*

Parce que le vent soufflait cette nuit-là vers leurs quartiers de misère, la tragédie avait surtout frappé les plus pauvres. Abandonnés à leurs souffrances, rançonnés par les charognards de tous bords, les survivants se trouvèrent bientôt victimes de nouvelles persécutions. L'arrivée au pouvoir en 1990 du parti nationaliste hindou BJP donna lieu à une véritable action de purification ethnique. Sous couvert d'un *Beautification program,* une opération d'embellissement de la ville, les nouvelles autorités détournèrent des sommes destinées à la réhabilitation des victimes pour vider les bastis de leurs habitants musulmans. Encadrés de policiers, des bulldozers rasèrent plusieurs quartiers. Seule la détermination d'une cinquantaine de femmes musulmanes menaçant de s'immoler par le feu réussit à arrêter la folie des purificateurs du BJP. Le cordonnier Iqbal, le tailleur Ahmed Bassi, le réparateur de vélos Salar qui avaient échappé au fléau du Mic furent chassés par la folie des hommes. Comme la plupart des musulmans habitant les quartiers de l'Esplanade noire, ils durent abandonner à nouveau leur habitation. Cette fois définitivement.

*

En 1991, le tribunal de Bhopal assigna Warren Anderson, président d'Union Carbide, à comparaître pour « homicide dans une affaire criminelle ». Mais l'homme qui jouissait d'une retraite paisible dans sa propriété de Vero Beach en Floride n'avait aucune intention d'honorer la promesse faite à un journaliste en quittant le sol de l'Inde le 11 décembre 1984. Non seulement il ne reviendrait pas dans le pays où sa société avait provoqué une tragédie, mais il prendrait ses dispositions pour disparaître dans son propre pays. Anderson quitta Vero Beach et nul ne sait aujourd'hui où il a trouvé refuge. Le mandat d'arrêt international qu'a lancé contre lui la justice indienne par le canal d'Interpol est resté sans effet, de même que toutes les nouvelles assignations à comparaître présentées aux États-Unis par des associations de victimes.

Nullement découragées, ces associations n'entendent pas renoncer. Les graffitis À MORT ANDERSON que repeignent inlassablement les rescapés sur les murs de leur cité rappellent que justice n'est toujours pas faite.

Si Warren Anderson est un justiciable introuvable, tout aussi aléatoires semblent les perspectives de parvenir à traîner Union Carbide en justice. Pour la bonne raison – maigre consolation pour les victimes – que la multinationale n'existe plus. Malgré tous les efforts de son président, la tragédie du 2 décembre 1984 a été fatale à l'orgueilleuse société au losange bleu et blanc. Le rachat de sa division agricole par la société française Rhône-Poulenc, aujourd'hui propriétaire de l'usine de Sevin d'Institute, et la reprise en août 1999 de l'ensemble des actifs pour une somme de neuf milliards trois cents millions de dollars par le groupe Dow Chemical, ont fait à jamais disparaître Union Carbide de l'horizon industriel mondial. Les auteurs des différentes actions en justice engagées contre la multinationale de Danbury firent savoir qu'ils obligeraient Dow Chemical à assumer ses responsabilités pénales. Une prétention qui leur valut une prompte réplique de son président : « *It is not in my power,* déclara Frank Popoff, *to take responsibility for an event which happened fifteen years ago, with a product we never developed, at a location where we never operated*[1]. »

*

Et la « belle usine » ? Peu après l'opération Foi, un jour de janvier 1985, un tharagar se présenta devant la teahouse de l'Orya basti.

— J'ai besoin de bras pour démonter les rails de la voie ferrée qui conduit à l'usine, déclara-t-il.

---

1. « Il n'est pas en mon pouvoir d'assumer la responsabilité d'un événement vieux de quinze ans, causé par un produit que nous n'avons jamais fabriqué, dans un lieu où nous n'avons jamais travaillé. »

416

Ce tronçon de voie ferrée qui reliait l'usine à la ligne principale du chemin de fer n'avait jamais servi. Il témoignait de la mégalomanie des ingénieurs de South Charleston qui avaient fait acheter une locomotive et des wagons pour transporter les énormes quantités de Sevin que fabriquerait l'usine. Ganga Ram, qui avait perdu dans la catastrophe la plupart des clients de son entreprise de peinture, leva timidement le bras.

— Je cherche du travail, déclara-t-il, persuadé que le tharagar allait le rejeter à la vue de ses mains mutilées.

Mais ce jour-là Carbide engageait tous les bras disponibles. L'ancien lépreux allait enfin pouvoir se venger en contribuant à démanteler le monstre qui avait jadis refusé de l'employer.

Pendant un an, Jagannathan Mukund dirigea l'équipe chargée de fermer définitivement l'usine. Une entreprise herculéenne qui consistait à nettoyer chaque pièce d'équipement, chaque tuyau, chaque cuve et réservoir, d'abord à l'eau puis à l'aide d'un décontaminant chimique. En 1986, le travail achevé, les derniers ouvriers portant la prestigieuse combinaison au losange quittèrent les lieux pour toujours.

Aujourd'hui, l'usine abandonnée ressemble à quelque vestige d'une civilisation disparue. Les structures métalliques achèvent de rouiller à l'air libre. Dans les herbes folles apparaissent les morceaux de sarcophages qui protégeaient les cuves. Sur les parois de la salle de contrôle, les soixante-dix cadrans dorment d'un sommeil éternel, y compris le manomètre de pression de la cuve 610 dont l'aiguille figée à l'extrême gauche de l'appareil témoigne à jamais de la colère qui s'empara du Mic cette nuit-là. Des pancartes SAFETY FIRST apportent une touche d'ironie à ce décor industriel dévasté.

Que faire de ce témoin accablant? En 1997, le ministère de la Culture du Madhya Pradesh suggéra de transformer tout le site de l'Esplanade noire en un parc de loisirs. Mais le tollé d'indignation que suscita cette proposition fit reculer les autorités. L'usine maudite resterait à jamais un lieu de mémoire.

*

Heureusement, quelques privilégiés échappèrent aux malédictions qui s'abattirent sur les victimes de la tragédie. Les mariés de l'Orya basti furent de ceux-là. Ramenée par miracle à la vie après avoir été sauvée du bûcher, Padmini put retrouver les siens au terme d'un long et pénible séjour à l'hôpital Hamidia. Elle revint dans l'Orya basti et s'installa avec son mari Dilip dans la hutte de ses parents. Mais très vite le cauchemar de la nuit tragique commença à la hanter au point de lui rendre insupportable le décor de son adolescence. La seule vision des structures métalliques qui la narguaient à quelques centaines de mètres aurait suffi à lui faire perdre la raison. C'est alors qu'une chance se présenta : un lopin de terre à vendre, à une soixantaine de kilomètres de Bhopal, presque au bord de la rivière Narmada. L'idée de refaire dans l'autre sens le chemin qui l'avait un jour conduite avec sa famille depuis l'Orissa jusqu'à Bhopal enthousiasma la jeune adivasi. Elle persuada son mari qu'ils pouvaient s'installer à la campagne, avoir une petite ferme et vivre de ses produits et d'un peu d'élevage. Sa mère et son frère étaient prêts à les accompagner. L'indemnité qu'ils venaient de toucher pour la mort du chef de leur famille permettait tout juste de réussir cette reconversion.

Dilip et Padmini construisirent une hutte, plantèrent du soja, des lentilles, des légumes et des arbres fruitiers. Petit à petit, ils creusèrent un réseau de canaux d'irrigation. Comme tous les paysans de la région, ils achetèrent à des vendeurs ambulants des « médicaments » pour protéger leurs plantations des insectes, surtout des charançons qui s'attaquaient avec prédilection aux pommes de terre.

Bien entendu, ces colporteurs ne proposaient pas de Sevin, mais des pesticides à base de pyrèthre essentiellement qui avaient le mérite d'être bon marché et généralement efficaces, sauf contre les chenilles du soja, lesquelles étaient un vrai cauchemar.

Un jour de l'automne 1998, Dilip et Padmini reçurent la visite d'un marchand de pesticides qu'ils n'avaient encore jamais vu. Il portait une combinaison de toile bleue marquée d'un écusson. Padmini, qui avait appris à lire grâce à sœur Felicity, déchiffra sans peine le nom inscrit au cœur de l'écusson. C'était celui d'une des plus grandes sociétés de produits chimiques du monde.

— Je suis le représentant de Monsanto, déclara-t-il, et je suis venu vous apporter un cadeau.

À ces mots, l'homme sortit de son triporteur à moteur un petit sac plein de graines noires qu'il mit dans les mains de Dilip.

— Ces graines de soja ont été spécialement modifiées, expliqua-t-il, elles contiennent des protéines qui leur permettent de se défendre contre tous les insectes, y compris les chenilles... – Voyant que les yeux de ses interlocuteurs s'étaient arrondis de curiosité, l'homme en profita : — Je peux aussi vous proposer des graines de poivrons immunisées contre les pucerons, des graines de luzerne traitées contre les maladies qui affectent les vaches, des patates roses qui...

C'était un catalogue de produits miraculeux que ce bienfaiteur apportait soudain à ce jeune couple de paysans indiens. Sa visite n'avait pourtant aucun motif humanitaire. Elle résultait d'une stratégie de marketing conçue à vingt mille kilomètres de cette ferme du tiers-monde, en Californie où se trouvait le siège de Monsanto, leader de la nouvelle révolution biotechnique. Trente ans après Eduardo Muñoz et son Sevin, Monsanto montrait son intention d'investir à son tour le marché indien.

Padmini prit le sac de graines et alla le déposer sur le petit autel orné de l'image du dieu Jagannath qu'elle avait

installé à l'entrée de la hutte, juste à côté d'un tulsi. Dilip
et elle attendirent la fin de la mousson pour planter les
petites boules noires. Tous deux ignoraient bien sûr que
ces merveilleuses petites graines avaient été génétique-
ment manipulées pour ne pas se reproduire. Le soja
récolté ne pourrait fournir de semences pour une autre
récolte. Quant aux risques pour la santé que représentait
cette manipulation transgénique, ni l'envoyé de Monsanto
ni ses jeunes clients n'étaient capables de l'imaginer.
L'Inde n'était-elle pas un champ d'expérimentation rêvé
pour de nouveaux apprentis sorciers ? Mais si tout ce que
le marchand leur avait dit était vrai, la vie de Padmini et
Dilip, ils en étaient convaincus, allait changer pour toujours. Ils pouvaient brûler des bâtonnets d'encens au dieu.
L'avenir leur appartenait.

Ce qu'ils sont devenus

Warren Anderson – Le président d'Union Carbide au moment de la tragédie a quitté la société en 1986 et pris sa retraite à Vero Beach, en Floride. Suite aux plaintes lancées contre lui par des associations de victimes et le mandat d'arrêt international d'Interpol, il a disparu de son domicile.

Shyam Babu – Le restaurateur qui avait promis de « nourrir toute la ville » et qui fournit le bois des crémations trône toujours derrière le tiroir-caisse de son restaurant. Son affaire s'est agrandie par l'ouverture d'un hôtel de quatre étages au-dessus de son établissement. À trente roupies la chambre, les tarifs de Shyam Babu sont imbattables.

Sajda Bano – La veuve de Mohammed Ashraf, première victime de la « belle usine », a finalement touché une indemnité pour la mort de son mari. Mais elle continue de se battre pour percevoir ce qui lui est dû pour la mort de son fils aîné Arshad. Soeb, le plus jeune, souffre de graves désordres neurologiques, séquelles de la catastrophe. Tous deux habitent le rez-de-chaussée d'une petite villa de la « colonie des veuves ». Sajda Bano suit régulièrement depuis quinze ans un traitement dans l'institution Sambhavna qui abrite la clinique gynécologique créée par Dominique Lapierre.

John Luke Couvaras – L'ingénieur dont l'épouse se faisait masser par des eunuques garde la nostalgie des années grandioses où il participa à la construction de la « belle usine ». Il vit aujourd'hui en Grèce mais rêve de venir se faire construire une maison sur les rives sacrées de la Narmada.

Suman Dey – Le chef de quart de la salle de contrôle la nuit du 2 au 3 décembre 1984 a acheté un atelier de réparation de motos avec le montant des indemnités de licenciement reçues de Carbide.

Sharda Diwedi – Le directeur de la centrale électrique qui illumina les mariages de la nuit fatale a pris sa retraite à Bhopal. Il souffre d'une insuffisance respiratoire chronique qu'il attribue aux efforts qu'il fit pour sauver les invités du mariage de sa nièce **Rinou** dont l'union ne put être célébrée que plusieurs jours après la catastrophe. Dix ans plus tard, le mari de sa nièce mourut d'un cancer que les Diwedi mettent sur le compte de l'empoisonnement par le nuage toxique. Quant à la jeune Rinou, elle souffre de crises récurrentes de dépression. La catastrophe a brisé sa vie.

Ranjit Dutta – L'ingénieur indien qui bâtit, avec Eduardo Muñoz, la première usine de formulation de Sevin, et qui tenta quatre mois avant l'accident d'alerter ses supérieurs sur la dégradation de l'usine, a pris sa retraite à Bhopal. Il travaille comme consultant en pesticides pour plusieurs fabricants de produits chimiques.

Sœur Felicity – La religieuse écossaise qui a sauvé des dizaines d'enfants la nuit de la catastrophe et les jours suivants anime toujours la Maison de l'espoir où sont accueillis des enfants handicapés physiques et mentaux.

Dr Deepak Gandhé – Le médecin de garde la nuit de la catastrophe de l'hôpital Hamidia a quitté Bhopal pour ouvrir un cabinet dans la petite ville de Kandhwa, sur la route de Bombay. Il consacre une partie de son temps à des missions humanitaires dans les régions pauvres du Bihar.

Rajkumar Keswani – Le Cassandre qui prédit la catastrophe dans son journal travaille aujourd'hui comme modeste reporter pour la télévision du Madhya Pradesh. Il n'a tiré aucun profit des articles visionnaires qui firent un temps de lui le journaliste le plus célèbre de l'Inde.

Rahaman Khan – L'ouvrier fou de poésie qui fut l'instrument du destin vit toujours à Bhopal. Il travaille dans le département des Eaux et Forêts du Madhya Pradesh.

Le major Khanuja – L'officier sikh qui découvrit les corps atrocement mutilés des membres de sa famille de retour d'un pèlerinage à Amritsar, et qui, la nuit de la catastrophe, arracha aux gaz des centaines d'habitants des quartiers pauvres proches de l'usine de Carbide, vit aujourd'hui à Jaïpur. Depuis la nuit fatale, il souffre de problèmes respiratoires et perd prgressivement la vue. En 1996, il a tenté d'obtenir d'Union Carbide une aide financière pour se rendre aux États-Unis afin d'y subir une opération des yeux que les spécialistes indiens ne peuvent réaliser. Désespéré à l'idée de devenir complètement aveugle, ce héros de la nuit tragique attend toujours la réponse.

Mohan Lal Varma – L'opérateur accusé de sabotage par Union Carbide n'a jamais été inculpé. Il vit aujourd'hui à cent kilomètres de Bhopal et travaille au département des Eaux et Forêts du Madhya Pradesh.

Shankar Malvya – Le syndicaliste hindou qui avait osé défier par une grève de la faim la suprématie d'Union Carbide est mort victime d'une crise cardiaque deux semaines après avoir été interviewé par les auteurs de ce livre. Son collègue musulman **Bashir Ullah** travaille aujourd'hui en Arabie Saoudite.

Professeur N. P. Mishra – Le doyen du Medical College qui fit sortir de leur lit tous les étudiants de la faculté, alerta par téléphone tous les pharmaciens du Madhya Pradesh et organisa les premiers secours, est toujours la première autorité médicale de Bhopal. Il consulte dans sa superbe villa des Shamla Hills tapissée de diplômes et de distinctions décernées par les institutions médicales du monde entier. Une pancarte affiche le prix de sa consultation : cent cinquante roupies, environ vingt-deux francs.

Jagannathan Mukund – Après avoir décontaminé les installations de l'Esplanade noire, le dernier directeur de l'usine a quitté Bhopal pour s'installer à Bombay où il a continué de travailler pendant plusieurs années pour Union Carbide. Il s'est retiré dans le Karnataka. Mais il reste inculpé par un tribunal indien en vue du procès qui doit juger les principaux responsables de la tragédie.

Eduardo Muñoz – Après avoir dirigé pendant plusieurs années la division des produits agricoles d'Union Carbide, le flamboyant ingénieur argentin qui fut le père de l'usine de Bhopal s'est installé à San Francisco où il vend aujourd'hui des armoires à vin.

Padmini et son mari Dilip – Voir l'Épilogue.

Kamal Pareek – L'ingénieur indien qui quitta sa « belle usine » parce qu'il ne supportait plus de voir se dégrader ses normes de sécurité vit aujourd'hui à New Delhi où il travaille comme conseiller indépendant pour l'industrie chimique.

Shekil Qureshi – Le superviseur musulman qui fut le dernier à quitter l'usine la nuit de la catastrophe dirige aujourd'hui une petite installation de traitement des eaux usées. Il souffre de graves séquelles respiratoires. Comme Mukund, il est inculpé dans le procès qui doit juger les responsables de la tragédie.

Ganga Ram – L'ancien lépreux a remis en marche sa petite entreprise de peinture en bâtiment. La municipalité de Bhopal a cédé aux habitants de l'Orya basti un terrain le long de la voie ferrée à dix kilomètres au nord de l'Esplanade noire. La communauté s'y est installée et y a reconstruit un typique petit village de l'Orissa avec ses huttes en terre décorées de motifs géométriques. Dalima est toujours très active, bien qu'elle se plaigne de plus en plus des séquelles de ses graves fractures aux jambes.

Dr Sarkar – L'héroïque médecin des cheminots fut retrouvé mourant dans le bureau du chef de gare. Il souffre depuis lors d'une toux chronique et de fréquentes crises d'étouffement. Pendant des années, il crut que le nuage toxique avait laissé un peu partout des poches de gaz qui continuaient d'empoisonner les gens. Il a pris sa retraite à Bhopal où il vit entouré de ses enfants.

Dr Satpathy – Le médecin légiste grand amateur de roses qui fit les premières autopsies de victimes la nuit de la tragédie est aujourd'hui chef du département médico-légal du Gandhi Medical College de Bhopal. Il continue de cultiver ses roses, qu'il envoie à toutes les expositions d'art floral de l'Inde. Contaminé par les gaz qui imprégnaient les vêtements des cadavres, il souffre aujourd'hui d'insuffisance respiratoire. Du fait qu'il n'habitait pas dans la zone touchée par le nuage toxique, il n'a jamais reçu aucune indemnité.

V. K. Sherma – L'héroïque sous-chef de gare qui sauva des centaines de voyageurs en faisant repartir le Gorakhpur Express vit aujourd'hui dans la banlieue de Bhopal. Les séquelles de ses blessures le condamnent à une invalidité quasi totale. Sa respiration est si déficiente qu'il peut à peine parler. Le moindre effort physique déclenche de terribles crises d'étouffement. Le gouvernement lui a versé trente-cinq mille roupies d'indemnités, moins de cinq mille francs.

Arjun Singh – Le premier ministre du Madhya Pradesh qui distribua des titres de propriété aux habitants des quartiers pauvres en bordure de l'usine d'Union Carbide remporta les élections de février 1985 et devint l'un des hommes politiques les plus puissants de l'Inde. Nommé vice-président du parti du Congrès par Rajiv Gandhi, il fut plusieurs fois ministre. Il a perdu son siège au parlement de New Delhi. Il partage son temps entre la capitale et Bhopal où il s'est fait construire une somptueuse demeure au bord du lac Supérieur.

Warren Woomer – L'ingénieur américain qui supervisa à Institute les stages des futurs cadres indiens de la « belle usine » avant de la diriger lui-même pendant deux ans vit aujourd'hui à South Charleston avec sa femme Betty. Sa maison surplombe la Kanhawa Valley. Woomer peut, en se promenant, apercevoir les structures de l'usine d'Institute dont les cuves contiennent en permanence plusieurs dizaines de tonnes d'isocyanate de méthyle. Woomer vient d'écrire un livre sur l'histoire de la présence industrielle d'Union Carbide à Institute. Il est resté consultant de l'usine, aujourd'hui propriété de la société franco-allemande Aventis.

Remerciements

Nous tenons à exprimer en tout premier lieu notre immense gratitude à nos épouses, Dominique et Sita, qui partagèrent tous les instants de cette longue et difficile enquête et furent des collaboratrices irremplaçables pendant la préparation de cet ouvrage.

Nous adressons toute notre reconnaissance à Colette Modiano, à Paul et Manuela Andreota, à Pascaline Bressan et Michel Gourtay, à Mari Carmen Doñate, Eugenio Suarez et Antonio Ubach qui passèrent de longues heures à corriger notre manuscrit et nous aidèrent de leurs encouragements.

Nous adressons un remerciement tout spécial à Antoine Caro pour sa collaboration exceptionnelle dans la préparation de ce livre, ainsi qu'à Pierre Amado pour ses précieux conseils concernant l'Inde.

Ce livre est le fruit de patientes enquêtes tant aux États-Unis qu'en Inde. Aux États-Unis, nous voulons remercier particulièrement l'ingénieur Warren Woomer et son épouse Betty qui nous offrirent l'hospitalité de leur charmante maison de South Charleston pour nous permettre de faire revivre les années heureuses où Warren dirigea l'usine de Bhopal. Nous remercions avec le même empressement l'ingénieur Eduardo Muñoz pour nos innombrables rencontres à San Francisco et dans sa

427

villa de Sausalito, au cours desquelles nous pûmes reconstituer presque jour par jour l'aventure que fut l'implantation, au cœur de l'Inde, d'une usine de haute technologie produisant des pesticides, et le combat de Muñoz pour en limiter la taille et les dangers.

Aux États-Unis encore, nous voulons remercier Halcott P. Foss et les ingénieurs Jean-Luc Lemaire et William K. Frampton de nous avoir ouvert toutes grandes les portes de l'usine d'Institute, la sœur aînée de l'usine de Bhopal, où le Sevin continue d'être fabriqué à partir du mortel isocyanate de méthyle. Un remerciement supplémentaire s'adresse à Jean-Luc Lemaire ainsi qu'à René Crochard pour leurs précieuses explications qui ont tant facilité la rédaction des parties techniques de notre livre. Nous associons à cet hommage américain Ward Morehouse et David Dembo qui mènent depuis leur petit bureau de l'East River à New York un inlassable combat pour faire connaître la vérité sur la catastrophe de Bhopal et qui nous ont généreusement ouvert leurs archives. Nous remercions également Kathy Kramer d'avoir mis à notre disposition la documentation concernant le Boyce Thompson Institute de Yonkers où fut inventé le Sevin qui devait anéantir les insectes ravageant les récoltes des paysans du monde.

Parmi tous les ingénieurs indiens qui participèrent à l'aventure de la « belle usine » de Bhopal, notre gratitude s'adresse en tout premier lieu à Kamal Pareek pour les journées entières que nous avons passées ensemble à reconstituer dans ses moindres détails la formidable espérance que représenta l'implantation de l'usine de Bhopal, puis sa lente agonie jusqu'à la catastrophe finale. Nous remercions également très vivement les ingénieurs Umesh Nanda et John Luke Couvaras qui partagèrent patiemment leurs souvenirs avec nous et nous confièrent de nombreux documents inédits. Nous adressons également nos remerciements à Jagannathan Mukund qui fut le dernier directeur de l'usine et qui accepta de se soumettre pendant trois jours au feu de nos questions dans sa propriété de Conoor dans les montagnes des Nilgiris du sud de l'Inde.

Une très grande partie de notre enquête se déroula naturellement à Bhopal même où le concours de Satinath Sarangi et de son équipe de documentalistes du Sambhavna Trust nous apporta une aide irremplaçable, de même que Farah Khan et sa mère Niloufar Khan, ainsi que la bégum Rachid, le Dr Zahir Ul-Islam, Enamia, Kamlesh Jamaini, Manish Mishra et le chroniqueur Nasser Kamal qui nous firent découvrir les secrets de la culture et du passé légendaire de la capitale du Madhya Pradesh.

Nos remerciements vont aussi à l'ancien lépreux Ganga Ram et à son épouse Dalima pour la généreuse hospitalité qu'ils nous ont offerte dans la nouvelle hutte qu'ils habitent à dix kilomètres de l'Orya basti et que nous avons surnommée pour son confort (relatif) « l'Orya Hilton ».

La direction d'Union Carbide a laissé sans réponse toutes nos demandes d'interviews et d'information.

Nous remercions, en revanche, la société Rhône-Poulenc, devenue propriétaire de l'usine d'Institute aux États-Unis, et son directeur de la communication internationale de l'Agro, Georges Santini, de nous avoir généreusement reçus tant à Institute que dans son département de recherches de Lyon. Nous associons à ces remerciements Christine Giulani, responsable de la communication de Dow Agro Sciences, pour l'accueil chaleureux des laboratoires de Letcombe Regis en Grande-Bretagne.

Nous voulons également adresser notre reconnaissance à ceux qui n'ont cessé de nous entourer de leurs encouragements et de leur affection pendant la longue aventure que furent l'enquête et la rédaction de ce livre, en particulier Garance Auboyneau et Alexandra Lapierre,

Bernadette, Carlos et Caroline Moro, ainsi que Rina et Takis Anoussis, Otto Barghezi, Dominique et Stéphanie Carpentier, Marie-Josèphe et Reine Conchon, Franck Coutière, Myriam et Oreste Debellis, José et Maria de Sequeira, Peter et Richard Dreyfus, Dr Olivier Fichez, Laura Garrido, Vivianne Haroutounian, René Le Breton, Michel Licinio, Jean-Louis Monier, Michelle Pavlidis, Dr François Puget, Béatrice Schoettel, Robert Simon, Paule Tondut, Abel Vaz.

Nous remercions aussi Dominique Bethoux de la Société Sotei Informatique de Fréjus pour son assistance technique lors de la mise en forme de notre manuscrit. Enfin, nous adressons notre plus vive reconnaissance à Gilbert Soulaine et à ses collègues Jean-Marie Mendiant, Martine Tintignac et Denis Toubiana, ainsi qu'à Gérard Petit et Sylvie Benzo qui s'évertuèrent avec tant de générosité à faciliter nos déplacements entre l'Europe, l'Inde et l'Amérique. Notre gratitude s'adresse aussi à nos amis de Travel Corporation of India, Adi Katgara, Behram Dumasia et Madan Kak ; à Ranvir Bandhari et Sanjiv Malhotra ; à Sanjay Basu de Far Horizon, ainsi qu'à Carmen Diez et Aurélie Maroniez pour leur précieuse assistance dans nos inlassables recherches à travers l'Inde.

Nous n'aurions pu écrire ce livre sans la confiance enthousiaste de nos éditeurs. Que Leonello Brandolini, Nicole Lattès et Antoine Caro à Paris ; Carlos Reves et Berta Noy à Barcelone ; Gianni Ferrari et Joy Terekiev à Milan ; Larry Kirshbaum et Jessica Papin à New York ; et enfin notre amie et traductrice Kathryn Spink, auteur de remarquables ouvrages sur Mère Teresa, Frère Roger de Taizé et Jean Vanier, soient ici chaleureusement remerciés.

Ramatuelle, janvier 2001

« *Tout ce qui n'est pas donné est perdu* »

LES RÉALISATIONS QUE NOUS AVONS ACCOMPLIES À
CALCUTTA ET DANS LES ZONES RURALES TRÈS
PAUVRES DU DELTA DU GANGE

Grâce à mes droits d'auteur, grâce à mes honoraires d'écrivain, de journaliste et de conférencier, grâce à la générosité de mes lecteurs et à celle des amis de l'association que j'ai fondée en 1982, il a été possible de lancer ou de poursuivre les opérations d'entraide suivantes :

1. Prise en charge complète et continue des trois cents enfants ayant souffert de la lèpre recueillis au foyer Résurrection.

2. Prise en charge complète et continue des cent vingt-cinq jeunes handicapés physiques des foyers de Mohitnagar et de Maria Basti.

3. Construction et installation du foyer de Backwabari pour des enfants infirmes moteurs cérébraux souffrant de handicaps extrêmement graves.

4. Agrandissement et aménagement du foyer d'Ekprantanagar, dans une banlieue misérable de Calcutta,

abritant cent quarante enfants d'ouvriers saisonniers qui travaillent dans les fours à briques. Le branchement d'eau courante potable a notamment transformé les conditions d'existence de cette unité.

5. Aménagement d'une école à proximité de ce foyer pour permettre de scolariser, en plus des cent quarante enfants pensionnaires, trois cent cinquante enfants très pauvres des bidonvilles avoisinants.

6. Reconstruction de cent huttes pour des familles ayant tout perdu, en novembre 1988, lors du cyclone qui frappa le delta du Gange.

7. Prise en charge complète du dispensaire de Bhangar et de son programme d'éradication de la tuberculose couvrant plus de deux mille villages (près de cent mille consultations annuelles). Installation d'un équipement radiologique fixe dans le dispensaire principal et création de plusieurs sous-centres et unités mobiles de dépistage radiologique, de vaccination, de soins et d'aide alimentaire.

8. Création de quatre antennes médicales dans les villages éloignés du delta du Gange permettant non seulement des soins médicaux et une action de lutte contre la tuberculose, mais aussi des programmes de prévention, de dépistage, d'éducation et de vaccination, des campagnes de planning familial ainsi que des « eye camps » pour redonner la vue à des malades atteints de cataracte.

9. Creusement de puits tubés procurant de l'eau potable et construction de latrines dans plusieurs centaines de villages du delta du Gange.

10. Lancement de trois bateaux-dispensaires dans le delta du Gange pour apporter des secours médicaux aux populations de cinquante-quatre îles.

11. Prise en charge du centre de soins rural de Belari recevant par an plus de quatre-vingt-dix mille patients venus de hameaux dépourvus de tout secours médical; construction et prise en charge du centre ABC pour enfants handicapés physiques et mentaux; construction d'un village pour cent mères abandonnées avec leurs enfants.

12. Création et prise en charge complète de plusieurs écoles et de centres médicaux (allopathique et homéopathique) dans deux bidonvilles particulièrement déshérités de la grande banlieue de Calcutta.

13. Construction d'un village « Cité de la joie » pour réhabiliter des familles d'aborigènes sans toit.

14. Don de dix pompes à eau fonctionnant à l'énergie solaire à dix villages très pauvres des États du Bihar, de l'Haryana, du Rajasthan et de l'Orissa, afin de permettre aux habitants de produire leur nourriture même en pleine saison sèche.

15. Prise en charge d'un atelier de réhabilitation pour lépreux en Orissa.

16. Envoi de médicaments et fourniture de soixante-dix mille repas protéinés aux enfants lépreux du foyer Udayan.

17. Actions diverses au profit des déshérités et des lépreux dans l'État de Mysore, d'enfants abandonnés à Bombay, à Rio de Janeiro (Brésil), ainsi que des habitants d'un village de Guinée (Afrique), des enfants abandonnés gravement malades de l'hôpital de Lublin (Pologne).

18. Création d'une clinique gynécologique pour soigner des femmes sans ressources victimes de la catastrophe chimique de Bhopal. Achat d'un colposcope pour dépister les cancers du col de l'utérus.

19. Envoi d'équipes et de secours d'urgence pour aider les victimes des terribles inondations de l'automne 2000 au Bengale; programme de réhabilitation pour reloger des milliers de familles qui ont tout perdu.

20. Prise en charge continue depuis 1998 d'une partie des programmes du Père Pierre Ceyrac d'éducation de plusieurs milliers d'enfants dans la région de Madras.

COMMENT VOUS POUVEZ NOUS AIDER À POURSUIVRE
NOTRE ACTION DE SOLIDARITÉ AUPRÈS D'HOMMES,
DE FEMMES ET D'ENFANTS PARMI LES PLUS
DÉSHÉRITÉS DU MONDE

Faute de ressources suffisantes, l'association « Action pour les enfants des lépreux de Calcutta » que j'ai fondée en 1982 ne parvient pas, aujourd'hui, à répondre à tous les besoins, pourtant prioritaires, que doivent assurer les différentes organisations indiennes que nous soutenons depuis vingt ans.

Afin de pouvoir continuer à financer les foyers, les écoles, les dispensaires, les projets de développement animés par des hommes et des femmes admirables qui consacrent leurs vies au service de leurs frères les plus démunis, nous devons trouver de nouveaux soutiens.

Une grave inquiétude ne cesse d'autre part de nous tourmenter. Qu'arriverait-il si, demain, nous étions victimes d'un accident ou si la maladie nous empêchait d'assumer les budgets des centres qui comptent sur nous ?

435

Il n'y a qu'une façon de conjurer ce danger : transformer notre association en une fondation.

Le capital de cette fondation devra pouvoir dégager chaque année des revenus capables de financer les divers projets des organisations humanitaires que nous soutenons. Pour générer les trois millions et demi de francs nécessaires chaque année, il faut un capital initial d'au moins soixante-dix millions de francs.

Comment réunir un tel capital sinon par une grande multitude de soutiens individuels ?

Soixante-dix millions, c'est sept mille fois dix mille francs. Pour certains, faire un don de dix mille francs pour une cause prioritaire est relativement facile. Quelques-uns peuvent même sans doute donner davantage.

Mais pour la grande majorité des amis qui nous ont déjà spontanément soutenus après avoir lu mes livres – *La Cité de la joie, Plus grands que l'amour, Mille Soleils* – ou avoir entendu une de mes conférences et qui, souvent, renouvellent fidèlement leur aide généreuse, c'est une somme beaucoup trop importante.

Cependant, dix mille francs, c'est aussi deux fois cinq mille francs, ou quatre fois deux mille cinq cents francs, ou cinq fois deux mille francs, ou dix fois mille francs, ou encore cent fois cent francs.

Une telle somme peut être réunie à l'initiative d'un seul auprès de plusieurs. En photocopiant ce message, en en parlant autour de soi, en se groupant avec des membres de sa famille, des proches, des amis ou des collègues, en établissant une chaîne de compassion et de partage, chacun peut contribuer à maintenir en vie cette œuvre qui apporte un peu de justice et d'amour aux plus pauvres des pauvres. Seul on ne peut rien, mais ensemble on peut tout.

Les dons les plus modestes comptent autant que les plus importants. N'est-ce pas l'addition de gouttes d'eau qui fait les océans ?

D'avance, un grand merci du fond du cœur pour le soutien de chacun, quelles que soient ses possibilités.

De tout cœur,
Dominique et Dominique
Lapierre

P.S. Nous rappelons que l'association « Action pour les enfants des lépreux de Calcutta » n'a aucun frais de fonctionnement. La totalité des dons reçus est attribuée aux centres bénéficiaires.

Action pour les Enfants des Lépreux de Calcutta
Chez Dominique & Dominique Lapierre
Val de Rian, 83350 Ramatuelle
Association Loi 1901 – CCP 1590 65 C Paris
Télécopie : 04 94 97 38 05
Site internet : http:/www.cityofjoyaid.org
e-mail : dominique.et.dominique.lapierre@wanadoo.fr

En sauvant un enfant,
en lui donnant la possibilité d'apprendre à lire et à écrire,
en lui permettant d'apprendre un métier,
c'est le monde de demain que nous sauvons.

* Accueillir, soigner, nourrir, vêtir, éduquer et former à un métier 10 enfants lépreux ou handicapés coûte entre 12 000 et 15 000 francs par an.
* Creuser 10 puits d'eau potable dans le delta du Gange coûte entre 15 000 et 25 000 francs suivant le terrain.
* Le traitement de 100 patients atteints de tuberculose coûte 10 000 francs.

*

Pour chaque don, il sera adressé, en temps voulu, un reçu fiscal réglementaire permettant de bénéficier de la réduction d'impôts prévue par la législation actuelle (50 % du montant des dons effectués dans la limite de 6 % du revenu imposable).

Table

441